Über das Buch:
Es soll ein ganz normaler Flug werden. Lukas, Kapitän eines Airbus, ist die Strecke Frankfurt–Nairobi schon häufig geflogen. Doch kurz bevor die Maschine auf die Startbahn rollt, zögert er. Endlose Minuten vergehen. Der Tower drängt, sein Kollege im Cockpit schaut verzweifelt, doch Lukas sitzt in sich zusammengesunken da. Endlich regt er sich, kann doch starten und hofft, dass niemand fragt. Denn Lukas hat Flugangst.

Sarah ist Berufspolitikerin. Nach zwei Legislaturperioden bedeutet Berlin für sie nur noch zähe Tage in der trockenen Luft der Ausschussräume. Als sie auf einem Flug nach Frankfurt Lukas trifft, beginnt eine unwegsame Liebesgeschichte. Für den Augenblick ist alles schön, wäre da nicht ihr bisheriges Leben.

Jörg Thadeusz erzählt ernst und komisch, klug und ehrlich von dem, was die Liebe ist.

Der Autor:
Jörg Thadeusz, geboren 1968, hat sich als Liegewagenschaffner und Rettungssanitäter auf eine steile Medienkarriere vorbereitet. Seit 1999 ist er Außenreporter für die WDR-Unterhaltungssendung »Zimmer frei«. Für seine Reportagen wurde er in der Kategorie »Journalistische Unterhaltung« mit dem Grimme-Preis ausgezeichnet. Er moderiert im Fernsehen und im Radio, hauptsächlich für den RBB.

Weiterer Titel:
»Rette mich ein bisschen«, Ein Sanitäter-Roman, KiWi 770, 2003.

Jörg Thadeusz

Alles schön

Roman

Kiepenheuer & Witsch

2. Auflage 2005

© 2004 by Verlag Kiepenheuer & Witsch
Alle Rechte vorbehalten.
Kein Teil des Werkes darf in irgendeiner Form
(durch Fotografie, Mikrofilm oder ein anderes Verfahren) ohne
schriftliche Genehmigung des Verlages reproduziert
oder unter Verwendung elektronischer
Systeme verarbeitet, vervielfältigt oder verbreitet werden.
Umschlaggestaltung: Barbara Thoben, Köln
Umschlagfoto: © ZEFA / Creasource
Umschlagfoto Rückseite: © Peter Peitsch
Gesetzt aus der Sabon Roman
Satz: Pinkuin Satz und Datentechnik, Berlin
Druck und Bindearbeiten: Clausen & Bosse, Leck
ISBN 3-462-03424-3

Für Gina und ›a couple of months‹

›Auf die Kinder der Fontanilla!‹
Ein dankbares Prost an
Isabel Nieto und Roberto Cappelluti

»Lukas, alles okay?«

Stefan Hesemann war nervös. Aber das würde ihm niemand anmerken. Er hatte die Frage tonlos in das Mikrophon seines Sprechgeschirrs gesprochen, obwohl der Angesprochene keine ganze Armlänge von ihm entfernt saß. Er war stolz darauf, dass er dieses ganz besondere Murmeln draufhatte, so als würde er in die hohle Hand sprechen. Alles ausdauernd geübt. Bestimmt ein Jahr lang hatte er auf den Fahrten von seiner Wohnung in Bonn zum Flughafen in Frankfurt/Main das Autoradio angemurmelt. Hatte seine Positionen durchgegeben. Königswinter, Westerwald, Limburg. Und die Kilometer bis Frankfurt auf Englisch gebrummt, bis es sich für seine eigenen Ohren angemessen teilnahmslos anhörte. Stefan Hesemann hat vieles länger üben müssen als andere. Auch das betonte Nicht-nervös-Sein. Ein Lufthansa-Pilot ist nicht aufgeregt, er wird nicht hektisch. Sollte einem angehenden Lufthansa-Piloten für andere sichtbar der kalte Schweiß auf der Oberlippe stehen, dann wird das nichts mit der Karriere. Dann setzt man sich niemals dahin, wo Stefan Hesemann gerade saß, auf den Co-Piloten-Sitz eines Airbus A 330–300. Ein Langstreckenmodell, Schub ohne Ende und 209 Leute im Rücken, die heil ankommen sollen. Da darf man nicht nervös sein, aber Stefan Hesemann war gerade sehr nervös.

Denn neben ihm saß sein Chef, der Kapitän dieses Fluges nach Entebbe, Uganda via Nairobi, Kenia. Lukas

11

Winninger saß nicht, er war vielmehr auf seinem Sessel zusammengesunken, sein Kopf ruhte auf der Steuersäule, unter seinem nach vorne gelehnten Körper hatte er die Hände gefaltet.

Für den Fall, dass das eine Entspannungsübung war, die einen Piloten leistungsfähiger macht, würde Stefan Hesemann die auch gerne lernen. Aber jetzt ist, verdammt nochmal, nicht der richtige Zeitpunkt, Entspannungsübungen zu trainieren. Die Triebwerke saufen gerade mehrere hundert Kilo Kerosin und sie sollten jetzt noch einmal rechts abbiegen, was sie direkt auf die Startbahn bringen würde. Dann noch einmal kurz abbremsen, und Lukas würde die Schubhebel nach vorne schieben und damit den ganzen infernalischen Lärm entfachen, zu dem die beiden Rolls-Royce-Triebwerke fähig sind. Stefan Hesemann würde die beiden Geschwindigkeitsmesser starr fixieren, bei Erreichen der Abhebegeschwindigkeit lauter als das sonstige Gemurmel »Go« rufen. Nach dem zweiten »Go« würde Lufthansa-Kapitän Winninger ganz sachte am Steuerrad ziehen, und die 229 Tonnen Mensch, Koffer und Kunststoff-Konstruktion den Erdboden verlassen. So soll es laufen, so ist es auch schon viermal gelaufen, als er mit Lukas Winninger zusammen geflogen ist. Aber heute? Was war heute plötzlich los? Winninger verharrte in seiner eigenwilligen Haltung.

Ich kann doch hier nicht die Triebwerke ausschalten. Hinter uns weiß der Teufel wie viele wartende Maschinen. Für die drei Minuten, die wir hier für das Starten höchstens brauchen dürfen, bezahlt die Lufthansa dem Frankfurter Flughafen jeden Tag eine Menge Geld. Hesemann krallte sich in die Lehnen des Sitzes, sein Magen krampfte, er wollte schreien: »Alter, rechts, rechts ist die Startbahn, hau rein, Mann!« Aber professionell bleiben. Er drückte den Knopf, der sein Mikrophon zum Sprechen freigab, und versuchte es wieder so tonlos, so unaufgeregt wie möglich.

»Lukas, äh, Captain, alles so weit okay?«

Keine Reaktion. Er sah nur, wie sich Winningers Oberkörper anhob, weil er tief einatmete. Blickkontakt ging nicht, weil Winninger die Augen geschlossen hatte. Hesemann musste irgendwas tun, mittlerweile spürte er, dass sein Hemdrücken feucht wurde. Er drehte an dem Gebläse über seinem Kopf. Sinnlos, denn Leistung entfaltet die Düse erst, wenn sie in der Luft sind. Vorher ist es ein schlappes Pusten. Hesemann kontrollierte die Temperatur der Klimaanlage in der Kabine. 22,5 Grad, wie bei den drei Kontrollen zuvor.

»LH 182, takeoff okay, runway tri, repeat, runway tri, west.« Scheiße, der Tower. Erstmal bestätigen, kleiner Zeitgewinn. Hesemann wiederholte die Durchsage und hängte »roger« an.

Er konnte doch den Winninger jetzt nicht reinreißen. Ohne Lukas Winninger wäre er mit kräftigem Anlauf durch die Prüfung gerutscht, ohne dessen Vorstellung in der Flughafenkantine hätte er sich niemals getraut, Johanna anzusprechen. Was sollte er denn auch sagen? »Frankfurt control, hier LH 182, meinem Captain ist noch nicht nach Fliegen zumute, lasst uns noch ein kleines Weilchen Zeit«? Hesemann spürte die Vibration der arbeitenden Triebwerke durch die Sohlen seiner Schuhe. Eigentlich liebte er dieses erwartungsfrohe Beben der startbereiten Maschine, wie alles am Fliegen. Jetzt fürchtete er die Gier der Turbinen, wieder 150 Kilo. Einfach so verbrannt. Ein sanftes Bimbam in Hesemanns Kopfhörer und synchron Aufleuchten des gelben Lichtes unter der Kennzeichnung »GAL 1«. In der First-Class-Küche, der

Galley 1, stand also Kabinenchef Siegfried Tauber und wollte wissen, was los war. Und er würde seinen scheiß aufgesetzten Etepetete-Tonfall anschlagen.

»Sagen Sie, First Officer, sollte ich die Gäste über eine unwesentliche Verzögerung ins Bild setzen, oder werden wir bald starten, es gibt eine gewisse Ungeduld, wissen Sie.«

Winninger muss das doch auch alles hören. Spätestens jetzt müsste er aus seiner Entspannungsübung, oder was auch immer er macht, aufschrecken. Denn auch er hasst Taubers Verblasenheit. Weil der zwar immer schrecklich devot tut, aber eigentlich der Meinung ist, dass alle Piloten unter 50 nur Computerspieler sind, die lediglich den Joystick gewechselt haben. Hesemanns erster Flug mit Passagieren war vor allem deswegen der reine Horror gewesen, weil Tauber bei jeder Turbulenz ins Cockpit kam, um Hesemann vorwurfsvoll zu mustern. Keine Reaktion vom versunkenen Winninger.

Stattdessen sagte der ganz, ganz abgeklärte Hesemann in sein Mikrophon: »Nein, Herr Tauber, alles in Ordnung. Es gibt da eine Unklarheit wegen einer PIA, dann geht's los, bleiben Sie bitte angeschnallt.«

Gelbes GAL-1-Licht aus und Arsch lecken, Tauber, dachte Hesemann. Mit Maschinen der pakistanischen Airline PIA gab es eigentlich nichts anderes als Unklarheiten, deswegen wird er das gefressen haben, und die Dienstanweisung »Bleiben Sie angeschnallt« hatte glatt gezogen, wer hier Koch und wer nur ein geföhntes Luftkellnerwürstchen war.

Immer noch 22,5 Grad in der Kabine, Hesemann drehte sachte an dem kleinen Stellrädchen, bis das Display 20 Grad zeigte, dann drehte er es wieder zurück auf 22,5 Grad.

Der Tower: »LH 182, takeoff clear, please push forward immediately.«

Hesemann kannte den Klartext: Macht euch vom Acker, Leute, oder wollt ihr eine Beschwerde, die euch beiden Pilotenpfeifen eine Menge Ärger einbringt? Was mache ich denn jetzt, was soll ich denn nur machen, flehte sich Hesemann selbst an.

»Stefan, wir können.« Winninger hatte sich aufgerappelt und sah starr geradeaus. Mit der gebräunten, gepflegten Hand griff er nach den Schubhebeln, um die Rechtskurve fahren zu können. Wie immer waren seine Bewegungen schon fast zu exakt, genauso wie Hesemann sie zu kopieren versuchte. Alles wie immer, als wäre nichts gewesen. Hesemann ließ seinen Hinterkopf gegen die Kopfstütze fallen und stöhnte erleichtert auf.

Er schloss kurz die Augen und spürte die Verkrampfung weichen. Das wäre vielleicht anders, wenn er wüsste, dass sein Kollege, der 39-jährige Flugkapitän Lukas Winninger, seinen Tod vor Augen hatte.

Der junge Ugander bemühte sich, die Fassung zu bewahren.

Wilberforce war an seiner strengen Schule zur Contenance um jeden Preis erzogen worden. Besonders bei der Begegnung mit Weißen. Ihm war auch klar, dass die meisten Europäer merkwürdig waren. Schließlich fuhr er lange genug diesen Bus, hatte schon unzählige Flugzeugbesatzungen vom Flughafen Entebbe in die Hauptstadt Kampala gebracht. Oder in die andere Richtung. Sie tranken wie die Löcher, sie waren peinlich berührt, wenn man sie nach Fotos von ihren Kindern fragte, hielten es aber für gelungenen Smalltalk, wenn sie sich erkundigten, ob denn der Herr Fahrer auch HIV-positiv sei. Sie waren eigenartig, aber bei diesem Typen musste er gleich wirklich laut loslachen. Wer hatte ihm denn nur dieses Suaheli beigebracht?

Tatsächlich hatte sich Kabinenchef Siegfried Tauber höchstpersönlich mit der ostafrikanischen Verkehrssprache vertraut gemacht. Mit Hilfe des landeskundlichen Lufthansa-Informationsblattes »Östliches Afrika«.

Dass der Fahrer plötzlich laut loslachte, war für Tauber ein weiterer untrüglicher Beweis für sein eigenes Unterhaltungstalent. Das ihm, ebenfalls nach seiner ganz eigenen Wahrnehmung, schon überall auf der Welt Freunde gemacht hat.

Dabei waren es nur einige Satzfetzen, die sich Tauber

aus dem Blättchen zusammengelesen hatte. Er bescheinigte sich selbst auch eine außerordentliche musikalische Begabung. Deswegen hatte er sich nur Formulierungen ausgesucht, die in seinen anspruchsvollen Ohren besonders harmonisch klangen. Die genauere Bedeutung der Worte ebenfalls zu verinnerlichen erschien ihm anstrengend und überflüssig. Also hatte er Wilberforce mit den Worten begrüßt: »Guten Morgen, guten Abend, ich fürchte, ich habe eine Geschlechtskrankheit.«

Flugbegleiterin Ruth Süzer kratzte sich hektisch an den Oberschenkeln. Sie saß in der letzten Reihe des Busses, allein neben Lukas Winninger.

»Ich halt das nicht mehr aus«, stöhnte sie auf.

»Wie bitte?« Lukas kehrte offenbar aus einer völlig anderen Welt in den Bus zurück, das keckernde Lachen des Fahrers hatte ihn aufgeschreckt.

»Merkst du denn nicht, wie heiß es in diesem Ding ist? Die Strumpfhose macht mich fertig.« Kaum ausgesprochen, griff sich Ruth an den Reißverschluss ihres Rockes und öffnete ihn zur Hälfte. Sie hob den Po leicht an und begann, sich die Strumpfhose so unauffällig wie möglich auszuziehen.

»Kann ich helfen?«, fragte Lukas gedämpft, blickte aber weiter unbewegt geradeaus in Richtung Fahrer. Ruth versuchte ihr Ächzen zu unterdrücken. Der Raum zwischen den Sitzbänken war so schmal, dass schon ein Übereinanderschlagen der Beine Akrobatik bedeutete. Unmöglich für eine Frau mit fast 1,80 Meter.

Verwegener Anblick, dachte Lukas, der jetzt doch hingucken musste.

Der Rocksaum war knapp über die Scham gerutscht, darunter legte Ruth mit ruckenden Bewegungen immer mehr von der gebräunten Haut ihrer Beine frei. Lukas hielt

für sich fest, dass eine zusammengerollte Damenstrumpf-
hose den zweiten Platz in der Tabelle der hässlichsten
künstlichen Häute belegte. An Platz eins stand unan-
gefochten das zusammengerollte benutzte Kondom auf
einem Hotelteppich. Knallroter Nagellack auf den Zehnägeln von Ruth. Lukas zählte acht Nägel, zwei fehlten,
die Zehen waren aber da. Ansonsten schlanke, gebräunte
Füße am Ende von formvollendeten Langbeinen.

»Wie heißt der verkommene Co-Pilot, der dir gelegentlich die Zehnägel abkaut?«, fragte Lukas.

Ruth hatte sich so weit wie möglich runtergebeugt, um
nach ihren Schuhen zu tasten. Sie funkelte ihn an, ihr
Gesicht war erhitzt.

»Ich dachte, wir haben es so doll mit den Manieren,
Herr Kapitän«, murmelte Ruth.

»Ja und?«

»Ein echter Gentleman hätte weggeguckt«, schnatzte
sie, offenbar wirklich verärgert.

»Verzeihung, es tut mir Leid.« Lukas versuchte warm
zu klingen, aber dabei leise zu bleiben, denn Co Hesemann hatte sich schon einmal umgedreht, weil er wohl
fürchtete, die Anbahnung eines delikaten »De-Briefing«
zu verpassen.

Ruth hatte Lukas ohne weiteren Kommentar den Hinterkopf zugedreht. Sie blickte auf ihrer Seite aus dem
Fenster. Der Viktoriasee war tatsächlich sehenswert. Wie
ein innerafrikanischer Ozean. Oder ein Scherbenmeer,
weil sich das gleißende Sonnenlicht so kleinteilig in den
kurzen Wellen brach. Die Schatten im Wasser waren große Steine. Es könnten aber auch Krokodilrücken sein. Eigentlich wäre es seine Rolle, mindestens die Geschichte
von den Krokodilen zu erzählen und den Überlebenden
des Eisenbahnunglücks. Vorerst Überlebende, musste es

korrekt heißen, denn der Zug stürzte in den See, dann kamen die Krokodile. Möglichst laut, damit es auch alle hören und sich in ihrer Wahrnehmung vom Gefühlsverweigerer Lukas Winninger bestätigt fühlten. Einer, eigentlich der Einzige, der von »Friseusenromantik« sprach, wenn alle anderen wegen eines traumhaften Sonnenuntergangs erschauderten. Lukas glaubte, dass ihnen diese Attitüde Vertrauen einflößte. Er wusste um seinen Ruf. Zu seinem letzten Geburtstag hatten ihm Kollegen, wie sie es nannten, ein »Brüderchen« geschenkt. Eine Eiswürfelmaschine. Einfallsloses Geschenk, er hatte den Angebotsständer mit den Maschinen auch im Flughafen gesehen. Konnte ja auch keiner ahnen, dass er seinem Magen schon seit drei Jahren keine eiskalten Getränke mehr zumuten durfte. »Du musst aufpassen«, hatte Karol gesagt. Internist, aber mit Lukas seit Schulzeiten befreundet und deswegen sehr zurückhaltend mit ausufernden Ratschlägen zur Lebensführung. Jetzt brauchte er Karol nicht, denn er wusste, was ihm helfen würde. Er musste heute Abend in ein schönes Gesicht gucken, eine möglichst plapperige Atmosphäre herstellen, damit das Weltbeherrscher-Wohlgefühl nur möglichst lange anhielt. Spätestens am frühen Morgen wären die Gedanken sowieso wieder da, die Bilder würden ihn nicht ausschlafen lassen.

Wahrscheinlich war Ruth die Richtige, um ihn mindestens bequem in den Schlaf rutschen zu lassen. Sie war ohne Zweifel sehr aufregend, mit ihren großen schwarzen Augen. Sie hatte die vollen Lippen, die sich seine Frau wünschte. Oder gewünscht hatte. Lukas war über die aktuellen Bedürfnisse seiner Gattin nicht im Bilde, weil sie sich dazu unterhalten müssten, und das war momentan eine unüberwindbare Klippe. Ruths Busen war beinahe schon zu groß und vor einigen Jahren hätte Lukas darüber wüst phantasiert. Leider stellte sich ihm jetzt nur die Frage, ob der BH, der sich unter Ruths Bluse abzeichnete, wohl dieses kleine Schleifchen zwischen den Halterschalen hatte. Auch wenn es ihn nicht im Geringsten aufregte: besser in der Nähe dieser schönen Dinger im Bett liegen, als allein an die Decke zu starren. Lukas wusste, dass er es dazu nun mit Annäherung probieren musste, eine Brücke bauen musste.

»Ich hatte auch mal das Gefühl, ich hätte Fußpilz. Da soll es aber eine tolle Salbe geben«, sagte er so fröhlich wie möglich.

Sie drehte sich zu ihm um und die Langsamkeit der Bewegung verhieß nichts Gutes. Der Gesichtsausdruck noch viel weniger.

»Es ist kein verdammter Pilz. Ich laufe Marathon. Dabei habe ich die beiden Nägel verloren, du kannst aber auch gern einen Abstrich machen, wenn dir danach ist.« Lukas fragte sich, ob es eigentlich auch Männern möglich war, so zu zischen, wie er es gerade gehört hatte.

Der Bus erreichte die Außenbezirke von Kampala. Jetzt kamen also die Särge. Denn der erste Stadtteil war der Schreinerbezirk. Weil pietätvolle Werkstätten fehlten, trockneten die unzähligen frisch lackierten Särge unter freiem Himmel. Lukas fröstelte. Obwohl er in der Hitze des Busses noch seine Uniformjacke trug. Ging nicht anders. Sonst hätten alle seine riesengroßen Schweißflecken gesehen. Warum schwitzte der Mann so, wo es doch im Cockpit noch kühler war als in der Kabine, wäre die logische Frage gewesen. Seinem Co Hesemann müssten sowieso einige Fragen in den Sinn gekommen sein. Was war da los, auf der Startbahn in Frankfurt, könnte er fragen. Warum war das verlässliche Gemäkel ausgeblieben, als Hesemann an seinem Platz aß? Sonst waren doch immer die Instrumente in Gefahr, gerade wegen der unübersichtlich vielen Getränke am Platz. Warum war die Landung so hart, wie es nach den Procedures nur ein Sturm rechtfertigte? Bei klarstem afrikanischen Himmel, mit einer so zarten Luftbewegung, dass das Wort »Wind« eine maßlose Übertreibung gewesen wäre. Doch Hesemann hatte nicht gefragt und würde nicht fragen. Bisher fand ich seine beinahe hündische Ergebenheit provozierend, dachte Lukas. Heute war ich erleichtert. Zumal Hesemann momentan wohl eine Erscheinung erlebte. Mit halb geöffnetem Mund verfolgte er, wie sich seine Sitznachbarin, die Flugbegleiterin Felicitas, die Lippen nachzog.

Er sollte jetzt den Mund schließen und sein Gepäck zusammensuchen, denn der Bus hielt vor dem Eingang des Sheraton Kampala.

»Darf ich?«, fragte Lukas, als Ruth nach ihrem Rollkoffer griff. Sie nickte, bemühte sich aber um einen mürrischen Gesichtsausdruck. »Kennst du Chicken Luwombo?«, fragte er leise.

»Huhn mit Fußpilz?«, ihre Antwort.

»Eine ugandische Spezialität. Darf ich dich dazu einladen?«

Sie zuckte mit den Achseln.

»Vielleicht um acht?«

»Ich bin ein bisschen müde. Aber ich rufe dich auf dem Zimmer an, wenn ich doch noch Lust habe.« Bitte hilf mir, flehte Lukas still und entspannte sich etwas, weil sie andeutungsweise lächelte. Er wendete sich mit seinem und Ruths Koffer dem Hoteleingang zu.

Wilberforce stand an der Beifahrertür und biss sich auf die Unterlippe.

Tauber hatte ihm die Hand auf die Schulter gelegt und

sagte, dass er einen Frauenarzt suchen würde, der ihm Travellerschecks eintauscht, und dass er dann gerne eine schöne Handtasche essen möchte.

Sarah war auch der Meinung, dass das Verhalten der Franzosen im Kongo in Brüssel zum Thema gemacht werden müsse.

Und Sarah wollte vögeln. Oder wenigstens knutschen. Aber bitte nicht mit diesem Gegenüber. Der Mann sprach Englisch, Französisch, Italienisch, Portugiesisch und verstand Arabisch. Aber in keiner dieser Sprachen würde er jemals einen interessanten Punkt so erwischen, dass ihm irgendjemand gerne zuhört. Er saß am Ende eines Flures des Auswärtigen Amtes und leitete ein Referat. Sarah hatte nicht nur seinen Namen, sondern auch die Bezeichnung des Referats vergessen. Eigentlich beschränkte sich ihre Bekanntschaft auf den Moment, als Sarah vor Wochen in seinem Büro nach dem Weg zur Damentoilette gefragt hatte.

»Wie schön, dass Sie hier sind, Frau Lohmann«, war er gleich auf sie losgestürzt, kaum dass sie aus dem Aufzug gestiegen war. Eigentlich hatte sie ihre störrische Unterhose noch zurechtzupfen wollen. Aber sein Überfall machte es nötig, dass sie sich darauf konzentrierte, wenigstens ihr Wahlkreislächeln hinzubekommen.

»Ihre Augen lächeln nicht mit«, hatte die PR-Beraterin gesagt, mit der sie sich kürzlich selbst aus der Krise holen wollte. Sarah hatte seitdem morgens häufiger vor dem Spiegel gestanden und überprüft, wie es denn aussehen kann, wenn ihre verquollenen Augen lächeln.

23

Sie hatte »Referat vergessen« zum Proseccoholen geschickt, da baute sich schon das nächste Ungemach in Gestalt des parlamentarischen Geschäftsführers Horst Schnüssgen vor ihr auf.

»Sie haben sich ja schon wieder so viel Mühe gegeben, Kollegin Lohmann, so wird das nichts mit der ›Tagesschau‹«, Schnüssgen gönnte ihr zu diesem Satz ein maliziöses Lächeln, bei dem sich die Speckbacken ungünstig hochzogen und seinen Schweinsäuglein damit noch weniger Platz ließen.

»Was meinen Sie, Kollege Schnüssgen, was können Sie denn nur meinen?«, schön lächeln, immer weiterlächeln.

»Ihre Rede vor drei Tagen im Plenum. Haben Sie es denn schon vergessen?« Jetzt beugte er sich näher an ihr Gesicht, beinahe so, als wolle er tuscheln. Schnüssgen hatte bereits Bier und wohl auch ein Mettbrötchen mit Zwiebeln.

»Wir hatten doch gesagt, dass es auf schmissige zwei bis drei Sätze ankommt. Nicht länger als 15 Sekunden und Sie sind bei den Fernsehheinis in der engeren Auswahl.«

»Der Entwicklungshilfeetat war verblüffenderweise kein Thema in der ›Tagesschau‹, Kollege Schnüssgen, aber dennoch herzlichen Dank, dass Sie mich erinnern. Was macht denn das Herz, immer noch zwölf Tabletten zum Frühstück?«

Das hatte gesessen. Damit hatte sie Schnüssgen mit einer Frage die Hosen runtergelassen. Denn es zeigte, dass sie seinen kleinen Kollaps vor sechs Wochen nicht vergessen hatte. Nichts, was sich Schnüssgen gerne in Erinnerung rief. Auf dem Weg ins Plenum hatte er sich plötzlich an einen schwächlichen Zierbaum geklammert und dabei jämmerlich gekeucht. Dann sank er in die Knie und erbrach sich synchron. Eine attraktive wissenschaftliche Mitarbeiterin, mit der zwei Drittel der Fraktionskollegen schon bedeutsame Hintergrundgespräche führen wollten, lockerte ihm mit deutlich angewidertem Gesicht die Krawatte. Nein, daran wollte Schnüssgen beim besten Willen nicht erinnert werden. Er sah sich als raffiniert aufspielenden Strippenzieher und als glänzenden Redner. Dabei dürfte sich bis zu ihm herumgesprochen haben, dass er, nach einer entsprechenden Nennung in einem Satiremagazin, auch von den Parteifreunden nur der »Schwitzkasten« genannt wurde. Passt auffallend, dachte Sarah. Die bullige Statur, und auch heute Abend war der Kragen des Hemdes schon schweißfeucht eingedunkelt.

»Danke der Nachfrage, aber ich bin wieder sehr gut beieinander. Mehr Bewegung und so. War erst kürzlich in Neuhardenberg mit dem Kanzler wandern. Habe Sie dort vermisst, Frau Kollegin, wäre doch so kurz vor dem Gipfel ein Termin für Sie gewesen ...«

Das war der unmittelbare Gegenangriff. Schnüssgen wusste natürlich, dass ihre politische Karriere gerade einen ordentlichen Knick verpasst bekam.

Es gefiel ihm, dass der Kanzler versuchte, die 36-jährige Bundestagsabgeordnete Sarah Lohmann zu vergessen. Auch wenn sie vor zehn Jahren noch das SPD-Wunderkind im deutschen Parlament gewesen war.

Es tröstete Sarah auf diese besondere kalte Weise, dass der 22 Jahre ältere Schnüssgen noch viel erledigter war als sie. Er musste darauf hoffen, dass sie ihn nach der nächsten Wahl auf irgendeinem Gewerkschaftsposten komfortabel unterbringen würden. Für alles andere hatte er sich einfach zu schmutzig gemacht. Nur deswegen hatte sich Sarah überhaupt erlaubt, ihn mit seiner angeschlagenen Gesundheit zu brüskieren. Und nur deswegen konnte sie jetzt auch, nach einem aufmunternden Zuzwinkern, einfach weitergehen, ohne noch mehr Zeit mit Schnüssgen zu verschwenden.

Sie war zu diesem Abend gekommen, um jemanden kennen zu lernen. Natürlich nicht richtig kennen lernen. Sie wollte von dem Kerl nicht hören, dass es zu Hause schwierig ist. Oder im Job, oder in Berlin, oder wo es sonst noch schwierig sein kann. Sie wollte angefasst werden, sie wollte geküsst werden und zurückküssen. Auch wenn sie nur von jemandem glaubwürdig in den Arm genommen werden sollte, wäre der Abend mindestens ein Teilerfolg. Vorausgesetzt, auf den Umarmenden kann man »auch schön draufgucken«, wie das ihre Freundin Katrin-Irmgard nannte. Das Gespräch mit Schnüssgen hatte sie allerdings in den Kampfmodus zurückgebracht. In die Arenasituation ihres Alltags. Konzentrierte Angespanntheit in Erwartung des nächsten Überraschungsangriffs. Auch am Abend blieb oft noch dieser Krampf zurück, wie ein Muskelkater aus Angst.

Als »Referat vergessen« ihr das Glas Prosecco reichte, ließ sie ihn nach ein paar Sätzen stehen und machte sich in Richtung Buffet auf. Die jüngeren Männer, also im politischen Geschäft die unter 50-Jährigen, hatten bei solchen Veranstaltungen Hunger. Die Älteren meistens nur noch Durst. Deswegen war der Platz neben dem üppigen Holzkohlegrill für Sarah, was die Wasserstelle für die Löwin im Busch ist. Sarah steckte sich eine Zigarette an. Hob kurz die Hand, um den Mann zu begrüßen, der für die Partei den Kontakt zu den Globalisierungsgegnern halten sollte. Um auszudrücken, dass er seinen Auftrag jederzeit ernst nahm, trug er ein knallorangenes Anti-Erderwärmungs-T-Shirt zu seinem schlecht sitzenden grauen Anzug.

»Sollten Sie mal probieren, diese Würstchen«, der Mann biss so beherzt zu, dass kleine Fetttröpfchen seiner Rostbratwurst es bis in Sarahs Gesicht schafften.

»Reizender Tipp von Ihnen«, Sarah wischte sich demonstrativ über die Wange, »aber ich habe schon gegessen.« Kuschlige braune Augen, volle Lippen. Jetzt soll er mal beweisen, ob seine Steuerungseinheit im Kopf mehr kann, als ihm einen Bratwurstbiss und einen starren Blick in ein Dekolleté zu befehlen.

»Sie sind doch die Frau Lohmeier von den Grünen, oder?«

»Sarah Lohmann von der SPD, Sie lagen also fast richtig. Nett, Sie kennen zu lernen.«

»Oh, Entschuldigung. Nils Büge, tut mir echt Leid.« Er gab ihr immerhin nicht die fettige Wursthand, sondern überreichte ihr beim Händedruck etwas von dem Senf, der sich über seine Finger verschmiert hatte.

Hier müssen wir offenbar nicht die Originelle raushängen lassen, der tadellos proportionierte Hintern lohnte aber doch eine Anschlussfrage.

»Und was machen Sie hier beim Auswärtigen Amt, Herr Büge?« Und wo haben Sie essen gelernt, hätte sie tatsächlich interessiert.

»Siemens«, war die dürre Antwort, weil sich Herr Büge darauf konzentrieren musste, den Restzipfel der Wurst in den Mund zu bekommen. Nicht einfach, denn das Stück hatte die Länge von Sarahs kleinem Finger.

Sarah zog an der Zigarette, trank einen Schluck und nahm das Brusthaar in Augenschein, das Herrn Büge doch etwas übermächtig zwischen dem Hemdkragen hervorquoll. Diese Zeit hatte ihm offenbar für den Schluckvorgang gereicht. Jedenfalls wirkte sein muskulöser Hals herausgefordert.

Sarah mochte auffällige Männerhälse. Für sie ein untrügliches Zeichen, wie der Körper des Mannes ansonsten beschaffen war. Ein formloser Hals erweiterte sich tiefer zu einem ebenso qualligen Rumpf.

»Wir kümmern uns um die Telefonanlagen in den deutschen Botschaften weltweit.«

»Ich habe ein schnurloses Telefon aus Ihrem Hause, absoluter Schrott, Herr Büge.«

»Stimmt«, er lachte unverschämt und zeigte dabei eine weiße Musterzahnleiste.

»Das können Sie doch nicht einfach so zugeben!«

»Klar kann ich. Ich bin gestern aus Canberra wiedergekommen, neun Tage Australien. Sektchen in der Business-Class, fünf Strandtage, Tipptopp-Hotel und zwei Tage habe ich mein Prüfgerät an zwei Telefonanlagen gehalten, wissen Sie, was ich da sage: Danke Siemens. Auch wenn die Gigasets Schrott sind.«

Sarah hoffte, dass ihre Augen gerade ganz intensiv mitlächelten.

»Oder hätte ich das jetzt nicht sagen dürfen? Sind Sie irgendwie wichtig hier?«

Autsch, die Frage schmerzte, aber das konnte er nicht wissen.

»Ich sitze im Parlament ...« Sarah hätte gerne nicht gestockt. Aber sie wollte Herrn Büge doch sehr gern verständlich machen, was der Ausschuss für wirtschaftliche Zusammenarbeit tut und warum dessen Vorsitzende, Sarah Lohmann, mindestens nicht ganz unwichtig ist. Er kam ihr leider zuvor:

»Na immerhin. Dann sitzt da mit Ihnen ja schon mal jemand, mir erscheint es im Fernsehen immer recht leer.«

Nein, nicht originell, der Telefonmann. Im letzten

Landtagswahlkampf in Thüringen hatte Sarah daran gedacht, sich einen Handzählapparat anzuschaffen. Jedes Mal, wenn ein Wahlbürger wieder bei irgendeiner Gelegenheit den leeren Plenarsaal und die ergo stinkfaulen, hoch bezahlten Parlamentarier anprangert, wollte sie einmal drücken. Immer wenn 500 voll wären, wollte sie dann einfach nicht antworten, sondern irgendwas tun. Schreien, Stinkefinger zeigen oder gleich ohrfeigen. Letzteres allerdings nur bei den Alleswissern. Überall ein und derselbe Typus, Dauergäste an jedem Info-Stand, in jeder zugigen Fußgängerzone der Republik. Immer Männer. Immer zwischen 55 und 65, immer zu dick und immer mit dem gesamten Weltwissen unter dem kurzkrempigen Hut. Über Jahre aus der Bild-Zeitung auf dem Klo zusammengelesen. Die Annäherung unterscheidet sich höchstens im Dialekt, dafür geschieht sie immer grußlos und auch ansonsten ohne den Hauch von Höflichkeit.

»Armes Deutschland, sag' ich da nur, armes Deutschland«, war eine der Standarderöffnungen. Sarah machte es sich selbst zum Vorwurf, dass ihr als Reaktion bis zum heutigen Tag nicht mehr eingefallen war als ein hilfloses Lächeln. Für die Hutmänner bedeutete das: Blut im Wasser, ich sollte nachsetzen.

Dann entfalten sie ein beängstigend geschlossenes Weltbild. Mit unüberschaubar großen Personengruppen, die in Ketten gelegt gehören, also Wirtschaftsführer, Arbeitsunwillige und – selbstverständlich – alle Ausländer. Mit Problemen, die auf der Hand liegen, aber von keinem angepackt werden, weil Politiker alle faul und korrupt sind. Probleme wie die feigen Memmen bei der Bundeswehr, die Staus auf der Autobahn und Heuschnupfen. (»Sie können doch nichts mehr essen, überall Genetik drin, muss man doch von krank werden.«) In knapp drei

Wochen war es wieder so weit. Europawahlkampf, mindestens zwei Info-Stand-Besuche am Wochenende, plus Straßenfestereröffnung und Blumenschau und Landeskeglertreffen und, und, und. Nur bei dem bloßen Gedanken befiel sie unwiderstehliche Müdigkeit, wie in der intensivsten Phase einer Erkältung.

»Bitte entschuldigen Sie, es ist wahrscheinlich ziemlich anstrengend, wenn man ... wenn Sie ... also das Sitzen im Parlament stelle ich mir gar nicht so einfach vor.« Es ist beinahe süß, wie er sich bemüht, der Herr Büge, dachte Sarah. Er stand jetzt vornübergebeugt, mit einem Gesichtsausdruck zwischen angestrengt und überfordert. Er klimperte nervös mit den Lidern, was Sarah wegen seiner langen Wimpern sehr gefiel.

»Nein, ich muss mich entschuldigen, Herr Siemens. Wenn man, wie ich, zwölf Stunden am Tag nur sitzt, dann ist man abends manchmal ein wenig abwesend. Ich mache Ihnen einen Vorschlag: Sie holen uns noch einmal Brause, und wenn Sie wiederkommen, wechseln wir das Thema.«

»Ich habe einen besseren Vorschlag«, Herr Büge entspannte sich sichtlich und lächelte so selbstbewusst wie am Anfang des Gesprächs.

»Ich hole Brause für Sie und ein Bier für mich und dann wechseln wir den Ort.« Sarah ließ einen Moment Pause entstehen und sah sich um. Herr Büge würde denken, dass sie von seiner Kühnheit überrumpelt wäre und erst überprüfen müsste, ob es sich denn für eine anständige Frau gehört, einem solchen Angebot sofort zuzustimmen. Er konnte nicht wissen, dass Sarah lediglich kontrollierte, wie viele gefährliche Kollegen beobachten würden, dass sie mit einem fremden Mann abzog.

Sie sah einige flüchtig bekannte Beamte des Auswärtigen Amtes, wissenschaftliche Mitarbeiter des Bundestages und ein paar Vertreter der dritten und vierten Garde des Hauptstadtjournalismus. Also abgetakelte Gesandte von größeren Regionalzeitungen, eine ehemalige Chefredakteurin, die jetzt das politische Feigenblatt für den Dudelfunk privater Radiosender abgeben musste. Ihr Alkoholproblem hatte fast jeder schon einmal gerochen. Im Moment stand Schnüssgen in ihrer Atemnähe. Er kauerte neben ihr an der Theke, hatte das Jackett abgelegt und war nach dem Schweißhalbmond auf seinem Oberhemd so derangiert, dass er sich am nächsten Tag nur noch bruchstückhaft an Kommende und Gehende erinnern würde.

»Alles klar«, grinste Sarah in Büges Richtung, »wenn Sie wiederkommen, dann verschwinden wir bald.«

Er nickte beflissen und machte auf dem Absatz kehrt.

Für diese Angelegenheit hier brauchte sie noch keinen Zählautomaten. Üblicherweise vergab sie mit dem Jahresbeginn neue Nummern. Sie verfolgte den federnden Schritt von Nummer sieben und dachte über den Begriff Vorfreude nach.

Kampala, Uganda
8.47 Uhr Ortszeit
7.47 Uhr MESZ

Gut, sehr gut.

Eine Stunde sieben Minuten, Lukas drückte auf die Stoppuhr. In der feuchten Wärme dieses Morgens zählte jede Minute beinahe doppelt. Lukas schätzte, dass er mindestens 12 Kilometer geschafft hatte, vielleicht sogar 13. Ich bin gut beieinander, freute er sich. Die Endorphine hatten ihm während des Laufes einen Rausch verschafft. Viel stärker als zu Hause. Ich muss mehr in die Sonne, kein Wunder, dass ich innerlich verkrampfe, wenn ich immer nur in der Leblosigkeit der Berliner Natur unterwegs bin. In Kampala fühlte er sich von der Pracht der hügeligen Villenvororte beinahe angeschoben. Riesige Häuser, weißer als der gepflegteste mitteleuropäische Zahn, mit Vorgärten von der Größe eines deutschen Discounter-Parkplatzes. Es hatte sich auch bis zu Lukas herumgesprochen, dass in einem dieser Häuser früher Idi Amin residiert hatte. Der afrikanische Gruseldiktator schlechthin. Die europäischen Boulevardzeitungen fieberten vor Begeisterung über den schwarzen Riesen mit der Schlachterfigur und schwitzten immer wieder neue Geschichten aus, über kannibalische Orgien und angeblich mitgefilmte Folterschweinereien. Lukas erinnerte sich an die Anekdote, die ihm ein Kollege von »Uganda Airlines« vor ein paar Jahren erzählt hatte. Amin hatte es sich nicht nehmen lassen, einen Container mit chinesischen Fahrrädern auf dem Flughafen persönlich in

Empfang zu nehmen. Er ließ sich noch auf dem Flugfeld ein Fahrrad geben, konnte seine massigen zwei Meter selbstverständlich nicht auf dem Ding unterbringen und ordnete an, der Container müsse sofort wieder zurück nach China. Fahrräder seien ganz offensichtlich »nichts für dicke Neger«.

Auf der Akii-Bua-Road gab sich Lukas läuferisch immer besonders viel Mühe. Schließlich war John Akii-Bua der einzige Ugander, der jemals eine olympische Goldmedaille gewonnen hatte. Lukas hoffte, dass seine Oberschenkelmuskeln mit der gleichen hydraulischen Präzision arbeiteten wie die des verehrten einheimischen Hürdenläufers.

Jetzt ging er durch den Garten auf den Eingang des Hotels zu, hatte aber keinen Blick für die mannshohen Hibiscusbüsche, die in knallroter Blüte standen. Er verfolgte das Sinken seiner Herzfrequenz auf der Pulsuhr. Keine drei Minuten nach Ende der Trainingsbelastung schon deutlich unter 100 Schläge pro Minute, ich bin in Topform, sagte er sich wieder.

Vielleicht hätte es doch geklappt, wenn Ruth gestern Abend mehr gewollt hätte. Natürlich hätte es geklappt, die Uhr zeigte nur 76 Schläge. Von wegen Diabetes. Lukas betrat die gefrierschrankkalte Hotelhalle. An der Rezeptionstheke lehnte ein höchstens 25-jähriger Flegel. Ein typischer Vertreter der Zuspätgeborenen, der gerne ein Hippie sein wollte. Badelatschen, Bermudas, die so schmutzig waren, dass ihr eigentlicher Farbton nicht mehr zu bestimmen war. Das T-Shirt nicht weniger schmantig, unrasiert, aber logischerweise hochklassiges Englisch. Mit dem charakteristischen Nasal der Oberschicht-Briten hängte er an jeden Satz ein gedehntes »do you understand« an und war kurz vor dem Schreien, so als könne er den einheimischen Rezeptionisten auch jederzeit peitschen lassen, wenn der nicht bald kapierte.

»Hast du ein Problem, Junge?«, fragte Lukas angriffslustig.

»Wie bitte?«, fragte der Sandalenmann zurück.

»Du bist sehr laut, das ist ein Fünf-Sterne-Haus«, Lukas stand jetzt so nah, dass der Engländer seinen Sportschweiß riechen musste. Er überragte den Jungen um einen halben Kopf und genoss in diesem Moment die Imposanz seiner trainierten nackten Oberarme. Er versuchte keine Miene zu verziehen, aber Lukas sah zu seiner Befriedigung so etwas wie Angst in seinen Augen.

»Ich habe diesen Gentleman lediglich um ein Telefonbuch gebeten. So was gibt es ja wohl in jedem Fünf-Sterne-Haus, Sir.« Rechtfertigung heißt Rückzug, dachte Lukas.

»Aber eben nicht für jeden Dahergelaufenen, der sich seit Wochen nicht gewaschen hat und hier wohl auch nicht wohnt. Die Post ist links die Straße runter, da gibt es Telefonbücher für jeden, guten Tag und guten Weg.« Lukas sah ihm direkt in die Augen und bemerkte, wie die Lippen des Knaben vor Wut leicht zitterten.

»Wie kommen Sie überhaupt dazu, sich einzumischen, ich muss schon sagen, dass ich einigermaßen empört bin«, mit etwas mehr Entschlossenheit in der Stimme hätte Lukas über diesen Punkt vielleicht ernsthaft nachgedacht. Stattdessen ließ er das Gejammer abtropfen und nickte noch einmal unterstreichend mit dem Kopf in Richtung Ausgang. Der Engländer sah den Rezeptionisten an, der mit der Andeutung eines Lächelns die Achseln zuckte, aber nichts sagte. Dann nahm er, undeutlich Beschimpfungen murmelnd, seinen Rucksack auf und schlurfte in Richtung Ausgang.

Der Rezeptionist behielt seinen ungerührten Gesichtsausdruck bei, drehte sich zum Schlüsselbrett und holte die 824 für Lukas aus dem Fach. Er legte ihm den Schlüssel auf die Theke und sagte: »Der junge Herr wollte eigentlich den Manager sprechen. Es hat bestimmt Zeit gespart, dass Sie sich so spontan mit ihm verständigt haben, Sir. Darf ich Ihnen das Frühstück aufs Zimmer bringen lassen?«

Lukas nickte und die beiden lächelten sich kurz an.

Im Aufzug drehte Lukas den Kopf, um seine Nackenmuskulatur zu entspannen. Mir selbst den Bauch kraulen wäre noch besser, dachte er. Tut doch eigenartig gut, eine Runde den Terminator geben. Ohne erklären zu können warum, brachte es ihn total auf die Palme, wenn Westler in diesem Teil der Welt jeden Respekt vermissen ließen. Mochte schon sein, dass multinationale Konzerne im schwarzafrikanischen Medienschatten ihr neokoloniales Süppchen kochten. Diese Verstrickungen nachzuvollziehen erschien Lukas anstrengend, er wusste zu wenig und war sich nicht sicher, ob er mehr wissen wollte. Aber er hatte bei einer früheren Reise aus dem Taxi beobachtet, wie Männer in Nadelstreifenanzügen und Frauen in dunklen Kostümen und hochgeschlossenen Blusen am staubigen Rand der Einfallstraßen zur Arbeit gingen. In einer Art Gänsemarsch, der am Horizont zu beginnen schien. Dabei keiner, der sich schleppte. Alle kerzengerade, mit Würde, fand Lukas, brachten die Menschen kilometerlange Märsche hinter sich. Jeden Tag. Wahrscheinlich auch der Rezeptionist. Dann kommt so eine Pfeife, der zu Hause in England wahrscheinlich die freundliche Wärme der Menschen Afrikas lobpreist, und kujoniert aber mindestens so übel wie einst seine Landsleute mit Tropenhelm.

Die vollständige Wahrheit wäre allerdings, dass bei Lukas gerade dann die Sicherungen schmoren, wenn er es mit Menschen zu tun hat, die mit silbernem Löffel im Mund groß geworden sind. Besonders junge Männer, die von ihren reichen Eltern Kreditkarten, Neuwagen und eine satte Portion Blasiertheit mit auf den Lebensweg bekommen haben. Also Wiedergänger seiner Mitschüler an diesem Edelgymnasium in Zehlendorf. Aber daran wollte er jetzt wirklich nicht denken. Denn Ruth war doch noch nicht auf ihr eigenes Zimmer verschwunden, wie er insgeheim gehofft hatte.

Der Fernseher lief und zeigte einen vor sich hin knödelnden CNN-Reporter mit Froschgesicht und Splitterweste. Wahrscheinlich ein Nahost-Korrespondent. Aber das schien Ruth genauso gleichgültig zu sein wie Lukas.

Sie lag wie hingegossen, von der Unterhose abgesehen nackt, auf dem breiten Doppelbett und lächelte ihn an.

»Warum hast du mich nicht mitgenommen?«, fragte sie mit der schnupfigen Stimme kurz nach dem Aufwachen.

»Deinem Schnarchen nach zu urteilen, hast du tief geschlafen«, antwortete er kleinlaut, denn er wähnte sich in Gefahr. Also in einer Situation, die erotisch heikel zu werden schien. Und tatsächlich:

»Du siehst gar nicht so lächerlich aus wie andere Männer in kurzen Hosen«, sie grinste ihn frech an.

Sie war die schönste Frau, die er seit langer Zeit nackt gesehen hatte. Wild abstehende, starke Haare. Die sieben Stunden Schlaf brachten ihre großen, dunklen Augen wieder zum Funkeln. Anders als Lukas hatte sie am Abend zuvor wenig von diesem südafrikanischen Weißwein getrunken und sich vor allem hinterher nicht noch zweimal Malt Whisky bringen lassen. Er war beim besten Willen nicht betrunken, noch nicht einmal nennenswert angeheitert, aber er wollte eine Ausrede parat haben, falls sich die Situation, wie sie sich hier soeben entwickelte, bereits in der vergangenen Nacht eingestellt hätte.

»Was piepst denn da?«, fragte sie.

»Keine Ahnung«, log er. Seine Pulsuhr zeigte durch Pieptöne an, dass sie ihre Arbeit wieder aufnahm, weil er, im Zimmer stehend, plötzlich 109 Herzschläge in der Minute brauchte.

»Das Frühstück kommt gleich hoch«, überbrückte er.

»Super. Ich hätte sowieso keine Lust, mit den anderen jetzt schon rumzusitzen. Sollen wir uns nicht noch einen Moment zusammen entspannen?«

Was für ein Angebot. Lukas ahnte, wie schön sich ihre schweren Brüste anfühlen würden, wie herrlich es bestimmt wäre, ihren Nacken zu küssen, oder ihren aufregenden Bauchansatz. Aber es regte sich nichts. Er wusste, dass es unter manchen Flugbegleiterinnen schick war, mit den imaginären Skalps von Kapitänen am Gürtel zu prahlen. Nach allem, was er gerüchteweise gehört hatte, war es für die Verkaufe in der Bordküche auch wichtig, wie exotisch der Ort des Jagderfolgs war und als wie schwer zu kriegen der Kapitän allgemein galt. Lukas hatte sich in den vergangenen Monaten zurückgehalten. Aber wenn er seine 14 Jahre bei der Lufthansa insgesamt in Rechnung stellte, konnte er beim besten Willen nicht als schwere Beute durchgehen.

»Ich muss erst mal raus aus diesen Klamotten«, sagte er mit belegter Stimme. Er bewegte sich in Richtung Kleiderschrank, und gleichzeitig war ihm klar, dass es einen äußerst altjüngferlichen Eindruck machen würde, wenn er sich hinter der geöffneten Schranktür auszog.

Ruth stand vom Bett auf. Bitte nicht sofort Knutscherei, flehte er innerlich.

»Ich muss nochmal kurz«, sagte sie und Lukas atmete durch. Zeitgewinn!

Er klappte den Kleiderschrank auf, streifte die Laufklamotten ab und überlegte, ob er nicht doch besser erst eine Unterhose anzog, um das Unbewegte zu verdecken. Da hörte er einen dumpfen Schlag und einen Aufschrei von Ruth. Er hatte vergessen, sie vor der gläsernen Badezimmertür zu warnen. Jetzt hörte er ihr Wimmern und ein kindliches »Auauau«.

Lukas entfuhr ein tiefer Seufzer der Erleichterung. Er zog sich eine Unterhose an und ging zum Trösten in Richtung Badezimmer. Nur noch 86 Schläge, meldete die Pulsuhr.

In zehn Minuten würde sich der Wecker einschalten. Sie achtete darauf, den Wecker immer so zu stellen, dass sie unter keinen Umständen mit Radionachrichten wach wurde. Das Aufwachen sollte ihr ganz privater Moment bleiben, die erste und meistens letzte politikfreie Zeit des beginnenden Tages.

Allerdings konnte sie es sich in ihrem Berlin-Leben selten erlauben auszuschlafen, also bis 8.08 Uhr liegen zu bleiben.

Zu Hause in Bochum bedeutete Ausschlafen nach wie vor 11 oder 12 Uhr. War aber auch die Ausnahme. Wenn Herr Siemens Glück hat, dann würde er gleich, um 8.08 Uhr, mit einem guten Lied geweckt.

Sie saß bereits seit zwei Stunden in ihrer Küche und rauchte die dritte Zigarette an diesem Morgen. Sie trug die eisgraue Hose ihres Anzugs und eine Seidenbluse, die etwa zehnmal so viel gekostet hatte wie der Campingtisch, an dem sie saß. Sie mochte jetzt nicht darüber nachdenken, dass sie es in mittlerweile fünf Jahren Berlin nicht einmal zu Ikea geschafft hatte. Denn dieser Tag schien wieder mal nicht ihr Freund werden zu wollen.

Neben ihr in der Altpapierbox lagen die Zeitungen, die der Bundestagsbote zuverlässig um 6 Uhr brachte. Die Frankfurter Allgemeine Zeitung, Süddeutsche Zeitung, Neue Zürcher Zeitung, Observer, Le Figaro und die unvermeidliche Bild-Zeitung. Die las sie immer zuerst. Denn

39

sie hoffte an jedem Morgen, dass sich die Bild-Klebrigkeit verflüchtigte, sobald sie sich in die klare Informationsdusche der seriösen Zeitungen stellte. Allerdings versüßte es ihr den Morgen, wenn ein ungeliebter Kollege Opfer der Bild-Demagogie wurde. Vor ein paar Tagen gab es zu Sarahs Genugtuung diese lange Fotostrecke, die ein Ferienhaus in Spanien zeigte, alle Räume. In der abgebildeten Marmorbadewanne hatte ein Spitzengewerkschafter geplanscht. Wenn ihm nicht nach einem Sonnenbad auf der Dachterrasse mit Meerblick oder einem Spielchen auf dem hauseigenen Tennisplatz zumute war. Der selbst ernannte Kämpfer für den kleinen Mann entspannte auf Einladung eines Automobilkonzerns gratis. Die Bild-Leute ließen den Sozialneid deftig brodeln. Sarah nahm an, dass die Geschichte für seine weitere Karriere folgenlos bleiben würde. Denn die Gewerkschaftsspitze hatte schon ganz andere Skandale ignoriert und ausgesessen. Heute hatte sie nur gesehen, dass es Schnüssgen gestern Abend wirklich gelungen war, sich mit dem Außenminister auf ein Grinse-Bild zu drängen. Von wirklichem Zeitungslesen konnte nicht die Rede sein. Zuerst entkernte sie die einzelnen Ausgaben. Anzeigen und Sportteil flogen sofort in die Box. Dann schickte sie ihre Augen auf einen etwa dreißigminütigen Dauerlauf über die Politikseiten. Was ihr für ihr Ressort relevant erschien, riss sie aus und legte die Fetzen auf einen separaten Haufen. Die meisten Ausrisse würden später ebenfalls ins Altpapier wandern, denn der Zeitungsausschnittsdienst des Bundestages arbeitet hervorragend. Aber Sarahs schlechtes Gewissen war durch die Zeitungsauswertung vorübergehend beruhigt. Sie konnte sich dann selbst die Lüge besser glauben, sie würde engagiert ihrem Beruf nachgehen. Als Dessert gönnte sie sich die ausführliche Lektüre der interessantesten Reiseteile. Oder sie verlor sich in Buchbesprechungen und träumte davon, wie sie alle für gut befundenen Romane in einem vierwöchigen Sommerurlaub regelrecht wegatmete. In einem Urlaub, den sie hauptsächlich auf einer Sonnenliege verbringen würde. Nur gestört von diesem bisher noch unbekannten Mann, der ihr einen perfekt aufgebrühten schwarzen Tee mit einem Minzast und viele liebe Worte an die Liege bringt. Er soll für sie kochen. Souverän kochen. Kein Fernsehküchen-Schnickschnack mit tausend kleinen Töpfchen und Schälchen. Die Knoblauchknolle soll in einer wissenden Hand liegen und die Küche nach dem Kochen als solche erkennbar sein. Beim anschließenden Essen sollte er unterhaltsam sein und nicht allzu viel dummes Zeug oder sogar egomanischen Wahnsinn erzählen. Absolut selten, denn die Zahl der wirklich guten Freizeitköche war schon nicht besonders hoch.

Zum Glück war Herr Siemens nicht allzu sehr ins Reden geraten, dazu war er zu blau. Er küsste sie, kaum dass die beiden im Taxi saßen. Mäßig einfallsreich, seine Küsserei, aber sein Drängen, seine Gier hatten sie angemacht. Das war dann auch schon die höchste Aufwallung, die sie Herrn Siemens zu danken hatte. Bisschen Gefummel, bisschen Genuckel, der routinierte Rest, mit dem er zu ihrer Erleichterung schnell durch war. Wann bin ich eigentlich das letzte Mal richtig gekommen, fragte sie sich. Das war wohl leider bei Franz. Im Oktober vergangenen Jahres. Kein wirklich schöner Mann, aber schön anzufassen. Ein talentierter Liebhaber. Wahrscheinlich deswegen erotisch so hingebungsvoll, weil er immer noch seine Jugend nachholte, die er einst an das unsinnige Engagement bei den Jusos verschenkt hatte.

Sie würde ihn gerade heute Nachmittag wieder sehen,

den Staatssekretär im Bundesministerium für wirtschaftliche Zusamenarbeit, Franz Entrup. Ein Gruseltermin. Zwei Monate lang waren sie ein Quasi-Paar. Was bei dem beruflichen Hin und Her der beiden auch nicht viel mehr bedeutete als einige Abendessen, die darauf folgenden Nächte und zwei gemeinsame Einkäufe auf dem Samstagsmarkt. Ein Markt, auf dem die italienische Mortadella direkt in Edelsteinen bezahlt werden könnte. Denn auch zu den Markthändlern hatte sich herumgesprochen, dass am Samstag gerne gut verdienende Politiker, Beamte und Journalisten vorbeikamen. Um sich selbst vorzugaukeln, sie würden ein geregeltes Leben führen, mit belegten Broten, die kurz vor der »Tagesschau« fertig werden. Tatsächlich rottete in der Woche die Wurst neben den biologisch gezüchteten Tomaten im Kühlschrank. Während Hugo, ihr wissenschaftlicher Mitarbeiter, der Abgeordneten Lohmann den Sushi-Lieferdienst oder den Pizza-Service ins Büro bestellte. Franz war aber mit ihr über diesen Markt gegangen, um allen zu zeigen, dass sie beide mehr waren als die übliche Nummer zwischendurch. So hatte es Sarah jedenfalls verstanden. Auch wenn sie sich an der Seite von Franz kein neues Leben vorstellen konnte, er war ihr angenehm. Bis zum Nikolausabend des vergangenen Jahres. Da kam er am späten Abend zu ihr, wollte sich nicht setzen und auch kein Glas Wein. Erklärte ihr stattdessen, dass »das alles keinen Sinn habe, er sei nicht der Typ dafür«. Sie verstand nicht so recht, außer dass er sich wohl davonmachen wollte. Ihre Fragen konnte er nur mit Gestammel und Achselzucken beantworten, und ihr blieb nichts anderes, als eine verkrampfte Umarmung über sich ergehen zu lassen und ein Taxi zu bestellen. Seitdem begegnete er ihr mindestens unfreundlich oder sogar offen feindselig. Heute Nachmittag wird er mir klarmachen, dass ich mir das bereits versprochene Geld für mein Projekt in Afrika von der Backe kratzen kann, dachte sie.

Er wird sich auf seine penibel ordentliche Schreibtischplatte stützen, die Hände falten und ganz ruhig sprechen. Nicht um irgendetwas zu erklären oder um bei mir Verständnis zu wecken, dass eben kein Geld da ist und blablabla, sondern um es ganz ruhig zu genießen. Seine Macht und meine Machtlosigkeit. Hier der vom Finanzminister hoch geschätzte Staatssekretär, da die von allen wichtigen Tieren ignorierte Entwicklungspolitikerin, das ehemalige Talent. Die im Auftrag Deutschlands die Armut in der Welt bekämpfen soll, allerdings ohne Geld. Mit warmen Worten die Hungernden südlich der Sahara füttern. Sarah knüllte ihren Joghurtbecher zusammen. Sie hatte keine Lust auf diesen Tag. Um 6.50 Uhr hatte sie dem Deutschlandfunk ein Interview gegeben. Weil die Bild-Zeitung die Frage aufgeworfen hatte, ob sich Deutschland Entwicklungshilfe überhaupt noch leisten kann, wollten die politisch korrekten Radioredakteure von ihr, der entwicklungspolitischen Sprecherin der SPD-Fraktion, ein deutliches »Aber natürlich!« hören.

Sie wusste, dass sie von Radio- und Fernsehmenschen wegen ihrer deutlichen Sprache geschätzt wurde. Aber was hätte sie an diesem Morgen denn Deutliches sagen können? »Dem Kanzler ist die Dritte Welt herzlich egal, und mein Ex-Liebhaber wird mir heute erklären, dass wir es uns eben nicht mehr leisten können, ich finde es aber sehr wichtig.« Stattdessen hatte sie laviert und gelabert und ihr Gerede beinahe selbst nicht ertragen. Von den »vielleicht nicht ganz so effektiven Projekten, die natürlich auf den Prüfstand gehören«. Nach dem Interview war sie noch einmal mit dem zuständigen Redakteur verbunden worden, der sie dann auch noch besorgt fragte, ob bei ihr denn alles in Ordnung sei, sie habe so müde geklungen.

Aus ihrem Schlafzimmer hörte sie das Geseufze des wach werdenden Herrn Siemens, unterlegt von Johnny Cash, der seine verbitterte Version von »Personal Jesus« brummte. Den Leuten bei Radio Eins war offenbar auch nicht nach einem optimistischen Tagesbeginn zumute. Hoffentlich gibt Herr Siemens jetzt nicht die »Hurra-ein-neuer-Tag«-Frohnatur. Als sie aufstand und er schlafend in ihrem Bett lag, hatte sie seine Füße ganz intensiv nicht gemocht. Wie sie da so am Ende der Bettdecke hervorguckten, waren sie Sarah, aus welchen Gründen auch immer, komplett unsympathisch gewesen.

Eigentlich hatte sie ihn wecken und sofort wegschicken wollen, aber das war ihr dann doch als zu hart erschienen.

»Guten Morgen. Na, schon am Zeitunglesen?«, er stand jetzt in der Küche. Hatte Hose und Hemd angezogen und kratzte sich am Kopf.

»Sogar schon fertig gelesen«, gab sie zurück und versuchte ein Lächeln, das unter keinen Umständen mehr als unverbindliche Höflichkeit ausdrücken sollte.

»Bist wohl kein großer Frühstücker«, er blickte auf den Campingtisch mit der angeschlagenen Kaffeetasse, dem zerquetschten Joghurtbecher und dem Aschenbecher.

»Habe morgens noch keinen Hunger. Möchtest du Kaffee?«, fragte sie, in der Hoffnung, er möge ablehnen.

»Warum nicht. Eigentlich trinke ich ja Tee. Du hast nicht noch zufällig irgendwo einen Beutel?«

»Tut mir Leid, nein. Nur Kaffee, ich muss sowieso gleich los.« Sie hatte zwar Tee, aber gute Frühstücker wurden bei ihr nicht glücklich. Eben weil sie von »Früh-stückern« reden.

Er nickte, ging zurück ins Schlafzimmer und stand nach kurzer Zeit komplett angezogen wieder in der Küche. Er legte ihr seine Visitenkarte auf den Tisch.

»Wenn du mal ein Telefon brauchst, ruf mich an, ich kriege die Dinger billiger«, sagte er.

»Soll ich dir ein Taxi …«, weiter musste sie nicht fragen. Denn er war schon zur Tür raus.

Sarah hörte ein leises Pochen auf dem Wellblechdach, unter dem im Hinterhof die Mülltonnen standen. Regen begann immer mit diesem Pochen.

»Na, bei dem sind wir ja in Sicherheit, wie der da mit seinem Funkgerät in der Jurte sitzt«, Co-Pilot Hesemann saß so selbstgefällig entspannt, wie das sein enger Sitz zuließ.

Lukas hatte sich routinemäßig bei der Luftraumüberwachung Khartoum gemeldet. Erst nach dem vierten Versuch hatte jemand geantwortet. Eine durchdringende Fistelstimme, entweder von einem Kind oder einem sehr alten Mann. In ihren Kopfhörern hatten sie nur ein beinahe panisches »This is Khartoum, this is Khartoum« verstanden, der Rest verschwand in Funkstörungen.

Lukas ärgerte sich über Hesemann und paradoxerweise entspannte ihn dieser Ärger. Denn wenn ihn Hesemanns spätpubertäre Attitüden auf die Palme brachten, war das große Problem abwesend.

Soll ich diesem Blödmann jetzt erklären, warum uns der viel zu steile Anflug zur Zwischenlandung in Nairobi unverhältnismäßig viel Sprit gekostet hat? Sage ich ihm dann noch, wie sehr es mich nervt, wenn er in der Startphase das Flugzeug mit Sätzen wie »Komm, Baby« anfeuert? Und setze ich ihn dann auch noch darüber ins Bild, dass mongolische Nomaden in Jurten wohnen, die Jurte in Afrika allerdings völlig unbekannt ist?

Wenn es das Problem nicht gäbe, würde Hesemann

schon lange aufrecht hinter dem Steuerrad sitzen und würde sich jede weitere Dümmlichkeit in diesem Cockpit dreimal überlegen, so hätte ich ihn schon zusammengedonnert. Es wird wiederkommen, dachte Lukas weiter.

Ich bin kurz davor, bald sitze ich wieder so locker da wie dieser Hesemann. Es war schon viel besser als auf dem Hinflug. Er musste nur schnell sein, schneller eine Antwort parat haben, schneller sein als die Panik.

Die Vorboten der Angst waren für ihn leibhaftige Boten. Gestalten, die Kontakt zu ihm aufnahmen. Sachte klingende Flüsterer, böse Geister.

Na, Lukas, du fliegst durch den Luftraum über Afrika. Der unsicherste der Welt, keine verlässlichen Lotsen, die Technik am Boden der reinste Schrott, das weißt du doch hoffentlich, oder?

Dann musste er sofort kontern: Ich bin schon zigmal über Afrika geflogen, es ist nie was passiert. Wir regeln das unter uns. Gerade erst hat sich die British-Airways-747 gemeldet, die wir im Süden Ägyptens treffen werden. Die sind auf der Flugfläche unter uns, alles klar.

Aber, Lukas, Hesemann, der diese Maschine fliegt, ist noch recht unerfahren, den Flugzeugtyp kennt er auch noch nicht lange, wer sagt dir denn, dass er nicht zu Flüchtigkeitsfehlern neigt? Oder dass er zeitkritische Probleme lösen kann?

Unsinn, wir sind auf 10 500 Metern Höhe, hier kann nichts Zeitkritisches passieren. Wir haben immer genug Zeit, um uns gemeinsam zu besprechen. Die nächste zeitkritische Situation ist erst Frankfurt, bei der Landung, und da passe ich genau auf, was er macht.

Aha, du weißt also genau, was alles passieren kann?

Natürlich weiß ich das. Ich sitze in einem hochmodernen Verkehrsflugzeug, alle Instrumente, alle wichtigen Komponenten gibt es mindestens zwei-, manche sogar dreimal, ich weiß, was passieren kann, nämlich so gut wie nichts.

Und wie war das bei deinem Kollegen Jan? Saß der nicht in einem hochmodernen Verkehrsflugzeug, und wo ist er jetzt?

Jan hat sich verschätzt, fühlte sich zu sicher.

Aber du fühlst dich doch auch sicher, Lukas, hundertprozentig sicher.

Jan liegt vor der kanadischen Küste auf dem Boden des Atlantiks, Lukas spürte die Feuchtigkeit seiner Handflächen. Vielleicht muss ich doch atmen, fürchtete er. Lukas hatte in einer Frauenzeitschrift von autogenem Training gelesen. Diese Technik würde ermöglichen, Stresssituationen durch Konzentration und Atemtechnik in den Griff zu bekommen, versprach der Artikel. Die Lufthansa bot entsprechende Seminare für Flugbegleiterinnen und Flugbegleiter an. Denn immer mehr Passagiere brachten durch ihre Eigenarten selbst das sonnigste Gemüt aus dem Gleichgewicht. Wie der Mann, der sich kurz nach dem Einsteigen eine Windel umbinden ließ. Lukas hatte sich diese Episode von drei Flugbegleiterinnen bestätigen lassen, weil sie ihm so unglaublich erschien. Natürlich maßgeschneiderter Anzug, selbstverständlich Business Class, also irgendwas um 4000 Euro für Frankfurt–Bangkok mit Windelspaß und enervierend langen Toilettenaufenthalten. Was immer der Vogel da trieb, Lukas wollte es lieber nicht wissen. Für die werbewirksamen 777 Euro bewältigten die Säufer und Hurenböcke die gleiche Strecke. Die ließen es von ihren Sitzen schon überall klingeln, noch ehe die Anschnallzeichen nach dem Start erloschen waren. Das zarte Bimbam der Serviceklingel, die hin- und herhetzenden Stewardessen, Grobheiten und Unflätigkeiten aus jeder zweiten Reihe, weil der Gin und der Weinbrand nicht dalli genug kommen. Weil sich viele Passagiere nicht mehr zu benehmen wissen, mussten die Kollegen in der Kabine zu so genannten »Air rage«-Nachschulungen. Gäbe es das fliegerenglische Etepetete nicht, könnten wir es auch einfach »Barbarei an Bord« nennen, grimmte Lukas.

Könnte autogenes Training helfen, wenn ein gepflegter Steward aus dem Jahr 2004 nach einer Albtraum-Zeitreise plötzlich auf einem Wikinger-Drachenboot für die Getränke zuständig wäre?

Für Lukas war autogenes Training in der Firma beim besten Willen kein Weg. Mit grell geschminkten jungen Frauen und weinerlichen jungen Männern im Kreis sitzen, die Schuhe ausziehen und dann erst mal über die persönlichen Probleme sprechen? Ausgeschlossen.

Er atmete jetzt dennoch tief ein und dann langsam aus, so stand es in der Frauenzeitschrift beschrieben. Da stand auch, man solle komplett in ein wenig beachtetes Körperteil seiner eigenen Wahl hineinatmen. Lukas hatte keinen Schimmer, wie er denn bitteschön Luft in die Bauchspeicheldrüse bekommen sollte.

»Das müsste doch Assuan sein, oder, Lukas?«, Hesemann blickte seitlich aus dem Fenster.

»Ja, klar. Wieso, was ist mit Assuan?« Lukas war sich sicher, dass Hesemann Anspannung aus seiner Stimme heraushören würde.

»Sollten wir nicht bald die BA treffen?«, fragte Hesemann weiter.

Lukas merkte das Pochen seiner Halsschlagader. Na klar, im südlichen Ägypten sollten wir die treffen. Also hier. Wo sind die denn? Wir sehen die nicht. Warum nicht? Wahrscheinlich Kollisionskurs. Wenn der Fliegendreck auf der Scheibe größer wird, dann ist sehr bald Ende, hatte sein erster Fluglehrer gesagt. Lukas hatte es nie vergessen. Aber bevor das Problem auftauchte, war es ihm egal gewesen.

»Was ist mit dem TCAS? Haben wir das TCAS nicht gecheckt? Warum reagiert das nicht?«, Lukas war viel zu laut, beugte sich leicht vor, um vorne durch die Scheibe mehr sehen zu können.

»Wo sind die denn, Hesemann, wo sind die denn, verdammt«, er ließ sich ächzend in den Sitz zurückfallen und lockerte die Krawatte.

Jetzt spürte er Hesemanns Hand auf seinem Arm. Der sah ihn besorgt an und zeigte auf den Bildschirm des einwandfrei funktionierenden Kollisionswarnsystems TCAS zwischen ihren beiden Sitzen.

Lukas drehte sich abrupt zu seinem eigenen Seitenfenster und tat so, als würde er etwas sehr Interessantes beobachten. Hesemann zog sich das Sprechgeschirr vom Kopf und nahm die Sonnenbrille ab.

»Sag mal, Lukas, bist du sicher, dass alles in Ordnung ist?«, fragte er.

Lukas sah weiter aus dem Fenster und nickte wortlos.

»Mir war schon auf dem Hinflug so, als wäre da was, na ja, nicht ganz okay. Ich wollte lieber nichts sagen, aber jetzt …«

»Jetzt solltest du lieber auch nichts sagen. Ich hab Ärger zu Hause und bin deswegen ein wenig von der Rolle, nichts Dramatisches. Ich geh mal wohin, guck nach vorne«, Lukas war froh, wenigstens den richtigen rauen Ton getroffen zu haben.

Lukas verließ das Cockpit. Zum Glück war niemand in der Küche der ersten Klasse, hier würde ihm am ehesten Nervensäge Tauber drohen. Aber der stand in der dritten Reihe, angelehnt an einen der üppigen Sitze, und plauderte mit einem der erlesenen Gäste. Im ersten Sitz saß eine sehr attraktive Frau, höchstens 40. Lukas kam ihr Gesicht bekannt vor, wahrscheinlich eine aus dem Fernsehen. Oder es war die Ähnlichkeit mit Katharina. Das hatte ihm noch gefehlt. Sie konnte es aber nicht sein, denn für Afrika hatte sie im Moment keine Zeit, wie er schmerzhafterweise wusste. Der namhaften Unbekannten war offenbar aufgefallen, dass sich die Cockpittür geöffnet hatte, und sie versuchte mit allen möglichen Verrenkungen zu erkennen, was hinter dem Vorhang vor sich ging. Sie fühlt sich nicht wohl, das sieht man, dachte Lukas. Eigentlich könnte ich hingehen und sagen: »Na, Sie sehen so aus, als hätten Sie Angst. Machen Sie sich keine Sorgen, ich bin der Kapitän dieser Maschine und mir geht es wie Ihnen.«

Seit Lukas mit seinen eigenen Panikattacken kämpfte, fiel ihm immer häufiger auf, wer sich an Bord fürchtete und wer nicht. Du betreust hier aber nicht die Hysteriker, du fliegst das Ding, sagte ihm seine innere Stimme. Die so deutlich klang, wie er selbst immer sprach. Wenn alles rund lief, wenn er ein Mann war. Und keine Maus.

Das nächste erreichbare Mauseloch war die Toilette. Lukas schloss sich ein, und weil ihm nichts Besseres einfiel, spritzte er sich Wasser ins Gesicht.

Er sah sich im Spiegel an. Ein fein geschnittenes, schlankes Gesicht, ein entschlossenes, konturiertes Kinn. Tiefbraune Augen, leicht gedunsene Tränensäcke, weil der Malt Whisky gestern Abend wohl doch zu viel war. Teint, nein, beinahe so dunkel wie ein provenzalischer Bauer. Dichte dunkle Haare, mit den grauen Sprenklern, die im 39. Lebensjahr nun mal Standard sind. Mit dem

Mund begann das Problem. Die Mundwinkel hingen, die Furchen rechts und links waren Magenfalten. »Das sind schlechte Falten, denn sie kommen von Sorgen, die guten umgeben die Augen und kommen vom Lachen«, so hatte ihm das eine Neckermann-Frau mit sehr entspannter Stimme erklärt, als sie nackt neben ihm in einem Hotelzimmer in Dubai lag. An ihren Namen konnte er sich nicht mehr erinnern. Immerhin waren ihre Lehrsätze zum Thema Falten noch da. Die Erinnerungen an den spektakulärsten Hintern, den er jemals in beide Hände nehmen durfte, natürlich auch. Die Mundwinkel im Spiegel hoben sich leicht, senkten sich aber gleich wieder. Denn sein sehniger Hals war umrahmt vom weißen Kragen seines Hemdes. Ein Pilotenhemd, Lukas, sagte er sich selbst. Das Hemd eines erfahrenen Piloten. Auf den Schulterstücken des Hemdes sind vier Streifen, was bedeutet, dass es sich beim Träger dieses Hemdes um einen Kapitän handelt. Das bist du. Er schloss die Augen und öffnete sie gleich wieder. Er hielt sich zum vierten Mal in zwei Wochen eine lautlose Ansprache:

»Du bist hervorragend ausgebildet, du warst der zweitbeste deines Jahrgangs. Du sitzt seit mehr als 3600 Stunden in einem Cockpit, du könntest dieses Ding besoffen nach Hause fliegen. Du hast so etwas schon im Sturm, im Nebel und mit nur einem Triebwerk butterweich gelandet. Man zahlt dir viel Geld dafür, dass du da vorne sitzt und Computern beim Funktionieren zuguckst. Du hast in Seminaren gestanden und jungen Männern erzählt, dass diese vier Streifen nicht nur eine Beförderungsstufe, sondern eine Haltung sind. Verkriech dich also nicht auf dem Klo, geh da raus und zeige, verdammt nochmal, genau diese Haltung.«

Das Flugzeug wackelte leicht auf und ab, angekündigte Turbulenzen, nichts weiter. Lukas schluckte und entriegelte die Toilettentür.

Vor der Tür stand die berühmte Frau, die er nicht kannte.

Er lächelte so locker wie möglich und überlegte, ob er sie vielleicht nach ihrem Namen fragen solle.

»Sie gehören hier dazu, oder?«, fragte sie stattdessen. Sie kann wahrscheinlich viel kraftvoller, viel satter klingen, dachte er. Wenn sie keine Angst hat.

»Ja, das kann man so sagen. Ich bin der Kapitän, ich fliege dieses Flugzeug, das heißt im Moment fliegt mein Kollege, kann ich Ihnen irgendwie helfen?«

»Nein, ja … ich wollte eigentlich nur fragen … ich dachte, frage ich doch mal, ob alles in Ordnung ist?«

»Was meinen Sie?«, er fürchtete einen so desaströsen Eindruck gemacht zu haben, dass ihr seine Verstörung selbst bei dem kurzen Blickwechsel aufgefallen war.

»Ich meine nur, weil es so wackelt. Wissen Sie, ich muss beruflich sehr oft fliegen, wegen meiner Sendung. Hoffentlich halten Sie mich nicht für übergeschnappt, aber ich habe schon den Eindruck, dass es noch mehr wackelt als sonst, oder kommt mir das nur so vor?«

Gerade mit dieser Ängstlichkeit im Blick erinnerte sie ihn an Katharina. Bei Katharina hatte es länger gedauert, bis er erkannt hatte, dass auch der Ausdruck von Furcht und Sorge zu ihrem manipulativen Repertoire gehörte. Diese Frau schien aber wirklich Angst zu haben.

»Sie brauchen sich wirklich keine Sorgen zu machen. Es ist alles in bester Ordnung, Sie werden sicher in Frankfurt ankommen«, Lukas sah auf seine Armbanduhr, »und zwar in etwa drei Stunden und 47 Minuten.« Er hoffte, dass der alte Trick mit der Zeitangabe klappte. Auch Seminarwissen. »Nennen Sie minutengenaue Ankunftszeiten, und der ängstliche Gast kann sich nicht in Phantasien darüber verlieren, dass das Fliegen die Naturgewalten herausfordert und jeder überlebte Flug dem Schicksal abgetrotzt wird. Er denkt an die gute, alte Eisenbahn und ist schon viel ruhiger«, hatte der Dozent erzählt.

Bei dieser Frau schien es zu helfen. Ihre Gesichtszüge entspannten sich, auch wenn sie sich bei jeder leichten Auf- und Abbewegung immer wieder an der Wand festhielt.

Sie lächelte ihn an.

»Sie sind so unglaublich braun. So dunkel können wir uns beim Fernsehen gar nicht schminken lassen. Entweder Sie kommen gerade aus dem Urlaub, oder Pilot ist wirklich noch ein Traumjob«, sagte sie.

»Nein, nein, leider kein Urlaub. Es ist ein Traumjob«, sagte Lukas und wunderte sich, dass diese Lüge völlig straffrei blieb. Kein plötzlicher Stromschlag, kein spontanes Verdorren der Hand.

»Leider muss ich mich jetzt entschuldigen, ich muss wieder an meinen Platz«, sagte er, »machen Sie sich bitte keine Sorgen und versuchen Sie den Flug zu genießen.«

Berlin
Unter den Linden 70
Abgeordnetenhaus
Büro Sarah Lohmann
19.12 Uhr

Sarah steckte den Schlüssel nur pro forma in das Schloss ihrer Bürotür. Sie wusste, dass Hugo noch an seinem Schreibtisch sitzen würde. Hätte sie aber nicht aufzuschließen versucht, könnte das bei Hugo so ankommen, als würde sie seine Anwesenheit voraussetzen, also erwarten. Sie wusste, dass sie mit solchen Sachen bei Hugo vorsichtig sein musste.

Als sie den Raum betrat, hörte sie leise den Klang klassischer Musik. Wahrscheinlich Bach, wahrscheinlich die Brandenburgischen Konzerte, denn Hugo brauchte mindestens einmal am Tag Bach.

Er blickte vom Monitor seines Rechners auf, sah sie an und legte mit einer überzogenen schauspielerischen Geste die Hand vor den Mund.

»O Gott, Sarah, du siehst schrecklich aus. Sag nichts. Ich rate: Es war der 5. August 1945, oder schlimmer.«

Sie ließ sich in den Stuhl vor seinem Schreibtisch fallen und streifte sich die unbequemen hochhackigen Schuhe von den Füßen.

»Jetzt rate ich: Am 5. August 1945 ist dein Großvater mütterlicherseits durch schwarz gebrannten Schnaps ums Leben gekommen. Du musstest ohne den Vater deiner Mutter aufwachsen, bist natürlich schwer traumatisiert und meinst deswegen, ich müsse dir jedes Jahr nach Karneval zwei Wochen freigeben, damit du bei deinen Fastenwochen dem Alkohol halbherzig abschwören kannst, das ist das Geheimnis des 5. August 1945.«

»Ich bin erschüttert, Sarah, in meinen Grundfesten rüttelt es mich durch, wenn ich dich so reden höre. Am 5. August 1945 fiel die Atombombe auf Nagasaki. Darum sagen wir Sozialdemokraten, dass von deutschem Boden nie wieder Krieg ausgehen darf, auch wenn wir sie nicht geworfen haben. Oder wir suchen ein Argument für unseren instinktiven Antiamerikanismus, dann fällt uns ein, dass die sie geworfen haben.«

»Ich wusste, dass im August 45 …«

»Mooment, du bist vor allem still, weil ich zu den wirklich wichtigen Punkten noch gar nicht gesprochen habe. Erstens: Mein Großvater lebt leider noch ein glückliches Alt-Nazi-Rentnerleben in Darmstadt, hoffentlich fängt er bald das Schwarzbrennen an, damit ich ihn verpfeifen kann. Zweitens: Ja, ich bin aus verschiedenen Gründen traumatisiert und würde deswegen gerne zu einem Therapeuten. Leider verelende ich als wissenschaftlicher Mitarbeiter einer SPD-Bundestagsabgeordneten, die sich noch nicht einmal dafür einsetzt, dass gute Therapeuten von der Kasse bezahlt werden.«

»Es wird von der Kasse bezahlt, wenn die Therapie gut begründet ist. Denk nochmal gut nach, Hugo«, warf sie matt ein. Sie ahnte, dass er mehr als eine Stunde allein im Büro gewesen war, also jetzt »die Laberschleuse öffnen musste«. So nannte es Hugo, wenn er Opfer von zu viel Text wurde.

»Unterbrich mich nicht immer. Sehr, sehr wichtig, drittens! Seit meinem letzten Fastenwochenende trinke ich höchstens einen Viertelliter Rotwein am Tag, und zwar ausschließlich aus medizinischen Gründen, weil Rotwein nämlich die freien Radikale bindet. Und übrigens: Weil du mir nicht freigegeben hast, war es nur ein Wochenende. Es sollte auch ein Schweigewochenende werden, aber wer hat mich siebenmal auf dem Handy angerufen, na wer?«

»Die, die organisiert hat, dass du vor drei Wochen mit der Kanzlermaschine nach Barcelona mitfliegen durftest. Gratis. Um deine Gelegenheits-Geliebte zu besuchen. Sehr, sehr außerparlamentarisch, musst du als Mitarbeiter des Deutschen Bundestages zugeben.«

Dumm von mir, diese Reise anzusprechen. Erinnere ich mich nicht gern dran, gestand Sarah sich selbst. Weil ihr der damalige Anflug von Eifersucht schäbig vorkam. Ihm schlottert noch der schmalste Anzug um den schlaksigen Leib, sein Hals ist dünn, seine Stimme erinnert dich an Kermit, er mag als Mitarbeiter ein Riese sein, als Mann ist er für dich Hugolein, so hatte sich Sarah an diesem Wochenende selbst zur Ordnung rufen müssen. Gönne ihm die rare Gelegenheit, dass ihm eine Frau gegenübersitzt, die ihn als Gesamtpaket toll findet. Immerhin wusste Sarah seit diesem Wochenende, dass ihr sein Gesicht gefiel. In ihren verqueren Besitzanspruchsattacken hatte sie immer sein Grübchenlachen gesehen, das einer anderen galt, und musste vor Wut sogar spazieren gehen.

Hugo zeterte unverdrossen weiter, während sie sich erinnerte.

»Da kann ich aber doch nur zurückfragen: War es denn schön, dieses Wochenende mit diesem schnurrbärtigen Fräulein, das Stierkämpferin werden will? War das denn ein Genuss, den du mir da verschafft hast, verehrteste, mildtätige Sarah? Und die Antwort muss sein: Nein, es war überhaupt nicht schön, es war ein Fiasko.«

Sarah hob abwehrend die Hände hoch.

»Dafür kann ich nichts«, sagte sie. »Ich weiß nur, dass vor deiner Abreise von einem Schnurrbart nie die Rede war. Sondern von den zwei schönsten iberischen Halbinseln, die du jemals gesehen hast. Und dass sie doch wohl dann, als du dort warst, umdisponiert hat.«

Sarah umging die präzisere Formulierung: dich dann doch nicht wollte. Sie beobachtete seine sich senkenden Mundwinkel und schloss an:

»Also wenn ich sie wäre ...«

»Dann was?«, kam sehr schnell zurück. Sarah dachte hektisch nach und entschied einen Themenwechsel.

»Dann hätten mich irgendwann die freien Radikale übermannt, so wie jetzt. Hast du was da?« Sie verkleidete ihr Betteln in einen schmusigen Ton.

Er verengte die Augen, schürzte die Lippen und sah sie einen Moment schweigend an.

»Sag ein Land«, befahl er.

»Spanien.«

»Hab ich selbstverständlich nicht da. Ich bin immer noch verletzt, Sarah.«

»Frankreich?«

»Spezieller, bitte.«

»Gascogne?«

»Nein, tut mir Leid.«

»Languedoc-Roussilion?«

»Nur weiß, magst du nicht so gern.«

»Korsika?«

»Und wie, Madame, und wie wir Korsika da haben. Vom südlichsten Hang Frankreichs. Petra Bianca, aus der Gegend um Figari, ich eile, und dann will ich hören, was Arschloch-Franz gesagt hat.«

Er stand auf und verschwand in ihrem Büro neben-

an. Sie wusste, dass er den Wein in der kleinen Abstellkammer neben ihrer Waschnische aufbewahrte. Sorgsam
aufbewahrte, wahrscheinlich machte sich der Vatikan
weniger Mühe mit seinen Reliquien. Sie erinnerte sich
daran, wie sie im vergangenen Sommer Schuhe aus dem
Kämmerchen geholt hatte, in die sie nicht richtig einsteigen konnte. Hugo hatte Kühltaschenaggregate in jeden
Schuh gesteckt, weil er sichergehen wollte, dass stabile
12 Grad Lagertemperatur herrschten.

Er kam mit einem Tablett zurück. Darauf der Wein,
mit einer Serviette um den Flaschenhals, sein Profi-Öffner
und die Dekantierkaraffe. Alles seine Sachen. Sie stand
bei ihm unter ›Strauss-Innovation‹-Generalverdacht, er
hielt sie für eine Günstig-Else und hatte damit auch größ-
tenteils Recht.

Abgesehen von ihrer sehr exklusiven Garderobe würde sie sich auch mit Aldi-Wein aus dem Senfglas dem
Rausch hingeben. Hauptsache Rausch.

Sie hatten sich zugeprostet und beinahe synchron
»Herrlich« ausgerufen, Sarah hatte sich auch diese Ma-
nier von Hugo abgeguckt.

»Bevor du erzählst, fasse ich schon zusammen, was
unter dem Strich stehen wird: Der fiese Franz rückt das
Geld nicht raus. Das Versprechen können wir uns in die
Haare schmieren.«

Sarah nickte. Nahm noch einen kräftigen Schluck und
erzählte ihm von der knappen Stunde, die sie in Franz'
Büro zugebracht hatte.

Es ging um ein sehr kleines Projekt. Eine Lächerlich-
keit, wenn man in Rechnung stellte, dass hier jeder ehemalige Grundschullehrer mit Bundestagsmandat ständig
mit Milliardenbeträgen jonglierte. Aber für Sarah und
auch für Hugo war dieses Projekt mittlerweile sehr wich-

tig. Sarah würde sogar so weit gehen und sagen, dass es
für sie um alles, jedenfalls um ihre Existenz in der Berufspolitik ging. Sie hatte den Außenminister bei seiner
letzten Afrika-Reise begleitet. Die Wirtschaftsdelegation
bei solchen Reisen ist sehr klein. Anders als bei China-
Reisen interessierte sich kaum ein großes Unternehmen
für Geschäfte in Afrika. Nur weil die Wirtschaftsleute
ihre Plätze an Bord der Maschine nicht brauchten und
auch viele Journalisten die Reise von vornherein für Zeit-
verschwendung hielten, durften die mitreisenden Abgeordneten auch ihre Mitarbeiter mitnehmen, wenn sie
denn wollten. Sarah und Hugo hatten in der ugandischen
Hauptstadt Kampala ein Projekt entdeckt, nicht weil sie
danach suchten, sondern durch puren Zufall. Ein ugandischer Journalist, den Sarah durch ein Förderprogramm
des Bundestages kennen gelernt hatte, schickte die beiden zu Richard Bogimba. Ein erfolgreicher ugandischer
Geschäftsmann, der sich nicht damit abfinden wollte,
dass seine geistig zurückgebliebene Tochter in ihrem Heimatland keine Schule besuchen konnte und damit ohne
Lebensperspektive blieb. Richard Bogimba gab sein Geschäft auf und gründete eine Schule für geistig zurückgebliebene Kinder. Mit Hilfe mehrerer Sonderpädagogik-
Studenten aus der Schweiz und Österreich und nur mit
seinem eigenen Geld hatte er glänzende Arbeit geleistet.
Nach dem Besuch der Schule sagte Hugo mindestens eine
halbe Stunde kein Wort. Eine Premiere in den vier Jahren, die Sarah ihn schon kannte.

Bogimba erzählte ihnen von seiner neuen Idee. Es würde nicht reichen, die Kinder nur zur Schule zu schicken.
Sie müssten auch einen Beruf lernen können. Er hatte von
den deutschen Jugenddörfern gehört, die benachteiligten
Jugendlichen eine Berufsausbildung ermöglichten. So et-

was Ähnliches wolle er im kleinen Stil auch in einem Dorf in der Nähe Kampalas aufbauen. Nachdem Hugo seine Sprache wiedergefunden hatte, gab es eine weitere Premiere: der erste heftige und bitterernste Streit zwischen den beiden.

»Sarah, der Mann benötigt maximal 150 000 Euro und ein paar gute Worte an den richtigen Stellen. Mercedes hat den Kleinlaster, den er braucht, irgendwo rumstehen. Eine Werkbank, ein Schweißgerät, ein, zwei Friseurstühle, das ist doch alles nicht schwer aufzutreiben. Wir müssen uns kümmern und du musst die Kohle besorgen, das ist doch Kleinkram«

»Eben, es ist Kleinkram. Das Projekt ist bemerkenswert, der Mann ist bemerkenswert, die Kinder sind natürlich rührend. Aber wo kommen wir denn da hin, wenn sich jeder Parlamentarier in die kleinteiligste Entwicklungshilfe einmischt und dann auch noch Geld will.«

»Was willst du dann hier? Was erreichst du denn schon? Morgen hältst du in Addis Abeba eine Rede, in der du gierigen Oberschichtbimbos erzählst, dass dir und Deutschland kein Mensch in Afrika gleichgültig ist. Ich weiß, was du sagen wirst, weil ich die Rede geschrieben habe. Und nach dem, was ich jetzt von dir höre, weiß ich, dass ich Scheiße geschrieben habe.«

»Es tut mir Leid, aber das überblickst du einfach nicht, Hugo«, hatte sie geätzt, weil sie spürte, dass er einen wunden Punkt getroffen hatte.

Er stand einfach auf und ging. Sie hätte an seiner Stelle auch nicht gewusst, was er noch hätte sagen sollen. Den Abend verbrachte sie allein an der Bar und in der folgenden Nacht schlief sie kaum. Sie musste darüber nachdenken, was Hugo gesagt hatte. Das »Was erreichst du denn schon?« verließ sie nicht. Nein, sie erreichte nichts. Am

Anfang hatte es sich ganz anders angefühlt. Vor zehn Jahren, 25 Jahre alt, aus Sicht der Parteigranden eine Alleskönnerin, eine Lara Croft der Berufspolitik. Studierte Romanistin, mit Gastsemester in Paris und Montpellier. Studierte Anglistin, mit einem Drei-Monats-Sommerstipendium in Cambridge. Bodenhaftung, als Tochter eines Eisenbahners. Jugendlich aggressiv, übermäßig attraktiv, aber wegen ihrer rührenden Naivität vor allem schön formbar. Der Fraktionschef hatte sie schon in ihren ersten Plenarsitzungen nach vorne geholt. Auf die Plätze, die im Fernsehen abgeschwenkt wurden und um die sich immer alle balgten. Ihre Mutter musste einen Piccolo öffnen, als sie Sarah in der dritten Reihe des Deutschen Bundestages sitzen sah. Tobend, denn Sarah hatte bemerkt, dass es besonders den Kollegen gefiel, wenn sie schön pampig dazwischenrief. Aus heutiger Sicht war sie eine Art Parlamentshooligan. Denn sie hatte damals keinen Schimmer, wovon der Mann sprach, wenn der damalige Finanzminister Timo Senkel haushaltspolitische Details vortrug. Dennoch hatte sie »Schleimbeutel« gerufen und sich großartig gefühlt, als sie für die Herabwürdigung des Herrn Ministers einen Ordnungsruf bekam. Sarah fühlte sich respektiert, weil sie von einzelnen älteren Kollegen »die kleine Wehner« oder Sarah Lohmaul genannt wurde. Als sie Ende 2002 auf dem Weg zu politischen Karrieregipfeln in eine Gletscherspalte fiel, bekam sie dann Gelegenheit, sich insbesondere für den »Schleimbeutel« zu schämen. Denn Senkel bat sie beim Bundespresseball an seinen Tisch. Seine Partei war nicht mehr an der Regierung, er nicht mehr im Amt und er also sehr entspannt.

Sie war bei diesem Ball nur erschienen, weil sie den anderen nicht einfach so den Sieg lassen wollte. Wenn ihr mich aufhängen wollt, müsst ihr mir den Strick um den Hals legen, ich stecke den Kopf nicht selber rein, hatte sie zwar gedacht, ihr war aber schon im Taxi hundeelend gewesen. Sie hatte es nicht mehr zum Friseur geschafft, fühlte sich teigig und gedunsen. Senkel hatte versucht, sie zu unterhalten. Er machte Komplimente, die auch welche waren und nicht nur fadenscheinig versteckte Anzüglichkeiten. In ihrer schlaflosen Nacht in diesem afrikanischen Hotel war ihr wieder eingefallen, wie reizend er sich von ihr verabschiedet hatte: »Wissen Sie, Frau Lohmann, ich bin selbstverständlich Katholik, aber ich glaube vor allem an ein Leben vor dem Tod. Und wenn ich nochmal 30 wäre, würde ich in dieser Beziehung ein regelrechter Fanatiker sein. Es würde mir sehr schmeicheln, wenn Sie sich von einem CSU-Mann zu dieser Art von Fanatismus überreden lassen würden.«

Am Morgen nach der durchwachten Nacht hatte sie sich im Frühstücksraum grußlos an den Tisch von Hugo gesetzt.

»Jetzt hör mir gut zu, Freundchen. Ich werde ab sofort fanatisch für ein ugandisches Jugenddorf kämpfen. Aber wenn du nächste Woche ankommst und von mir verlangst, ich möge endlich mal was für die Menschen tun und eine Altenbegegnungsstätte in Hückeswagen mit Leib und Seele unterstützen, dann kannst du dir einen Job beim Paritätischen Wohlfahrtsverband suchen.«

Er sah sie an und tupfte sich aufreizend lange den Mund mit der Stoffserviette ab. Nachdem er sie wieder ordentlich auf seinem Schoß gefaltet hatte, sagte er:

»Hückeswagen, gibt es dort nicht ein namhaftes Jazzfestival?«

»Hückeswagen hat eine Autobahnausfahrt, aber die sollte man nicht nehmen, wenn man es gut mit sich meint. Also was jetzt? Nimmst du meine Entschuldigung an?«

»Ich habe noch nichts von einer Entschuldigung gehört. Aber ein Gefühl ist manchmal vernünftiger als die Vernunft. Und mein Gefühl sagt mir, dass ich dir weiter die Gelegenheit geben sollte, an meiner moralischen Kraft zu wachsen«, dabei sah er nachdenklich zu den großen Fenstern hinaus.

»Wer hat das gesagt, das mit dem vernünftigen Gefühl?«

»Ein großer Denker unserer Zeit, liebe Sarah. Franz Beckenbauer, aber wahrscheinlich bei Konfuzius geklaut.«

Nach dem Frühstück ließen sie die folkloristische Aufführung und den Empfang des Außenministers beim König von Buganda ausfallen und fuhren zu Richard Bogimba, um ihm die Unterstützung der entwicklungspolitischen Sprecherin der SPD-Bundestagsfraktion, Sarah Lohmann, zuzusichern.

Sarah war mit einem flauen Gefühl nach Berlin zurückgeflogen, denn sie wusste, sie würde sich mit Franz treffen müssen. 150 000 Euro waren für den eigentlich ein Klacks, aber er würde es ihr schwer machen.

Tatsächlich hatte sie nur ein Abendessen gebraucht, um ihm das Versprechen abzuringen, das Geld lockerzumachen. Allerdings hatte Franz die Gelegenheit genutzt, um seine Überlegenheit zu demonstrieren:

»Findest du nicht, dass es etwas Verzweifeltes hat, was du da treibst? Bei allem Respekt vor der Leistung dieses afrikanischen Mannes, wo ist denn da die Linie? Du kannst dich nicht mehr als politisches Wunderkind verkaufen, also wirst du Mildtäterin für ostafrikanische Behinderte? Damit punktest du nicht, Sarah. Wir sind der Frau Lohmann wohl nicht behindert genug, würde ich dir um die Ohren hauen, wenn ich Funktionär der ›Aktion Mensch‹ wäre. Du solltest nachdenken, ob du dich nicht eventuell verzettelst, meine Liebe.«

»Es ist so eine Gefühlssache, ein komplettes Frauending, weißt du«, hatte sie ihm geantwortet, weil sie wusste, es entsprach seinem Denken so sehr, dass er sich nicht weiter anstrengen würde und ihr mit seinem Geschwafel vom Hals blieb.

Er hatte das Geld vor zwei Monaten versprochen. Seit heute war dieses Versprechen nichts mehr wert.

»Hast du ihn denn nicht an sein Versprechen erinnert?«, wollte Hugo wissen.

»Was glaubst du, habe ich eine Stunde lang in seinem Büro gemacht? ›Es sind nur 150 000 Euro, Franz‹, diese Botschaft habe ich geflötet, ich habe sie nüchtern wiederholt und zum Schluss habe ich es geschrien.«

»Und das war vielleicht der Fehler, du weißt ganz genau: Die lassen sich nicht von Frauen anschreien, diese Jungs.«

»Aber du hättest diese selbstverliebte Bräsigkeit sehen müssen. Diese gefalteten Hände auf der blitzblanken Schreibtischplatte, diese kalten Augen, mit so viel falschem Mitleid im Blick …«, Sarah war lauter geworden.

»Du warst mit ihm im Bett, Sarah«, murmelte Hugo vernehmlich.

»Das war es dann wohl auch, das war das Schlimmste. Zwischendurch hatte ich den Eindruck, er würde vielleicht doch nachgeben. Wie der erweichte Ehemann, der seiner Ehefrau dann doch das Kostümchen durchwinkt. Aber dann …«, Sarah stockte.

»Dann was?«

»Dann hat er einen Knutschfleck an meinem Hals entdeckt und die Sache war gelaufen.«

Mit einem Seufzer, der so klang, als würde augenblicklich jedweder Sauerstoff aus seinem Körper entweichen, sackte Hugo auf seinem Schreibtischstuhl zusammen und ließ den Kopf über die Lehne hängen.

Er sagte nichts. Eine furchtbare Situation in Franz' Büro. Sie hatte sich geschämt, obwohl sie sich nicht schämen wollte. Für was denn eigentlich?

»Du hast da was«, hörte sie ihn wieder sagen. Dann hatte er sie fixiert, mit einem gnadenlosen Vernehmerblick, und noch leiser gesprochen als vorher: »Es freut mich zu sehen, dass sich deine Leidenschaft auch noch für andere Dinge entfachen lässt. Nicht nur für dieses ugandische Mätzchen, für das ich dir keine Steuermittel zur Verfügung stellen kann. Von meiner Seite aus war es das, Sarah. Ich möchte dich nicht von eventuell sehr wichtigen Abendterminen abhalten.«

Hugo goss den beiden Rotwein nach.

»Bevor du mir ausführlich erzählst, wer der Saugnapf an deinem Hals war, eine wichtige Frage: Wie steht es mit deiner Sehkraft? Wieso kennst du deine eigenen Knutschflecken nicht mehr?«

»Hast du ihn denn gesehen?«

»Ich gucke dir immer nur auf die Brüste. Aber ich kann ihn selbst momentan nicht orten ...«

Sarah drehte den Kopf zur Seite, und etwa fünf Zentimeter nackenwärts unter dem Ohr befand sich Herrn Siemens' grünlich-dunkel eingefärbtes Meisterwerk.

Hugo hob die Hände flehentlich zum Himmel, dann verließ ihn wieder alle Energie.

»Dann musst du jetzt wohl doch die Ministerin anrufen«, sagte er.

»Ausgeschlossen«, antwortete Sarah sofort. »Mit solchen Kinkerlitzchen muss ich ihr nicht kommen. Und wenn ich mich jetzt an seine Chefin wende, dann gerät Franz Entrup richtig in Rage. Wer weiß, was der dann macht, das kann ich echt nicht gebrauchen, Hugo.«

»Aber die Ministerin steht mit Kinkerlitzchen, wie du es nennst, jede zweite Woche auf den Wohlfühl-Seiten der Zeitungen. Mit einer Kinderpatenschaft, oder 200 Kinderbüchern für ein indisches Dorf. Haben sie nicht sogar eine botswanische Äffin nach ihr benannt?«

»Es war ein Stachelschwein. Aber das tut auch nichts zur Sache. Sie kann mich nicht leiden, ich bin regelrecht ein rotes Tuch für sie.«

»Warum eigentlich?«

»Zu jung, hübscher als sie, was weiß ich. Sie ist sich wohl auch noch nicht sicher, wie erledigt ich wirklich bin. Das heißt, sie fürchtet nach wie vor, dass ich in ihrem Hinterhalt doch noch irgendeine Karrierestrickleiter finde.«

»Dann fasse ich zusammen: Franz gibt uns das Geld nicht, die Ministerin willst oder kannst du nicht fragen. Du hast es nicht und ich schon gar nicht. Wer ruft also Herrn Bogimba an und sagt ihm, dass unser euphorischer Anruf vor zwei Wochen nur ein Scherz war? Ein richtig guter Weißer-Mann-Schenkelklopfer?«

Sie zuckte mit den Achseln, er zuckte zurück.

Beide tranken einen tiefen Schluck. Sarah fiel auf, dass sie überhaupt noch nicht geraucht hatte. Sie kramte in der Tasche nach ihren Zigaretten.

»Ich auch«, sagte Hugo. Er hatte sich vor vier Monaten von der Last zwei täglicher Schachteln befreit. In dieser Phase waren keine fünf Minuten vergangen, in denen er nicht entweder über seine Stoffwechselprobleme, seine Verfettung oder seine Entziehungserscheinungen (O-Ton: »Vergiss Christiane F., ich leide, ich! Siehst du, wie ich zittere«) gesprochen hatte. Ihre Zigarette klemmte noch unangezündet im Mundwinkel, sie sah ihn an.

»Och Gottchen, dieser Blick. Ja, Mutter, ich gehe an die Ostfront und kehre nie an die Brust zurück, die mich einst nährte. Guck mich nicht so an, gib mir eine«, maulte er.

Er zog gierig und hielt die Zigarette dann wie in seinen besten Rauchertagen aufreizend arrogant zwischen Daumen und Zeigefinger.

»Sarah, ich hoffe auf einen gnädigen Spontan-Lungenkrebs, weil ich doch weiß, wer bei Herrn Bogimba anrufen muss. Ich werde noch heute Abend testamentarisch verfügen, dass ein gelber Post-It-Zettel auf meinem Sarg klebt. Mit einer sehr langen afrikanischen Nummer drauf.«

»Und ich werde in der Grabrede sagen, wie sehr ich dich geliebt habe. Und du kannst dich nicht mehr wehren.«

Es roch gut.

Nach dem nahen Wald. Mit einer leicht brackigen Note, die von dem kleinen See direkt an der Autobahn herüberzog. Die Autoabgase hatten gegen die üppigen Naturdüfte keine Chance. Lukas fand das beruhigend. Er war unverletzt geblieben und Eva auch, Mercedes sei Dank.

»Du bist ein bisschen schnell«, hatte er gesagt.

Sie ignorierte es. Dann kam die Kurve, die sie beide bestens kannten, und es stellte sich heraus, dass Eva nicht nur ein bisschen, sondern viel zu schnell war. Lukas kam es vor, als würden die Reifen seitlich abknicken. Der Wagen hielt die Spur nicht mehr, hatte nach Evas viel zu starkem Bremsen keine Chance mehr, die Linie wieder zu finden, und es knallte sehr laut, als das Auto zum ersten Mal die Leitplanke rammte. Ihr Gegenlenken war überflüssig, denn die schwere E-Klasse hatte sich komplett selbständig gemacht. Sie rammten noch einmal die Leitplanke auf der Beifahrerseite, wurden wie eine Flipperkugel auf die Fahrbahn zurückgeworfen und schlitterten dann über den wischeimerhohen Asphaltrand in den Grünstreifen, der den Wagen abstoppte.

Zu Lukas' Verblüffung waren sie beide während des gesamten Vorfalls total still gewesen. Keiner von beiden hatte geschrien, gestöhnt oder wenigstens »Ach, du Scheiße« gesagt.

Jetzt saß Lukas auf der Leitplanke und beobachtete, wie der demolierte Mercedes auf den Abschleppwagen geladen wurde. Der Fahrer des Abschleppunternehmens stand an einem Hebel und dirigierte den Kran, der das Wrack anhob. Der Mann wirkte wie einer, der weiß, was er tut. Sah dabei aber so müde aus, als habe er mindestens drei Nächte nicht geschlafen. »'n Abend« und »ADAC-Mitglied?« waren seine bisherigen Wortmeldungen gewesen.

Die Polizei war auch schnell da. Ein frettchenhafter Schlacks, der sich besser den obligatorischen Polizistenschnäuzer wachsen lassen sollte, um die Narbe seiner operierten Hasenscharte zu verdecken. Mit seinem komischen Mund würden sich aber die wenigsten Betrachter aufhalten, denn sein Kollege war eine echte Sehenswürdigkeit. Ein Koloss von Mann, dem der grüne Blouson mit dem fluoreszierenden »Polizei«-Schriftzug über den Schultern spannte. Dieser Typ müsste eigentlich mit bloßen Händen die Beulen am Auto gerade biegen können, dachte Lukas. Anfangs war aus der Miene des Hünen noch die Botschaft abzulesen: »Darf man denn so doof sein, das schöne Auto.« Aber dann war ihm aufgefallen, wie gut die Fahrerin aussieht. Lange, blonde Haare, nachlässig auf dem Kopf verknotet, grüne Augen, ein eng anliegendes T-Shirt, mit einer beinahe provokanten Brustkontur. Eigentlich lächerliche Bermudas, wenn die Beine nicht so lang und muskulös wären. Die Dr.-Scholls-Holzpantinen werden dem Polizisten keinen weiteren Blick wert gewesen sein, denn wer von Eva gewinnend angelächelt wird, der möchte von diesem Strahlen keinen Augenblick verpassen. Der Riesenpolizist hatte die richtige Frage gestellt und damit hinbekommen, was ihr Ehemann bei Eva schon lange nicht mehr schaffte: die

Verwandlung. »Kenne ich Sie nicht irgendwoher, Ihr Gesicht kommt mir so bekannt vor?« Damit hatte er ihr den roten Teppich ausgerollt und Eva versetzte sich sofort in den Glamour-Modus, auch mitten in der Nacht am Rand der Berliner Stadtautobahn.

Lukas wusste, dass er damit zu einer schemenhaften Randgestalt und jedes weitere Wort von ihm uninteressant sein würde.

Er beobachtete, wie der Polizist mit Eva an der Seite des Streifenwagens stand. Der schmale Kollege hatte sich schon wieder auf den Fahrersitz des Opels gesetzt und das Blaulicht abgeschaltet. Der Riese beugte sich leicht zu Eva hinunter, so als wolle er keines ihrer wertvollen Wörter verpassen. Oder er warf sich nach hinten, um seinen gefrierschrankgroßen Brustkorb zu voller Entfaltung kommen zu lassen, wenn er wieder über eines von Evas Scherzchen dröhnend lachte. Offenbar war es ihr gelungen, aus dem Alkoholtest einen Spontan-Schwank zu machen. Lukas konnte nicht verstehen, was seine Frau sagte, er bekam lediglich Satzfetzen des Polizisten mit. Jetzt verstand er »... Fragen zur Person ...«, gefolgt von einem hellen Kichern, das so gar nicht zu der Monumentalgestalt passen wollte.

Soso, Fragen zur Person hast du, Herr Wachtmeister, dachte Lukas. Ich könnte dir viele beantworten, aber würdest du meine Version mögen? Wahrscheinlich nicht. Vor dir steht Eva Hachmeister, sie ist 37 Jahre alt und Schauspielerin, daher kennst du sie auch. Weil du wahrscheinlich in deiner Wachstube in der Spätschicht hin und wieder Krimi- oder Krankenhausserien im Fernsehen guckst.

In diesen Serien hat Eva immer wieder irgendeine Nebenrolle gespielt, dafür mehr Geld mit nach Hause genommen, als du jemals verdienen wirst. Das ist ihr aber völlig egal, denn ihre Eltern gehören zur Bremer Jacobs-Kaffee-Dynastie, schon Evas Vater hat nur zu seinem Vergnügen gearbeitet. Der geschredderte Mercedes auf dem Abschleppwagen interessiert sie schon jetzt nicht mehr, denn spätestens übermorgen hat sie einen neuen. Vielleicht möchte sie aber auch lieber einen Porsche. Wenn sie ihre Papiere nicht dabeihätte und du müsstest sie nach Hause begleiten, dann würdest du die Wannsee-Villa zu Gesicht bekommen, in der sie wohnt. Ich wohne dort auch, aber mir gehört nichts, außer der Hifi-Anlage, dem Computer, einigen CDs und Büchern. Ja, Herr Polizist, sie ist das, was du dir versprichst, wenn du sie ansiehst. Oder vielleicht noch mehr, als du dir vorstellen kannst. Sie ist eine leidenschaftliche Liebhaberin, sie stürzt sich kopfüber in den Kontrollverlust. Ihr Körper ist ein Meisterwerk. Cuerpo serrano, hat ein spanischer Opa staunend gesagt, als sie bei unserer Hochzeitsreise an der Costa de la Luz von der Strandliege aufsprang und zum Wasser ging. Serrano-Körper, eins der wuchtigsten Komplimente, die man in Andalusien machen kann, ich durfte sie so nennen, als es sie noch interessiert hat. Sie beherrscht Französisch, Spanisch, Englisch sowieso und sie spricht diese Sprachen auch. Unsere Reisen waren perfekt. Denn sie wickelt nicht nur riesengroße Polizisten um den Finger, genauso schnell hat sie Kontakt zu einem florentinischen Kellner, einer Kaffee trinkenden Madrilenin oder sogar zu einem sehr grimmig guckenden Hafenchef in Brindisi aufgebaut. Ihr ist nichts peinlich, und sie hat sogar mir den Weg gezeigt, der an den Fettnäpfchen vorbeiführt.

Es ist so schön mit ihr, dass es nur noch sie für dich gibt.

Du wirst so schnell keine Frau finden, der du so gut glauben kannst, dass es für sie nur dich gibt. Aber dann verschwindet sie plötzlich. Es gibt weiterhin eine Eva, die am Abend ihre Cremes aufträgt, die in ihrem hinreißenden Nachthemd in dem Badezimmer steht, in dem du dich morgens rasierst. Aber die Eva, die du geheiratet hast, ist nicht mehr da. Du glaubst mir nicht, Wachtmeister? Ich habe ihr in der Zeit nach unserer Hochzeit gegenübergesessen, habe ihr beim genussvollen Essen zugesehen und war sicher, dass ich ihr irgendwann alles erzählen könnte. Sie würde alles verstehen, jedenfalls würde sie es mit erheblicher Energie versuchen. Davon ist nichts mehr da. Nein, ich weiß nicht warum. Ich weiß nicht, was passiert sein könnte. Ich hätte dabei sein müssen, als etwas passierte, was uns voneinander weggebracht hat. Heute sind wir höflich, aber wir reden nicht miteinander. Klar, jetzt kannst du einwenden, dass wir Männer sind und von daher wissen, wie schnell vieles kaputtgeredet wird. Auch wenn Stille viel Schönes hat: Würdest du nicht von deiner Frau wissen wollen, warum sie nichts mehr sagt? Warum sie stattdessen traurig guckt, oder entrückt in die Ferne starrt, während sie mit dir am Frühstückstisch sitzt? Nach einer Zeit möchtest du ganz dringend etwas hören. Du gerätst unter Druck. Erste Annahme: Sie hat einen anderen. Ich habe ihre SMS durchgesehen, ich kann, was sie nicht weiß, an ihre E-Mails. Nichts. Ich habe sogar die Schmutzwäsche durchgewühlt, ihre Unterwäsche gecheckt. Ich habe ihren Kulturbeutel durchgesehen, ob Kondome drin sind, denn ich weiß, dass sie die Pille nicht verträgt. Keine Spur. Du kannst ruhig sagen, dass das krank klingt. Genauso kam es mir vor, wenn ich jede einzelne Unterhose inspiziert habe, oder als ich den Stand der Whiskyflaschen markiert habe, weil ich es für möglich hielt, dass sie trinkt. Nein, Wachtmeister, in diesen Momenten bin ich mir bestimmt nicht vorgekommen wie mitten in einem romantischen Spielfilm. Ich habe gewartet. Unter Druck. Irgendwann wird sie anfangen zu sprechen, habe ich gefürchtet, und dann wird sie sagen: »Da hat eine Frau angerufen.« Dann kommt es. Irgendeine Kollegin, eine kurze Bettbekanntschaft, eine Flüchtigkeit, die mich den Kopf kostet. Mindestens meine Ehe. Oder schlimmer noch: Katharina hat angerufen. Weil sie unser Geheimnis loswerden musste. Das wäre noch eher ein Grund, um Eva wochenlang verletzt schweigen zu lassen. Aber es kam nichts, einfach nichts. Seit zwei Jahren nehme ich es einfach hin. Zwischendurch erlebe ich immer wieder mal einen ehrgeizigen Moment. Frage sie nach einem neuen Job, oder ob sie mit ihrer Mutter gesprochen hat, ob es vielleicht wieder Ärger mit ihrer Schwester gab. Dann lächelt sie eher matt und es kommen kurze, einsilbige Antworten. Sie ist niemals unhöflich. Fragt, ob ich gut geschlafen habe, kündigt rechtzeitig an, dass wir eingeladen sind, und ob ich zu dem entsprechenden Termin in der Stadt bin. Bei diesen Gelegenheiten werde ich dann Zeuge der gleichen Verwandlung wie heute Nacht bei dir, Wachtmeister. Sie plaudert, sie lacht, sie sprüht regelrecht. Denn bei solchen Gelegenheiten ist sie aufgeschlossen, offen, selbstverständlich amüsant, so wie jetzt mir dir, Wachtmeister. Die Schauspielerin Eva Hachmeister spielt sich selbst, sobald wir wieder unter uns sind, ist sie abgeschminkt. Oder welchen Part gibt sie dann?

Ich habe dieser fremden Frau, mit der ich verheiratet bin, nicht widersprochen, als sie getrennte Schlafzimmer vorgeschlagen hat. Sie hat ganz aufgeräumt gefragt, ob ich einverstanden bin. Heute Abend habe ich sie gebeten, mich vom Bahnhof abzuholen. Weil ich mir selber vormachen wollte, dass ich ein Ehemann bin, dessen Ehefrau ihn erwartet, um ihn wieder in sein geschütztes Privatleben zurückzuholen. So als wäre Eva nicht die Eva der vergangenen zwei Jahre. Selbstverständlich holt sie mich ab, weil es sich so gehört, weil es Konvention ist. Höflich war es, Herr Wachtmeister. Ein gehauchtes Küsschen rechts und links. »Ganz schön spät, du musst erschöpft sein«, hat sie noch gesagt. Sonst nix. Ich hätte es wahrscheinlich nicht beantwortet, aber wieso fragt sie nicht, warum ich mit der Eisenbahn komme, statt mit der letzten Maschine?

Der Riese winkte Lukas mit einer einladenden Geste herbei, fast schon in Feierlaune, in jedem Fall sehr ausgelassen für einen Polizisten in der Nachtschicht. So als solle er ein Glas aus dem Partyfässchen bekommen, das zufällig im Kofferraum des Streifenwagens lag.

»Ich überlege die ganze Zeit schon, wie ich es anstellen kann, Ihre Frau in Polizeigewahrsam zu nehmen, Herr Hachmeister. Mir ist leider nichts eingefallen, deswegen habe ich Ihnen ein Taxi bestellt«, sagte er mit einem übermütigen Gesicht.

»Danke, dass Sie sich so viel Zeit genommen haben, ich heiße übrigens nicht Hachmeister«, sagte Lukas.

»Oh, tut mir Leid«, nuschelte der Riese, wendete sich aber sofort wieder ab und Eva zu, »ja, Frau Hachmeister, wirklich schade um Ihr Auto, aber ich werde auf Ihr Angebot zurückkommen, wenn ich darf.«

»Sie dürfen, natürlich dürfen Sie«, sagte Eva mit ihrer allerfreundlichsten War-das-herrlich-Sie-zu-treffen-Stimme.

Der Riese legte kurz die Hand an die Stelle, wo wohl sein Mützenschirm endet, wenn er die weiße Kappe auf dem Kopf trägt, und ging zum Auto. Der Abschleppwagen war schon gefahren.

Kurze Zeit später standen sie alleine in der Dunkelheit. Beide den Blick geradeaus gerichtet, weil aus dieser Richtung das Taxi kommen würde.

»Es riecht gut«, sagte Lukas gedämpft, weil er fand, dass in dieser Ruhe Flüstern am angemessensten wäre.

Eva schloss den Reißverschluss ihres Kapuzenpullovers und sagte nichts.

»Das schaffst du schon, und du darfst nicht vergessen, dass du noch aufregender bist, wenn du unausgeschlafen aus der Wäsche guckst.«

»Wie viele?«, fragte Sarah.

»Wie viele was?«, Hugo wusste, worauf sie hinauswollte. Sein Stocken nahm sie selbst über diese mäßige Handy-Verbindung wahr.

»Ich tippe auf eine halbe Schachtel bis jetzt. Du bist nur schwaches Fleisch und schwacher Wille, Liebling«, Sarah schnurrte nur verhalten, denn sie hatte den unangenehmen Mittelplatz, konnte also davon ausgehen, dass sowohl der Mann rechts als auch der Uniformtyp links von ihr mithörten.

»Vielleicht wäre es angezeigt, dass wir über die Reisedetails sprechen, ehe du das Telefon ausschalten musst. Außerdem möchte ich deine Vorfreude auf den Termin in Mecklenbourg-Poméranie-Antérieure wachkitzeln, hast du was zu schreiben?«, flötete Hugo.

»Eine halbe Schachtel bis 11 Uhr, das werden zwei Schachteln, bis für den kleinen Hugo das Sandmännchen kommt.«

»Das Sandmännchen gestern Abend hieß Peggy und es war zauberhaft, Sarah, wolltest du das wissen?«

»Wo hast du denn die noch hergezaubert, wir haben doch bis zehn zusammengesessen?«

»Ich kenne mich in dieser Stadt ein wenig aus und, noch wichtiger, ich habe mich für eine urbane sexuelle Identität entschieden. Jetzt aber zu den Daten ...«

»Hübsch, oder womöglich auch mal ausnahmsweise klug?«

»Wir sind gar nicht so doll ins Reden gekommen. Wie du weißt, verbergen sich meiner Meinung nach die charmantesten Ferkel hinter dem Eisernen Vorhang. Morgen reist auch du in dieses Abenteuerland, mein Herz, und vielleicht erlebst du ja was Schönes. Heute Abend fährst du mit dem ICE von Frankfurt nach Hamburg. Wenn du dich nicht in überflüssigen Schwätzchen verlierst, sitzt du um 18.12 Uhr in der Eisenbahn, kommst um 21.47 Uhr in Hamburg Hauptbahnhof an. Dann gehst du aus dem Bahnhof raus, fällst gegenüber in das Hotel ›Reichshof‹ und weinst dich dort in deinem einsamen Einzelzimmer in den Schlaf. Aber möglichst schnell, denn um 5.47 Uhr fährst du schon weiter, um um 9.35 Uhr in Rostock anzukommen. Dort erwartet dich Herr Schneider von diesem sehr, sehr gut gemeinten Hochschulprojekt. Freust du dich?«

»Überschwänglich. Muss ich nicht zu dieser Pressekonferenz in Berlin sein?«

»Doch, musst du. Ungewöhnlicherweise um 17 Uhr, aber die Ministerin kann nur dann. Deswegen wartet ab 13 Uhr in Rostock ein Fahrer auf dich.«

»Toll. Ich muss jetzt Schluss machen, die Stewardess hat mich schon zweimal böse angeguckt, bis dann.«

»Tu mir einen großen Gefallen und kämpfe. Ich möchte nicht bei Herrn Bogimba anrufen. A bientot und bonne chance.« Manchmal konnte er es mit seinem frankophilen Fimmel ein wenig übertreiben.

Sie hatte keine Lust auf das schwierige Gespräch in

Frankfurt. Ihre Studienfreundin Claudia war immer ihre Freundin Claudia gewesen, nicht die Deutsche-Bank-Vorstandsassistentin Claudia Brenner. Heute würde das zum ersten Mal anders sein. Die Fahrt nach Rostock zu diesen Afrikanistik-Studenten, die sich für ein Krankenhaus im Senegal einsetzten, war eine Strafexpedition. Nicht wichtig genug für die Ministerin, aber irgendjemand musste hingeschickt werden. Sarah war irgendjemand. Worauf kann ich mich in den nächsten 24 Stunden freuen, überlegte sie. Die Zugfahrten sind manchmal entspannend. In Hamburg würde sie im »Cox« an der Langen Reihe essen gehen. Sie saß immer im hinteren Raum, weil sie sich dort vormachen konnte, sie sei in Paris. Auch wenn der mit der französischen Hauptstadt wiederum überhaupt nichts zu tun hatte, wählte sie immer Tafelspitz und trank dazu immer zu viel Rotwein. Morgen früh würden ihre Augen nicht lächeln können, so viel war ihr schon jetzt klar, und sie war sich auch sicher, dass sie sich den Wein verdient haben würde. Der kurzhaarige Mann, der zu ihrer Rechten auf dem Gangplatz saß, riss sie aus den Gedanken. Sie müsste sich eigentlich bei ihm bedanken, denn auf ihrer inneren Tagesordnung hätte sie als Nächstes den Tagesordnungspunkt »Trinkt Sarah L. zu viel?« mit sich selbst diskutieren müssen. Er hielt sich eine Art Einmachglas nah an das Gesicht und betrachtete ein ineinander verschlungenes Gewürm, das sich wie in Zeitlupe hin- und herbewegte. Mit einer Begeisterung im Blick, wie sie Sarah nur von Kindern kannte, die sich an einer bunten, neuen Murmel nicht satt sehen können.

»Entschuldigen Sie, kann das da raus?«, fragte sie.

»Nein, es kann nicht raus«, der Mann wendete sich ihr zu und lächelte sie freundlich an. »Diese Maden sind aber auch überhaupt nicht gefährlich. Die würden sich nur für Sie interessieren, wenn Sie bereits tot wären. Und selbst dann wären die Tierchen vermutlich unzufrieden, weil sie es sich bereits auf einem sehr dicken, ergo sehr nahrhaften Toten bequem gemacht hatten. Und Sie sind aus Madensicht definitiv viel zu schlank.«

Sarah musste lachen, ein bizarres Kompliment. Ein Mausgesicht, er hat ein richtiges Mausgesicht, dachte Sarah. Die Haare so kurz geschoren, dass die Kopfhaut durchschimmerte, eine spitze Nase, auf der die zerbrechlich wirkende und wahrscheinlich sehr teure Brille ihren Halt fand.

Die Augen dahinter waren ruhelos unterwegs, wechselten ständig zwischen ihr und dem Glas hin und her, das er immer noch wie eine Kostbarkeit hochhielt.

»Kannten Sie den Toten?«

»Wie meinen Sie?«, fragte das Mausgesicht.

Sackgasse, dachte Sarah hektisch. Eine dumme Frage. Er wird doch wohl kaum die Maden vom Körper eines toten Verwandten gepult haben. Wenn doch, würde sie darüber nichts Weiteres wissen wollen. Zum Glück stellte sich eine Frau in einem Lufthansa-Anzug an ihre Reihe und wendete sich an den Mann in der Uniform, der am Fenster saß. Es hatte die Frau wahrscheinlich viel Mühe gekostet, ihr blaues Auge zu überschminken, leider war es nicht gelungen.

Jetzt sprach sie den Mann an, der etwas Interessantes auf den Tragflächen zu beobachten schien. Seit sich Sarah in die Reihe gesetzt hatte, sah er hinaus.

»Hallo, Lukas«, sagte die Lufthansa-Frau.

Er blickte weiter hinaus. Ein Träumer, dachte Sarah und stieß dem Mann sachte an den Ellenbogen. Er erschrak und drehte sich blitzschnell um.

Jetzt sah er die Frau, guckte etwas irritiert und sagte:

»Ah ... ja ... guten Tag, Ruth.«

»Wo warst du denn gestern Abend? Ich habe dich nach der Landung gar nicht mehr gesehen.« Sarah erkannte den Tonfall. Die Frau mit dem blauen Auge wollte keine Informationen, sie wollte Vorwürfe machen.

»Ich hatte noch zu tun.«

»Du warst aber gar nicht auf der letzten Maschine, ich dachte, wir trinken noch ein Gläschen. Wie bist du denn nach Hause gekommen?«

Ein schöner Mann, dachte Sarah. Seine Augen sind schokoladig und der Hals ist vom Feinsten. Braun ist dieser Typ. Ganz offensichtlich ein Pilot, sie war sich allerdings nicht sicher, ob sie die vier Streifen auf den Schultern richtig deutete. Wenn irgendwas ganz klar ist, dann, dass es diesem Typen nicht gut geht, sagte Sarah sich selbst. Er sollte langsam mal der Frau sagen, wie er denn gestern nach Hause gekommen ist. Ihre Frage stand unangenehm im Raum. Sie sah feine Schweißperlen auf der glatt rasierten Fläche zwischen Nase und Oberlippe. Ein schöner, geschwungener Mund mit vollen Lippen. Nur die widerspenstig herausragenden Nasenhaare störten das Bild geringfügig.

»Ich habe die Maschine verpasst, also nicht mehr bekommen«, stammelte der Mann, »ich bin mit der Eisenbahn gefahren. Du bist geflogen?«

Das hat sie doch schon gesagt. Sarah ärgerte es, wenn sich das Klischee bestätigte, dass schöne Männer immer hohle Nüsse sind.

»Sonst hätte ich dich ja auf der Maschine nicht vermissen können«, bekam er von der Frau zur Antwort, die nun einen Schmollmund zog.

Ach Schätzchen, nicht diese Nummer, ging Sarah mit. »Vermissen« hättest du jetzt nicht sagen müssen, mach es ihm doch nicht so leicht. Aber sie unterwarf sich gleich weiter:

»Magst du dich zu mir setzen, ich bin hinten?«

Der Schöne versuchte ein Lächeln hinzubekommen. Dumm sah das nicht aus, nur unehrlich und dementsprechend gekünstelt. Sag nein, sag nein, hoffte Sarah. Er roch zwar etwas säuerlich, aber sah doch zu interessant aus, als dass sie ihn so schnell ziehen sehen wollte. Er ähnelte einem depressiven George Clooney. Ich würde dich vermissen, hauchte sie in Gedanken, senkte aber den Blick auf den »Spiegel«. Vermutlich war ohnehin schon aufgefallen, dass sie dem Gespräch folgte.

»Entschuldige, Ruth, aber ich muss noch ein paar Unterlagen durchsehen. Ich lade dich nachher zum Kaffee ein, ich werde wahrscheinlich eh nur rumhängen, ich bin stand-by«, sagte er etwas fester.

»Dann muss es aber ein schneller Kaffee sein, ich mach Tokio, wir haben um 14.15 Uhr Briefing, bis gleich dann.« Sie ging weiter und verzichtete auf das von Sarah erwartete Klein-Mädchen-Seufzen.

Sie hatte mittlerweile entschieden, dass es sich um einen Piloten handeln musste, bei diesem Lukas. Er hatte sich, kaum dass die Frau verschwunden war, wieder zum Fenster gewendet. Ob er sie geschlagen hat? Er sieht nicht so aus, aber es dürfte Männern kaum anzusehen sein, ob sie Frauen schlagen oder nicht.

»Sie müssen die Tiere mal aus der Nähe ansehen«, das Mausgesicht hielt Sarah das Glas direkt vor die Augen. Es wirkte, als würden die Viecher leicht vibrieren.

»Danke, sehr interessant«, Sarah schob seine Hand, die das Glas hielt, so sachte wie möglich zurück, »aber für das ungeschulte Auge sind sie doch erst mal ein bisschen fies.«

»Wieso das denn?« Das Mausgesicht lächelte, als hätte er den Anblick ohnehin viel lieber für sich, »diese Maden sind Geheimnisträger. Sie werden mir im Labor Aufschluss geben, wann der Mann gestorben ist. Und zwar sehr präzise, ich kann das ganz genau von ihrer Größe ablesen.«

»Sind Sie Gerichtsmediziner?«, fragte Sarah, hätte aber lieber noch einen Blick auf den verstörten Piloten riskiert.

»So was Ähnliches. Ich bin Kriminalbiologe. Maden sind mein Spezialgebiet, es ist eine sehr spannende Aufgabe, kann ich sagen. Der Mann, auf dem diese Maden gewohnt haben, wurde geköpft. Allerdings sehr unfachmännisch, offenbar mit einem etwas zu stumpfen Schwert, oder einer ungepflegten Axt. Entschuldigen Sie, aber ich werde das Glas mal lieber oben in meinen Koffer packen, wäre ja nicht schön, wenn mir bei einer Turbulenz hier das Glas durch die Gegend fliegt und wir die Maden nicht wiederfinden können.«

»Nein, das wäre nicht schön«, pflichtete ihm Sarah bei und war froh, dass er in der Köpfungsangelegenheit nicht noch weiter ins Detail gegangen war. Sie hielt ihre Zeitung mit der rechten Hand hoch, weil sie hoffte, dadurch von weiteren Ausführungen des Mausgesichtes verschont zu bleiben. Das Flugzeug setzte sich in Bewegung und rollte zur Startbahn.

Sarah nahm die Zeitung herunter und schloss die Augen. Sie flog gern, der Start war für sie der schönste Moment. Die Kraft, mit der sich die Maschine in Bewegung setzte, der Schub, der den Körper in den Sitz presste, übertraf die schönsten Karussellfahrten. Obwohl sie es immer noch liebte, sah sie von Karussellfahrten ab. Ein Reporter der Regionalzeitung in ihrem Wahlkreis hatte sie auf der Dortmunder Pflaumenkirmes fotografiert. Just in dem Moment, als sie den ›Turboshooter‹ verließ. Mit völlig zerzausten Haaren und etwas Erbrochenem auf dem T-Shirt, das ein junges Mädchen auf dem Karussell von sich gegeben und dann allen anderen Mitfahrern mit Hilfe der Wirbelei weitergegeben hatte. Die hämische Bildzeile lautete damals: »Drunter und drüber – Trotz politischer Turbulenzen kann die Bochumer Bundestagsabgeordnete Sarah Lohmann (SPD) von Kapriolen gar nicht genug kriegen«. Der Ausschnittsdienst des Bundestages arbeitete auch in diesem Fall ausgezeichnet. Hugo hatte das verheerende Foto schon zu ihrem Bildschirmschoner verarbeitet, als sie zwei Tage später wieder nach Berlin kam. Jetzt hörte sie das aggressive Fauchen der Triebwerke, die Maschine beschleunigte wie immer, so aufregend wie immer. Die Augen hielt sie geschlossen, um Mausgesicht weiterhin von Konversation abzuhalten.

Nach wenigen Sekunden verließ das Fahrwerk mit einem Ruck die Startbahn und die Motoren gingen zu einem Malmen über. Mit dem Abheben griff der Pilot neben ihr plötzlich nach ihrer Hand und drückte sie mit erheblicher Kraft zusammen. Sie riss die Augen auf und sah, dass er vor dem kleinen Fensterchen kauerte und schon zum zweiten Mal »Okay, okay, weiter so« erkennbar panisch vor sich hinbrummte. Das Flugzeug legte sich sanft auf die Seite, er ließ ihre Hand wieder los, löste sich aus seiner starren Haltung und ließ sich in den Sitz zurückfallen. Jetzt hatte er die Augen geschlossen und atmete so tief ein, als habe ihn ein Arzt dazu aufgefordert.

Was war das denn, fragte sich Sarah verblüfft. Immerhin konnte sie, solange er es nicht mitbekam, den Mann genauer ansehen. Ein ganz fein geschnittenes Gesicht, die braune Haut und das blütenweiße Hemd bildeten einen sehr schmeichelnden Kontrast. Seine Haare wirkten so fest, dass Sarah versucht war, einmal kräftig hineinzugreifen. Sie war sicher, es würde sich sehr aufregend anfühlen. Leider hatte er so gar nichts von einer ausgeglichenen Frohnatur. Der Körper wirkte hart, fast schon eckig. Sein Mund war umrahmt von Magenfalten. Was ist nur mit dir los, fragte sie sich.

Sie hatte gerade eben die Augen geschlossen, um zu signalisieren, dass sie kein weiteres Gespräch wünscht. Also war sie gezwungen, aus seiner Haltung die gleiche Botschaft herauszulesen. Aber er hatte sie angefasst, er hatte ihre Hand gedrückt, ohne ein Wort mit ihr gesprochen zu haben. Es ist nur Neugier, Sarah, oder möchtest du ihm helfen, soll er dir sein Herz ausschütten, dieser Fremde? Wenn er aber wirklich Pilot ist, wieso wird er dann panisch, wenn ein Flugzeug abhebt? Vielleicht nimmt er Drogen. Das könnte auch die Schweißperlen erklären. Dann würde ich aber umso lieber die Fluggesellschaft wissen, bei der er arbeitet, damit ich bei denen niemals buche. Er atmete jetzt nicht mehr so demonstrativ tief. Die Frau mit dem blauen Auge trug Lufthansa-Sachen, er ist ihr Kollege, also ist das hier wahrscheinlich seine Firma. Hoffentlich ist der Mann, der uns gerade fliegt, nicht ähnlich verstört. Der Madenmann machte sich wieder an seiner Tasche im Gepäckfach zu schaffen und ging dann Richtung Toilette.

Sie nahm wieder ihre Zeitung in die Hand. Hielt es dann aber doch nicht aus.

»Sie sind offenbar ein sehr zupackender Mann«, Sarah versuchte sonor zu klingen, überlegen, souverän, aber auch verzeihend.

Er wendete nur leicht den Kopf zur Seite und sah sie an.

»Wie bitte?«

»Sie haben sich in meine Hand gekrallt, gerade eben, beim Start.«

Er atmete wieder tief ein und schloss die Augen.

»Vielleicht machen Sie sich einfach ziemlich breit, denken Sie mal darüber nach.«

Das Flugzeug begann leicht zu rappeln, sie sah seine Adern an den Unterarmen heraustreten, als er an die Lehnen griff.

Er atmete dreimal tief ein und aus, das anschließende Stöhnen war eine Zäsur. Sarah begann sich über den Mann zu ärgern. Sie hatte aber zu viel Erfahrung mit gockelhaften Typen, um sich von diesem merkwürdigen Heini aus der Ruhe bringen zu lassen.

»Und Sie geben keine gute Figur ab. Nicht unbedingt eine Werbung für Ihr Unternehmen«, zischte sie in dem unterdrückten Ton, in dem Eltern in feinen Restaurants ihre Kinder zurechtweisen.

Er schlug die Augen auf und funkelte sie an.

»Gute Frau«, auch er wäre wohl gern laut geworden, pegelte sich aber mit Mühe herunter, »ich weiß nicht, was Sie glauben lässt, dass ich ein Gespräch mit Ihnen suche. Wenn Sie unbedingt was loswerden müssen, suchen Sie sich bitte einen anderen, und jetzt lassen Sie mich bitte …« Er wollte wohl noch mehr sagen, aber das Flugzeug sackte leicht durch und er presste sich sofort wieder in den Sitz und schloss die Augen. Sarah musste beinahe lachen. So ein schöner Mann und leider so ein Idiot, dachte sie und nahm die Zeitung wieder auf.

Der Madenmann setzte sich wieder hin und hielt einen großen braunen Umschlag in der Hand. Sarah erkannte aus dem Augenwinkel amtlich wirkende Stempel auf dem Papier. Er drehte sich zu ihr hin:

»Sehen Sie mal, ich habe hier einige Tatortfotos, man kann sehr gut erkennen, dass es dem Täter nicht gelungen ist, die Wirbelsäule komplett zu durchtrennen, das ist sehr interessant. Schauen Sie mal«, er reichte Sarah ein Foto an, auf dem sie nur viel Rot, also viel Blut erkennen konnte. Sie wollte nicht genauer hinsehen.

»Sie müssen mir verzeihen, aber ich glaube, ich möchte das nicht sehen.«

»Natürlich, natürlich«, sagte er eifrig, »ist für den Laien auch nicht klar ersichtlich. Ich bin auch gar nicht sicher, ob dieses Fotomaterial nicht streng vertraulich ist. Lassen Sie mich mal sehen.« Er hielt den Umschlag sehr eng an seine Augen und suchte das Papier ab.

»Ekeln Sie sich eigentlich vor gar nichts?«, wollte Sarah wissen.

»O doch«, der Madenmann ließ den Umschlag sinken, »Flugzeugessen ist mir außerordentlich widerlich. Ich habe vor etwa drei Monaten bei einem Flug in die Vereinigten Staaten auf ein ganzes Haarbüschel gebissen. Obwohl ich sicherheitshalber immer vegetarisches Essen bestelle, das müssen Sie sich mal vorstellen«, eine leichte Röte trat in sein blasses Gesicht, es schien ihn wirklich zu empören. Er redete auch gleich weiter:

»Selbstverständlich habe ich das Büschel mit ins Labor genommen und festgestellt, dass es nicht, wie ursprünglich angenommen, tierischen Ursprungs war, also von einem Rind oder Schwein.«

Er griff sich ohne erkennbaren Grund an die Nase, offenbar eine Marotte.

Schon wieder war Sarah völlig uninteressiert an dem weiteren Verlauf dieser widerlichen Geschichte.

»Aber zu meinem Entsetzen handelte es sich um Menschenhaare. Wahrscheinlich männlich, wahrscheinliches

Alter des ursprünglichen Trägers zwischen 40 und 50 Jahre. Zum Glück konnten wir feststellen, dass es sich nur um Kopfhaare gehandelt hat, die entweder während eines Streits oder in selbstverstümmelnder Absicht mit hohem Kraftaufwand ausgerissen worden waren. Für die Annahme von sehr roher Gewalt sprach, dass wir an der Haarwurzel noch erhebliche Mengen Haut …«

Sarah legte ihm entschlossen die Hand auf den Unterarm.

»Verzeihen Sie, aber mir geht es heute nicht so gut. Aber Sie haben völlig Recht, das Essen an Bord solcher Maschinen ist oft skandalös, ich hoffe, wir kriegen nichts.«

»Ich würde ohnehin ablehnen. Aber wenn Sie Hunger haben, könnte ich Ihnen ein hart gekochtes Ei anbieten.« Ohne ihre Antwort abzuwarten, sprang er auf und holte eine Plastikbox aus seinem Gepäck im Deckenfach.

Sarah winkte ab. Aus gutem Grund, denn der Geruch, der sich entfaltete, als er begann, eins der drei Eier aus der Box zu pellen, bestätigte auf das Schlimmste ihre Vorbehalte gegen hart gekochte Eier.

Sie sah innerlich seufzend auf ihre Uhr. Noch 25 Minuten bis zur Landung. Noch etwas, worauf sie sich an diesem Tag mittlerweile freute.

Lukas rieb sich die Stirn, auch wenn er damit den pochenden Schmerz in seinem Schädel kaum vertreiben konnte. Es war Ratlosigkeit und Wut auf sich selbst.

Ich bin ein solcher Idiot, dachte er, der allerletzte Schwachkopf.

Wie konnte ich so grob zu dieser Frau sein?

Höflichkeit lernt niemand in irgendwelchen Fibeln, Höflichkeit ist die logische Konsequenz von Respekt gegenüber jedem anderen Menschen. Hatte er gelesen, ausgerissen und aufbewahrt. Um den Satz parat zu haben, wenn er wieder junge Piloten ausbildete. Die ganz persönlichen Lehrsätze des Lukas Winninger standen zum Glück nirgendwo geschrieben, waren aber praxiserprobt.

Sei höflich, damit erhältst du die Distanz. Verliere vor Frauen nicht die Contenance, es sei denn, du möchtest einen italienischen Westentaschen-Gigolo abgeben. Je länger du dich am Riemen reißt, desto früher verliert sie die Fassung und du kannst alles haben. Jedenfalls viel Schönes.

Ein zigmal getestetes Erfolgsrezept, das er in seinen guten Tagen umgehend auf diese Sitznachbarin angewendet hätte. Er hatte sie nur kurz ansehen können. Selbst in diesem kurzen Augenblick hatte ihn überrascht, wie lachbereit ihr Gesicht wirkte. Sehr wache, helle Augen, die er in der Kombination mit den langen, braunen Haaren bisher vor allem bei südländischen Frauen gesehen

89

hatte. Ob sie Ausländerin war? Ihr Deutsch klang allerdings akzentfrei. Eine gewisse Abgespanntheit las er aus ihrem Gesicht. Was sie wohl arbeitet? Ihre Bluse saß eng, warf so große Falten über der Brust, dass er ein Stück ihres BHs sehen konnte. So was war kalkuliert, da erübrigte sich für ihn jede Diskussion. Vielleicht bemerkt sie, dass ich sie beobachte, denn sie klemmte sich jetzt ihre Haare hinters Ohr, was sie wahrscheinlich immer macht. Am Nacken unter dem Ohr sah Lukas einen blaugrünen Fleck. Unwahrscheinliche Erklärung: ein Mückenstich, auf den sie allergisch reagiert. Wahrscheinliche Erklärung: ein Knutschfleck.

Es wirkte unnatürlich, dass sie jede Bewegung ihres Kopfes in seine Richtung vermied. War aber alles andere als erstaunlich, nachdem er sie so angepampt hatte. Ich weiß, dass ich mich nirgendwo festhalten kann, wenn ein Flugzeug Probleme bekommt, natürlich weiß ich das, dachte er zerknirscht. Aber das war genau Teil seines Problems. Die Angst war so übermächtig, so kompromisslos, dass es ihm völlig gleichgültig war, als er nach der Lehne gegriffen hatte und ihre Hand spürte.

Das bin nicht ich, wollte er ihr jetzt am liebsten sagen. Er hasste die Shuttle-Flüge mittlerweile regelrecht. Wie ein ganz normaler Passagier hinten sitzen, keine Instrumente vor sich, die er genau kannte und mit deren zweifelsfreien Daten er sich beruhigen konnte. Hinten war alles doppelt so schlimm. Er musste seine ganze Kraft darauf konzentrieren, den Schrei zu unterdrücken, den Schrei, der ihm dann immer im Hals klemmte: »Ich will hier raus.« Ihre wohltemperierten Sätze vorhin waren ihm vorgekommen wie das Gesabbel seiner Mutter auf Urlaubsfahrten. Wenn er schon ganz genau spürte, dass ihm so übel war, dass er gleich erbrechen müsste, seine Mutter aber immer noch beruhigend auf ihn einredete: »Komm, Lukas, ist doch nicht so schlimm, wir sind ja bald da.« Statt seinem Vater zu befehlen, er solle unverzüglich anhalten. Genauso waren ihm die Worte dieser aufregenden Frau erschienen. Jetzt, seit das Fahrwerk aufgesetzt hatte und er diesen Euphorieschub, diese unglaubliche Entspannung, spürte, erschien es ihm nur logisch, dass sie sich erkundigte, wieso er ihre Hand genommen hatte. Sobald dieses Flugzeug anhält, wird sie aufspringen und schnell verschwinden. Ihre Zeitungen hatte sie schon alle in die Tasche gepackt. Er tippte ihr so sachte wie möglich an den Ellbogen.

Sie erschrak und drehte sich schnell zu ihm hin. Jetzt allerdings ohne jedwede freundliche Stimmung im Gesicht. Schöne lange Wimpern, dachte Lukas.

»Ich möchte mich bei Ihnen entschuldigen, ich war sehr grob und das tut mir Leid.«

Sie sah ihm in die Augen. Ihm wurde warm und er wusste nicht, was er dem noch hinzufügen sollte. Oder ob er einfach bitten sollte, sie möge ihm weiter in die Augen schauen, weil sich durch diesen Blick ein überraschend schönes Gefühl einstellte.

»Mein Name ist Lukas Winninger ...«, persönlich vorstellen war eine sichere Nummer, aber wie weiter?

»Ich bin nicht sicher ... also, ich kann mir vorstellen, dass ich Ihnen wahrscheinlich nicht die Hand ... dass Sie nicht wollen, dass ich Ihnen noch einmal die Hand gebe, obwohl ich mich Ihnen persönlich vorstelle und in unserem Kulturkreis bei der Vorstellung ja üblicherweise die Hand geschüttelt wird. Vielleicht muss man aber auch über diese Sitte noch einmal gründlich nachdenken, kann schon sein.«

Jetzt lächelte sie, wenn auch noch recht vorsichtig.

»Sie haben mir vorhin nicht die Hand gegeben, Herr ...«

»Winninger ist mein Name.«

»Herr Winninger. Sie haben mir stattdessen meine Hand gequetscht.«

Sie sah ihn weiter an und streckte ihm langsam ihre rechte Hand hin.

»Aber wenn Sie versprechen, dass Sie jetzt sanfter sind, dürfen Sie es gerne probieren.«

Sie gaben sich die Hand. Lukas fand für einen Moment, dass es nie angenehmer gewesen war, die Hand einer Frau zu halten. Jetzt wollte er die Frau am liebsten küssen, war sich damit aber auch absolut sicher, dass sein Kopf nichts anderes war als ein komplett durchgebrannter Sicherungskasten, der nur noch Kurzschlüsse in Serie hervorbrachte.

»Herr Winninger, ich bin eine begeisterte Händeschüttlerin, aber ich würde jetzt gerne aus diesem Flugzeug aussteigen und dazu müssten Sie meine Hand loslassen.«

»O ja, natürlich, selbstverständlich, es war sehr nett, Sie kennen gelernt zu haben.«

»Ja, hat mich dann auch gefreut. Nur der Vollständigkeit halber, weil es in unserem Kulturkreis üblicherweise so läuft: Ich habe auch einen Namen, ich heiße Sarah Lohmann und ich wünsche Ihnen alles Gute.«

»Ich Ihnen auch, vielleicht fliegen wir ja mal wieder zusammen.«

Sie war aufgestanden, stand schon am Gang, und Lukas fiel auf, dass sie groß und ihr Rock recht kurz war. Für den Fall, dass sie geschäftliche Gespräche führen wollte, sogar viel zu kurz.

»Nehmen Sie es mir nicht übel, aber fliegen kriegen wir zusammen noch nicht so toll hin, vielleicht probieren wir was anderes.« Jetzt lächelte sie beinahe über das ganze Gesicht, hob kurz die Hand und Lukas nickte noch zustimmend, als sie schon außer Sichtweite war.

»Magst du aussteigen, oder sollen wir hier drin Kaffee trinken?«

Ruth stand da, wo gerade eben noch Sarah Lohmann gestanden hatte. Es erschien Lukas unpassend. Am liebsten hätte er sie gebeten weiterzugehen. Aber er musste jetzt wieder funktionierende Sicherungen einsetzen.

»Nein, nein, ich komme«, sagte er und stellte fest, dass er noch seinen viel zu straff festgezogenen Sicherheitsgurt öffnen musste.

Frankfurt/Main
Nordend
Café »Strandbar«
12.50 Uhr

»Schade, dass du nicht bis morgen hier bist. Sonst hätten wir heute Abend im ›Nummer 16‹ bei Luigi essen können«, sagte Claudia.

»Kenne ich schon, hervorragend«, gab Sarah zurück.

»Woher kennst du das denn?« Claudias Erstaunen war echt.

»Der Außenminister hat mal davon gesprochen. Es soll dort Pasta mit Rippchen geben. Und die Kellner sollen es schaffen, ein Rotweinglas so voll zu gießen, dass sich in der Mitte ein kleiner Berg bildet.«

»Soso, der Außenminister. Klar, dass der weiß, wo man gut essen kann«, Claudia schob sich ein Falafelbällchen in den Mund.

Die volle Wahrheit wäre gewesen, dass Sarah zufällig mit am Tisch saß, als der weinselige Außenminister seine Lieblingsadressen in Frankfurt aufzählte. Er kannte wohl ihren Namen, tauschte ansonsten mit ihr ein »Guten Tag«, aber gewiss keine Gastro-Tipps aus.

Sie war aber froh, sein pfauenhaftes Spreizen nicht wie sonst ignoriert zu haben. Seit mehreren Jahren begannen ihre Treffen damit, dass Sarah hilflos im Anekdotengeprassel stand, das Claudia niedergehen ließ. Sie war dabei, als dem Daimler-Chrysler-Chef Maultaschen angebraten wurden. Der Prosecco beim Weltwirtschaftsforum hatte doch tatsächlich Kork und der stürmische Heli-Port der Vodafone-Firmenzentrale in der Grafschaft Kent ließ keiner Frisur eine Chance.

Deswegen war sie froh, dass sie mit dem Außenminister eine Kragenweite erwischt hatte, die in Claudias jetziges Universum passte. Sie kannten sich seit dem Studium. Sarah war schon im dritten Semester, als die vier Jahre ältere Claudia an die Universität kam. Auch wenn sie sich auf dem Campus logischerweise viel besser auskannte, neben der glamourösen Claudia kam sich Sarah sofort vor wie ein Aschenputtel. Ihre drei Monate als Au-pair-Mädchen in einem reichen Pariser Haushalt verblassten neben Claudias weltumspannenden Eskapaden. Sie hatte es in Marseille mit Straßenclownerie probiert, ließ sich von einem Fremdenlegionär nach Dschibuti verschleppen, war dort schwanger geworden, hatte das Kind verloren und war mit einem Dreadlock-Kiffer in den Senegal verschwunden. Dort hatte sie sich einen reichen, dummen Jungen aus den USA gefügig gemacht, um sich anschließend bei dessen Familie in New Hampshire einzunisten. Dem Vater des Jungen wurde es irgendwann zu bunt und er drückte Claudia mit unmissverständlichen Worten ein Ticket nach Deutschland in die Hand. Die Geschichten aus dieser Zeit erzählte Claudia immer lustiger, je weiter sie in die Vergangenheit rückten. Sarah wusste mittlerweile, dass damals längst nicht alles komisch gewesen war. Eine nur für Eingeweihte sichtbare Narbe am Kinn dokumentierte, wie die Beziehungsgespräche mit dem Fremdenlegionär oft geendet hatten.

Bei allen Übertreibungen und bei aller Inszenierung als einflussreiche Wirtschaftsfrau: Sarah bewunderte, dass Claudia es bis in die Nähe des Deutsche-Bank-Vorstands geschafft hatte. Sie hatte keinen Schimmer, wie es ihr gelungen war, die vier wüsten Jahre unsichtbar zu machen.

Schließlich verlangte eine Karriere in der Finanzwirtschaft nach einem glatten, geradlinigen Lebenslauf, der ausschließlich nach magensaurem Ehrgeiz riechen durfte. Andererseits war Claudia an der Ruhr-Universität schnell eine Berühmtheit. Zuerst völlig unterschätzt. Es schien, als würden sogar die Dozenten darauf warten, dass die große Frau mit dem großen Busen und dem tiefen Ausschnitt in Statistik eine ordentliche Bauchlandung hinlegte. Stattdessen absolvierte sie ihr komplettes VWL-Studium in Rekordzeit. Sie war gewiss kein mathematisches Naturtalent, aber sie arbeitete wie ein Pferd. Weil sie niemals jammerte, vor allem nicht über die langen Nächte mit entsetzlichen Formeln, schien es, als würde ihr alles einfach zufliegen. Und sie hatte Sarah aus dem Loch geholfen. Nachdem sich ihre Jugendliebe Ingo nach New York vom Acker gemacht und nur einen Plüschteddy dagelassen hatte. Das Bärchen trug ein T-Shirt, auf dem die Aufschrift »Tut mir Leid« zu lesen war.

Sarah und Claudia hatten am Abend dieses Tages auf dem Boden gelegen. In dem Wohnzimmer der heruntergekommenen Altbauwohnung, die Sarah ab sofort allein bewohnen würde. Die Tüte, die Claudia dem Anlass angemessen üppig gebaut hatte, wechselte zwischen ihnen hin und her.

»Es brummt schon ziemlich«, kicherte Claudia, »ich seh schon Fliegen an der Decke.«

»Das sind keine Fliegen, das sind alles Bohrlöcher. Ingo wollte seine Boxen aufhängen, aber er hat die Dübel nicht reinbekommen.«

»Auch noch ein Scheiß-Handwerker. Was konnte der Typ eigentlich?«

Sarah erschien es anstrengend zu antworten, aber sie dachte über die Frage nach. Seine Lautsprecherständer, seine Jugendzimmermöbel, die nicht in den Sperrmüll durften, was er »gemütlich« fand und was er alles nicht essen wollte, weil es nicht »wie bei Muttern« schmeckte, eigentlich gab es vieles, was sie an Ingo nur noch genervt hatte. Aber er sah so niedlich aus, wenn er schlief. Sarah schluckte. Offenbar so laut, dass es selbst die benebelte Claudia noch registrierte.

»So was darf dir nicht mehr passieren, Süße«, sagte sie sanft.

»Du hast dich sechs Jahre gelangweilt. Natürlich war Ingo kein kompletter Arsch, auch wenn der Abgang das Allerletzte ist«, Claudia legte sich wieder hin.

»Aber er stand dir im Weg. Er hätte dir weiter im Weg gestanden.«

Sarah überlegte, was sie damit meinen könnte. Aus dem bei Tchibo gekauften Kassettenrekorder schepperte Genesis aus den frühen Siebzigern, »The lamb lies down on broadway«, noch von Peter Gabriel gesungen. Nach ein paar Takten redete Claudia weiter. Sarah war sich nicht sicher, ob sie zu ihr oder zu sich selbst sprach.

»Wir dürfen uns von den Typen nicht jagen lassen, wir müssen selber jagen.«

Sie setzte sich leicht auf und stützte sich auf den Ellbogen ab. Mit dem Kopf nickte sie in Richtung der Bücherstapel. Alles Fachliteratur für Sarahs Magisterarbeit.

»Du wirst sehr bald beweisen, dass du intelligent bist, dass du schneller kapierst als viele Männer. Du sprichst drei Sprachen, du hast diszipliniert dein Studium runtergekurbelt, dich politisch engagiert und auch noch als Promolette nachts Geld verdient. Was fehlt, Sarah?« Claudia sah sie mit einem leicht vernebelten Blick an.

Sarah lag reaktionslos da, war aber sehr gespannt, was jetzt kommen würde.

»Du musst dir deiner Macht bewusst werden. Frauen wie wir suchen sich die Männer aus, wir warten nicht und wir wollen auch gar nicht, dass uns einer aussucht. Die wollen mit uns ins Bett, die wollen, dass wir ihr Ding in den Mund nehmen. Nimm irgendeinen, vielleicht einen besonders Aufgeplusterten, ein richtiges Großmaul, und sag du ihm, dass du mit ihm schlafen möchtest. Beobachte die Reaktion und du siehst, wie viel Macht wir haben. Wir lassen uns nicht verlassen, sondern wir gehen. Lieber etwas zu früh als zu spät. Ehe sie richtig anstrengend werden.«

Sie rückte näher an Sarah heran, legte sich auf die Seite und ihren Kopf auf die Hand.

»Frauen wie wir sind aus einem anderen Holz geschnitzt als Männer. Wir können mehr Schmerzen aushalten, wir entscheiden mit dem Kopf und wir handeln. Härte ist bei denen oft nur Pose, bei uns kann sie echt sein, Sarah.«

Sarah kam sich vor wie eine Klosterschülerin, weil sie es immer eklig fand, Ingo einen zu blasen. Sie hatte es im Bett meist langweilig gefunden. Musste an irgendeinen sexy Mitstudenten oder den durchaus aufregenden Semantik-Dozenten denken, um überhaupt etwas zu spüren. Konnte sie hart sein, wie Claudia gesagt hatte?

Irgendwann begann Claudia sie zu küssen, Sarah küsste zurück und schlief mit einem viel wohligeren Gefühl ein, als sie für diesen Abend jemals erwartet hätte. Wie lange ist das eigentlich her, zwölf Jahre? Vierzehn Jahre?

»Sarah, deine Suppe wird kalt«, durchschnitt Claudia ihre Erinnerungen.

»Weißt du noch, wie wir uns geküsst haben?«

»Du hast mich geküsst, du warst das«, lachte Claudia, »nicht mal, weil es dir gefallen hat, sondern weil du mich im Drogen-Nirwana für diesen Heini gehalten hast, der nach Australien abgehauen war.«

»Ingo hieß der Mann und New York die Stadt«, korrigierte Sarah schmunzelnd.

»Hast du nochmal von ihm gehört?«

»Er schreibt zu Weihnachten drollige Karten, seit er weiß, dass ich im Bundestag sitze. Und ein Bild seines Sohnes habe ich bekommen. Er lebt mit der Frau, die das Kind zur Welt gebracht hat, in einem Reihenendhaus in Recklinghausen. Erstaunlicherweise brauchten sie in New York wohl keinen Sänger, der Irish Folk mit deutschem Akzent singen kann.«

Claudia machte eine wegwerfende Handbewegung über die Schulter.

Bin ich aus dem gleichen Holz wie du, dachte Sarah, als sie auf die heraustretenden Schlüsselbeine ihrer Freundin blickte. Auf deinem ausgemergelten Körper flattern teure, langweilige Business-Klamotten. Wo andere 40-Jährige mindestens Fältchen unter den Augen haben, hast du glatte Haut. Weil du so unverzichtbar bist, fährst du höchstens drei Wochen im Jahr in den Urlaub. Deine Augen lachen auch nicht mit, wenn du erzählst, dass das vergangene Wochenende wieder ziemlich »aidsig« war, es also mindestens einen Freitagsmann und einen Samstagsmann gab.

»Es ist schön, dass du mal aus Berlin einfach so herbeifliegst, damit wir gemeinsam ein bisschen vor uns hinträumen können, Sarah. Mein Chef wird jedes Verständnis haben, dass ich ihm erst morgen den Termin bei der Europäischen Zentralbank vorbereiten kann. Dann kann ich ihm nämlich nach dem Termin erzählen, was er hätte sagen sollen«, flötete Claudia.

»Wir sind aus einem anderen Holz als die. Wir haben Macht, deine Worte.«

»Sarah, bitte. Du bist doch bestimmt nicht gekommen, um mir in Erinnerung zu rufen, dass ich vor tausend Jahren mal eine Tipptopp-Emanze war.«

Sarah erzählte ihr knapp, wer Herr Bogimba war und dass sie 150 000 Euro bräuchte. Sie merkte, dass sich Claudia, spätestens als die Summe fiel, komplett in die Bankfrau verwandelte, die sie mindestens zwölf Stunden am Tag war. Jetzt bildeten sich Fältchen, allerdings um den Mund, je tiefer ihre Mundwinkel sanken.

Als Sarah fertig gesprochen hatte, nahm Claudia einen tiefen Schluck Weißwein. Sie hielt ihr Glas in beiden Händen und beobachtete die hin und her schwappende Restflüssigkeit.

»Ich weiß nicht, was du dir gedacht hast, aber wir sind eine Bank. Wir verdienen Geld, wir verschenken es nicht.«

Die Grundschullehrerin spricht, Ökonomie für Klippschüler, danke, alte Freundin. Sarah spürte den Energieball in ihrem Bauch.

»Aber ihr versucht die hässliche Fratze des Finanzkapitals vergessen zu machen. Ihr habt Stiftungen, ihr spendet und ihr lacht üblicherweise über solche Kleinsummen. Ich muss jetzt bitte nicht ›peanuts‹ sagen, hoffentlich nicht.«

»Du stellst dir das alles ein bisschen leicht vor, meine Gute«, sie stürzte den restlichen Wein hinunter, und es sah beinahe so aus, als würde sie gleich das nächste Viertel kommen lassen.

»Ich mag es doch auch nicht, dir mit solchem Kram zu kommen. Aber ich finde es noch viel schlimmer, diesen Mann anrufen zu müssen, um ihm zu sagen, dass er sein Jugenddorf vergessen kann. Es ist die erste Sache seit Jahren, die für mich einen Sinn hat. Ich will, dass dieser Mann schafft, was er sich vorgenommen hat.« Sarah erwischte mit der heftig gestikulierenden Hand ihr Tee-kännchen, sie spürte, wie ihr das warme Teewasser auf den hellen Rock tropfte.

Viel schlimmer war, dass sie merkte, wie nah sie den Tränen war.

Claudia hatte ihren Sensor nicht verloren. Sie nahm Sarahs linke Hand, während Sarah mit ihrer Rechten auf ihrem Rock rumwischte.

Sie lächelte Sarah an.

»Ich werde mich zum Abendessen verabreden. Es gibt da so ein Männchen mit einem entsetzlichen Vorbiss und Spinnennetzhaaren, der sich bei uns um Wohltaten aller Art kümmert. Wenn ich ihm für die 150 000 Steine zur Hand gehen muss, besorgst du mir ein Bundesverdienst-kreuz. Bei der Verleihung trage ich turmhohe Schuhe und du musst die Klappe halten, so geht der Deal«, sagte Claudia mit einem grimmigen Lächeln. Sie umschloss Sarahs Hand noch etwas fester.

»Aber du musst mir vor allem versprechen, dass du in einem stillen Moment darüber nachdenkst, was mein böser Opa mit ›enttäuschtem Uterus‹ gemeint hat. Ich kann dir nur sagen, dass ich ihm dafür noch heute in den Hintern treten könnte, wenn der nicht so tief eingegraben wäre«, ihr müdes Gesicht machte nicht den Eindruck, als sei es ihr um die Pointe gegangen.

»Danke«, sagte Sarah. Nestelte an ihrer sehr fleckigen Serviette und dachte an den verstörten Piloten von vorhin. Sie lächelte und nannte sich dafür selbst eine dumme Kuh.

Lukas war dankbar.

Am liebsten hätte er diese Frau Lohmann angerufen und gesagt: »Ich danke Ihnen, Sie haben mir sehr geholfen.«

Er verschränkte die Hände hinter dem Kopf, die zwei Kopfkissen waren sehr angenehm. Alles war im Moment sehr angenehm. Lukas kraulte mechanisch durch Ruths Haar. Ihr Kopf lag auf seiner Schulter, fühlte sich recht schwer an, aber es störte ihn nicht weiter. Zwischen seinen Beinen sah er mit einem Anflug von Stolz sein zusammengeschrumpeltes Glied. Sein Orgasmus war mäßig ausgefallen. Die Radarfallen-Variante. Ein kurzes Aufblitzen und sofort der Gedanke: »Oh, da war ja was.« Aber immerhin. Kein hastiges Abrollen und Verstecken des ungefüllten Kondoms, damit die Frau nicht merkt, dass er nur vorgetäuscht hat. Als er aus dem Flugzeug gestiegen war, fühlte er sich wie aufgeladen. Es brauchte nur noch ein paar Blicke auf Ruths wippenden Busen, als sie ihnen beiden Kaffee holte, die Erinnerung an ihren tollen Körper, und er spürte etwas.

»Wir waren ja eigentlich noch nicht fertig«, sagte er, als sie sich wieder gesetzt hatte.

»Ach«, antwortete sie, »du erinnerst dich noch?«

Er nickte, lächelte sie über seine Kaffeetasse hinweg an.

»Und jetzt?«, er sah ihr an, dass sie sich auch nicht mit

langem Getändel aufhalten wollte. Briefing 14.15 Uhr, erinnerte er sich und war ungemein erleichtert.

»Ob ein Räumchen hinter der Lounge für ein Pre-Briefing frei ist?« Er verhinderte den Flieger-Jargon, wo er konnte, aber in dieser Situation war keine Zeit für geschmäcklerische Pirouetten. Er konnte seinen Ruf retten. Bei Ruth würde mehr in Erinnerung bleiben als eine gläserne Badezimmertür und ein blaues Auge.

Kapitäne hatten jederzeit Zugang zu den Räumen, die von innen zum Glück abschließbar waren. Sie hatten kaum den Raum betreten, da warf Ruth die Arme um ihn und küsste ihn leidenschaftlich. Er schob sie sachte zurück.

»Lass mich erst die Jalousien zuziehen, in mir regt sich der Protestant.«

»Was heißt das denn?«, sie war sofort wieder an ihn herangetreten und pustete ihm die Frage ins Ohr.

»Für uns ist der Tag nur zum Arbeiten da, alles andere machen wir in der Nacht. Deswegen lasse ich es jetzt hier Nacht werden. Außerdem möchte ich nicht sehen, wie Fredeking da drüben gleich nach Los Angeles abhebt.«

Durch das Fenster hatte man einen spektakulären Blick auf das Flugfeld. Was Flugzeuge am schlechtesten können, ist fahren. Auch so ein Satz aus der Ausbildung, an den er unmittelbar denken musste, als er sah, wie behäbig sich die riesige 747-400 auf dem Flugfeld Richtung Startbahn bewegte.

Kapitän dieses Fluges war Peter Fredeking, wie er dem Dienstplan entnommen hatte. Der Ex-Chef der Lufthansa-Jumboflotte.

Lukas mochte Fredeking. Wie ein bestimmtes altes T-Shirt, für das es keine guten Argumente mehr gibt. Das aber im Schrank liegen muss, weil es sonst schmerzlich vermisst würde. Als junger Co-Pilot war Lukas häufiger mit Fredeking unterwegs, vor allem an die amerikanische Westküste und nach Australien.

Der Mann redete nicht gern. Logischerweise wurde deswegen viel über ihn geredet. Wenig Substanzielles. Wer sich in der Cafeteria umhörte, erfuhr, dass Fredeking in Südengland wohnt und mit seiner kleinen, eigenen Piper zur Arbeit geflogen kommt. Auf der Insel an seinem Heimatflughafen in der Grafschaft Kent nennen sie ihn »King Fred«. Dort lebt er mit seiner Frau, die er noch als Bundeswehr-Kampfpilot Anfang der Siebziger geheiratet hat. Keine Affären, keine Alkoholexzesse, allerdings auch kein Wort zu homosexuellen Flugbegleitern. Ohne Erklärung, denn Fredeking erklärt sich nicht. Gewitterfronten umflog er selten, so wie es die Lufthansa-Regeln unbedingt vorschreiben. Er hielt mitten rein, sang dabei »Freude, schöner Götterfunke, Tochter aus Elysium« und strahlte wie ein sehr glücklicher Mann. Auf einer Tour nach San Francisco meldete ihm eine Flugbegleiterin, dass ein Mann offenbar einen Herzinfarkt erlitten hatte und einen sehr kritischen Eindruck machte. Über Grönland. »Winninger, wir landen«, hatte er gesagt, ohne die Stimme zu erheben, »in meinem Flugzeug wird nicht gestorben.« Seine Landung auf der vereisten Piste einer Forschungsstation war eine fliegerische Meisterleistung. Starten war erst nach drei Tagen und aufwändiger Enteisung der Piste wieder möglich. Die Fluggäste mussten mit Huschraubern der dänischen Marine ausgeflogen werden und Fredeking war danach nicht mehr Chef der Jumboflotte. Er wollte nicht zugeben, einen Fehler gemacht zu haben, sondern erklärte, er würde jederzeit wieder genauso handeln. In drei Monaten würde Fredeking in Pension gehen und Lukas wusste, dass es besser für ihn und das

Unternehmen war. War er früher sehr geduldig mit neuen Piloten, wurde er heute oft herrisch und kommandierte, statt sich mit seinem Co abzusprechen. Er wollte nicht hinnehmen, dass Fliegen nur eine neben vielen Aufgaben war, die ein Kapitän während einer Reise zu übernehmen hatte. Mit widerspenstigen oder gar randalierenden Gästen ging er außerordentlich undiplomatisch, gerne auch handgreiflich um. Die neue Terrorismus-Prävention ignorierte er, seine Cockpittür blieb unverschlossen: »Ich lasse mich nicht einschließen, nur weil vielleicht ein Kameltreiberbürschchen mit einem Teppichmesser vorbeikommt.«

Bei den regelmäßigen Pflichttests im Simulator schnitt er nach wie vor glänzend ab. Die Flugzeugbauer hassten ihn, weil er ihnen durch seine fliegerische Intuition immer wieder die Grenzen ihrer hochmodernen Computertechnik aufzeigte. Zumal er auf den technischen Berichtsbögen gerne sehr deutlich wurde: »Neues Gerät funktioniert nicht. Ohnehin Spielerei, ausbauen, wegschmeißen, gez. Fredeking.«

Die Maschine drehte langsam um 180 Grad, Lukas sah für kurze Zeit direkt auf das Cockpitfenster, hinter dem Fredeking saß. Er hob unbewusst die Hand, so als wäre die Scheibe, hinter der er stand, nicht verspiegelt.

Ruth stellte sich hinter ihn und umschloss ihn mit beiden Armen. Er spürte durch sein Oberhemd, wie sich ihre nackte Brust auf seinen Rücken drückte.

»Na, sagst du Opi Frieda ›Auf Wiedersehen‹?«

Lukas reagierte nicht auf die Frage, er zog stattdessen die Jalousie zu.

Er wandte sich ihr zu. Zog sein Oberhemd über den Kopf und war in Sekundenschnelle aus Schuhen, Socken und Hose ausgestiegen. Die Unterhose sollte sie ihm ausziehen. Das hielt er immer so und Regeln gaben Sicherheit. Es war genau, wie er es sich gewünscht hatte. Nur unter der Tür fiel etwas Licht in den Raum, er sah von Ruth lediglich Umrisse. Lukas wollte auch nicht sehen, er wollte tasten. Nach dem Knutschfleck, den sie nicht hat.

Wie lange hatte es gedauert? Zehn, vielleicht 15 Minuten. Ein Mann und eine Frau hatten sich nackt ausgezogen, das Tageslicht ausgesperrt und ihrer Körperlichkeit gehorcht. Von Mysterium oder Ekstase keine Spur. Lukas fühlte sich dennoch wie ein Torjäger nach 728 torlosen Spielminuten. Endlich getroffen. Da mochten Romantiker kommen und erklären, dass Sex viel mehr ist als eine Viertelstunde nackter Körperkontakt. Oder die Theoretiker, die behaupten, dass der Mensch sich nur dann über seine Sterblichkeit erhebt, wenn er mit einem anderen Menschen sexuell verkehrt. Für ihn war es der erste Geschlechtsverkehr, den er seit langer Zeit mit zufrieden stellendem Ergebnis hingebracht hatte. Nein, er musste sich nicht des Ehebruchs schuldig fühlen. Seine Ehefrau küsste ihn schon lange nicht mal mehr auf den Mund. Einem 39-jährigen Mann musste niemand erzählen, dass eine erotische Begegnung sehr viel mehr sein konnte als diese schnelle Nummer auf einer Matratze in einem Flughafenhinterzimmer. Aber Sex konnte auch viel weniger sein. Es war in jedem Fall viel weniger, als alle daraus in dieser verklemmten Zeit machten.

Lukas dachte mit Grausen an die Paarabende, zu denen Eva genauso widerwillig ging wie er. Selbstverständlich ohne es zu sagen. Sie saßen dann in kultivierter Atmosphäre an einem elegant gedeckten Tisch. Die bedächtige Auswahl des Porzellans würde viele Samstagvormittage gekostet haben, der Wein war selbstverständlich ausgezeichnet. In diesen Runden, drei oder vier Paare, durfte es um alles gehen. Um die todkranken Eltern, die man in einem guten Heim unterbringen würde, auch wenn es schwer fiel. Sehr ausführlich durften Reisen besprochen werden. Tolle Restaurants (»ein echter Geheimtipp«), unentdeckte Inselparadiese mit unaussprechlichen thailändischen Namen, Anekdötchen über hartgesottene südafrikanische Bootsmänner und runzlige Wahrsagerinnen in Polynesien. Das Absaugen eitriger Taschen unter entzündeten Zähnen, Gallenstein-Operationen, selbst Darmspiegelungen kamen zur Sprache. Aber wehe, jemand erdreistete sich, ganz offen über Lust zu sprechen. Keine Frau am Tisch, die zugeben würde, dass sie an irgendeinem Vormittag einfach nur spitz war, weil der Student, der das Gefriergemüse brachte, super aussah. Kein Mann, der es wagen könnte, über seine neue Kollegin zu phantasieren. Wenn er sich mit der Kollegin sogar über die Phantasie hinausgewagt hatte und aufgeflogen war, dann wurde jede Erwähnung noch unerlaubter. Oder distanziertes Verarbeitungsgewäsch flutete den Raum. Ihm sei »etwas passiert«, er sei »vom Weg abgekommen«, aber zum Glück habe »er sich wieder gefangen«. Natürlich hat er durch gute Gespräche auch gemerkt, wie wichtig ihm die Beziehung zu der Frau ist, die neben ihm sitzt und auffällig häufig mit der Serviette zum Mund geht. Lust ist Lust, dachte Lukas. Mit einer Frau zu schlafen war günstigstenfalls eine Auszeit für den kontrollierenden Geist. Aber das war schon schwer hinzubekommen. Von Intimität konnte da noch keine Rede sein. Die brauchte Zeit, Geduld und die Absicht, tatsächlich miteinander intim zu werden. Die darmgespiegelten Paare an einem Essenstisch zwangen ihn in eine Intimität, die er nicht wollte, und erklärten gleichzeitig leidenschaftliche

Körperlichkeit in stillschweigendem Einvernehmen zum Unaussprechlichen.

Tränen waren intim. Wenn er das Bild des kleinen Mädchens betrachtete, das er sorgsam zwischen den Seiten seines Führerscheins aufbewahrte, dann war das ein höchst intimer Moment. Den er mit niemandem teilen konnte und durfte. Ruth würde in etwa zwölf Stunden beinahe 10 000 Kilometer entfernt von diesem Zimmer am Tokioter Flughafen aus der Maschine steigen. 10 000 Kilometer, das war die richtige Größenordnung für die unveränderte Ferne zwischen ihnen beiden. Auch wenn er in ihrem Körper zu einem sexuellen Höhepunkt gekommen war. Dazu musste sie jetzt allerdings aufstehen, sich anziehen und zu ihrem Briefing gehen. Er musste sehr höflich sein, damit sie ihn nicht nach ihrer Rückkehr anrief und von Gefühlen zu sprechen begann, die sie sich nur einbildete.

»Es ist schon kurz nach zwei. Soll ich dir einen Kaffee bestellen?«, fragte er.

»Nein, nein. Ich bekomme gleich genug Kaffee«, sie stand auf und es erschien ihm behäbig. Ruth wühlte in ihrer Handtasche, zog einen Deostift heraus, hob die Arme an und verteilte die Flüssigkeit in ihren Achseln. Lukas störte dieser Anblick, Deo ohne sich zu waschen erschien ihm schmutzig.

»Die Frau, die vorhin neben dir in der Reihe saß, war ziemlich nuttig aufgebrezelt, ist dir das aufgefallen?« Ruth saß mit dem Rücken zu ihm auf der Bettkante und knöpfte ihre Bluse zu.

»Nein, ist mir nicht aufgefallen«, Lukas antwortete abwesend.

Es war ein echtes Gefühl, da war er sich sicher. Er hatte etwas Unverfälschtes spüren können, in der kurzen Begegnung mit dieser Sarah Lohmann. Um sich etwas einreden zu können, hätte es viel mehr Zeit gebraucht, hätte sie ihm nicht so überraschend auffallen dürfen.

Wie ein guter Malt Whisky, der einem ohne Aufforderung vom Barkeeper hingestellt wird, während die eigenen Gedanken bei der Frage sind, ob sie in diesem Laden 100-Euro-Scheine annehmen. Der Schnaps öffnet dann wirklich jede Geschmacksknospe, weil er unerwartet dahergekommen ist. Ein Whisky wirkt nach, seine verschiedenen Geschmäcker bleiben unter günstigen Umständen sogar eine Viertelstunde. Aber man ruft ihn nicht hinterher an oder bestellt einen zweiten. Der zweite kann den ersten niemals überbieten.

Vorhin, als er Ruth küsste, war er sicher, dass er die Telefonnummer von Sarah Lohmann herausfinden musste. Aber er würde sich die Mühe sparen. Er würde sie nicht anrufen. Stattdessen müsste er gleich im Namensverzeichnis seines Mobiltelefons unter »K« suchen, bis er »Katharina Festnetz« fand. Er hatte wieder mal eine ihrer frostigen E-Mails bekommen: »Lukas, ruf mich bitte an. Folgende Zeiten sind möglich: Mittwoch, 14 bis 15 Uhr, Donnerstag, gleiche Zeit, Freitag 19 bis 20.30 Uhr. Solltest du an allen Terminen verhindert sein, lass es mich bitte wissen. Katharina.«

Es würde um Geld gehen. Fotos schickte sie immer nur an Weihnachten. Ein einzelnes, grußlos, als Fotodatei, er musste deswegen nicht anrufen. Er rief nie von sich aus an. Sie hatte es ihm verboten. Es gab auch keine Bitten von ihm, denen sie entsprechen würde. Schließlich sollte es ihn eigentlich nicht geben.

Lukas fror im kalten Luftzug der Klimaanlage. Die Tür fiel ins Schloss. Kaum hörbar, schließlich erwartete der First-Class-Kunde jede mögliche Dämpfung. Hatte

Ruth sich verabschiedet? Egal. Sein Telefon steckte in der Seitentasche seines Pilotenkoffers. Er griff danach und atmete tief ein.

Es soll bitteschön Krieg geben. In jedem Fall müssen deutsche Soldaten losgeschickt werden. Dann gibt es Fernsehbilder von jungen Männern in Tarnkleidung, die mit verängstigten Augen vor tropischer Kulisse aus einem Flugzeug steigen. Sarah wusste, dass Josef Andörfer alles andere langweilte. Er ist ein Jahr jünger als Sarah, aber Parlamentskorrespondent für »Focus« und damit ein erfolgreicher Journalist. Auch wenn sich Andörfer ärgerte, dass es nicht der »Spiegel« war.

Sarah kam es so vor, als würde er bei jeder regionalen Krise auf der Welt eine Intervention der Bundeswehr herbeischreiben wollen. Wenn die Soldaten unterwegs waren, schwiemelte er dann in seinen Texten von »erfüllter Pflicht« und »globalen Anforderungen an das neue Deutschland«. Verletzten sich Soldaten, und sei es nur bei einem Verkehrsunfall mit einem Ochsenkarren, fieberte Andörfer von »wehrpflichtigem Kanonenfutter, das im Geiste eines Landschulausflugs in die Pulverfässer der Welt plumpst«.

Bei einem Umtrunk, der obligatorisch jedem Hintergrundgespräch mit Journalisten folgt, hatte Sarah Andörfer prahlen hören, mit welchen Tricks er sich am Wehrdienst vorbeigemogelt hatte. Ein Blutstropfen aus dem Finger in die Urinprobe und ein Attest von Papas Arztfreund. So einfach war das damals, und noch heute lachen die Umstehenden über den pfiffigen Andörfer.

111

Sarah fand, alles an ihm war fad. Seine Anzüge, selbstverständlich seine Schuhe. Sein Körper schien sich nicht entscheiden zu können, ob er hager bleibt oder lieber einen Schmerbauch ansetzt. Seine Körperhaltung war leicht vornübergebeugt, die Schultern hingen. Es war völlig klar, dass es in Andörfers Leben keinen Sport gab, der seinem Auftreten etwas Spannkraft geben könnte. Die Sommerpause hinterließ in seinem flächigen Gesicht keine Bräune oder Röte, sondern Teint-Sprenkel, wie nach nachlässig aufgetragenem Selbstbräuner. Sarah war sicher, dass er sie attraktiv fand. Aber er näherte sich nicht als Mann. Nicht als Josef Andörfer aus Hannover, sondern versteckte sich hinter der »Immer im Dienst«-Maske des politischen Berichterstatters. »Für diese Frisur haben Sie bestimmt nicht die absolute Mehrheit Ihrer Fraktion hinter sich, hohoho«, so ging für Josef Andörfer Flirten. Beim Sommerfest der niedersächsischen Landesvertretung hatte sie ihn zu »Super Trouper« von ABBA tanzen sehen, unbeholfen, hölzern.

Wenn Sarah »Journalist« hörte, musste sie an Andörfer denken. Denn er war für sie der Prototyp der Hauptstadtjournalisten, mit denen sie zu tun hatte.

Fehlerlose, die sich nicht irren können, weil sie nichts anderes tun, als andere bei ihren Irrtümern zu beobachten. Journalisten müssen eine Krise nicht kommen sehen, können aber trotzdem schreiben, man hätte es doch kommen sehen müssen, wenn die Krise da ist. Sarah mochte keine Tierbilder, aber als sie an einer dieser Safaris teilnahm, die für politische Delegationen aus Geberländern immer veranstaltet werden, sah sie eine Hyäne und musste sofort an Andörfer denken. Nicht nur wegen des hängenden Hinterteils. Die Antilope ist weggerannt, hat es nicht geschafft. Die Löwen haben sich immerhin angestrengt und wussten nicht, ob sie es schaffen würden, genau diese Antilope zu fangen. Die Hyäne hat nichts getan, außer in der Nähe sein, und wurde trotzdem satt.

Immer wenn sie über Journalisten in Wallung geriet, musste sich Sarah selbst stoppen. Musste sich fragen, ob es nicht doch Selbstmitleid war, das sie gegen die Medienmenschen aufbrachte. Schließlich waren es zwei Männer von der »Bild«-Zeitung, die Sarah damals zur Schlachtbank geführt hatten. Und die galten selbst unter Journalisten als charakterlose Außenseiter.

Aus der vorletzten Reihe grüßte Katrin-Irmgard Feuerbach mit einem flüchtigen Winken. Sarah musste sich eingestehen, dass sie die Frau aus dem ARD-Hauptstadtstudio mochte, und Katrin-Irmgard war nun mal auch Journalistin.

Die beiden hatten sich an der Theke eines Lady-Fitnessstudios in Mitte getroffen. Sie waren sich schnell einig, an einen völlig falschen Ort geraten zu sein, als sie ein solariumgebräuntes Busenmonster mit rosa Lipgloss und einem gedehnten »Ooookay« begrüßte. Orchestriert durch feuchtes Kaugummischmatzen.

In einer nahen Tapas-Bar traute sich Sarah recht bald, nach dem eigenartigen Doppel-Vornamen zu fragen. Katrin-Irmgard erklärte, dass es ein Markenzeichen bräuchte, um als junge Frau zwischen vielen altgedienten Gockeln wahrgenommen zu werden. Da habe sie halt die beiden Vornamen genommen, für die sie ihren Eltern eigentlich immer noch böse war. Sie saßen bis weit nach zwei Uhr beieinander, und Sarah lernte, dass Katrin-Irmgard gerne überlegte, bevor sie sendete. Dass sie sich leidenschaftlich für Politik interessierte und eine eigene Fehleinschätzung für möglich hielt.

Sie unterschied sich damit in jedem einzelnen Punkt

deutlich von Andörfer. Von dem kam allerdings die nächste Frage, er hatte in seiner herablassenden Art nur einmal kurz den Kugelschreiber gehoben und auf den Minenmechanismus geklickt, um auf sich aufmerksam zu machen.

»Frau Ministerin, wir können aber davon ausgehen, dass der Bundesaußenminister die Lage in Namibia für bedrohlich hält?«

Sarah war zwar nicht angesprochen worden, aber da sich die Ministerin bereits fast 15 Minuten den Mund fransig redete, wollte sie ihr etwas Entspannung gönnen, zumal Andörfers Frage allzu durchschaubar war.

»Herr Andörfer, Sie können davon ausgehen, dass der Bundesaußenminister über die Situation in Namibia komplett im Bilde ist. Gehen Sie aber bitte auch davon aus, dass eine SPD-geführte Regierung gewiss keine Soldaten nach Namibia entsendet«, so sonor hatte sie zuletzt geklungen, als sie mit diesem merkwürdigen Piloten im Flugzeug gesprochen hatte. Auch wenn es kein richtiges Gespräch war. Schade, dass sie sich jetzt für diesen Andörfer so anstrengen musste.

Sie hatte sich eigentlich noch als geschichtsbewusste Politikerin in Szene setzen und an die grauenvolle Niederschlagung des Herero-Aufstands im ehemaligen Deutsch-Südwest, heute Namibia, erinnern wollen. Aber sie sah, wie die Ministerin ihre Sprecherin Fritzi Münzberg gegen das Bein stieß, hinter dem Tisch, unsichtbar für die Journalisten. Kein gutes Zeichen. Zumal Sarah keinen Blickkontakt zur Ministerin bekam, die Frau sah starr geradeaus. Die mit viel Haarspray fixierte Frisur wirkte wie ein Helm.

Sprecherin Münzberg: »Die Ministerin hat Ihnen dargestellt, wie die Bundesregierung die aktuelle Aids-Statistik bewertet, und Ihnen die Bemühungen der Bundesregierung ausführlich skizziert, sind dazu noch Fragen?«

Mehrere Handzeichen, Fritzi Münzberg rief einen jungen Mann auf. Hätte ich auch als Ersten genommen, dachte Sarah. Der hat die ganze Zeit so entzückend nervös an seinem Aufnahmegerät gefummelt. Noch keine 30, dunkle Haare, traurige, tiefblaue Augen.

»Um an die Äußerung von Frau Lohmann anzuschließen: Das Kabinett hat einen Einsatz deutscher Soldaten in Namibia aber durchaus beraten, Frau Ministerin?«

Sarah spürte einen klitzekleinen Stolz, dass der Schnuckelige ihren Namen in Erinnerung behalten hatte. Allerdings wurden ihr auch die Hände feucht, denn sie hatte keine Ahnung, ob im Kabinett auch nur ein Wort zu diesem Thema gesprochen worden war. Es sollte nur ihr ganz persönlicher Präventivschlag gegen Andörfer sein.

Die Ministerin räusperte sich und lächelte den jungen Mann an. Es war bekannt, dass sie männliche Attraktivität sehr zu schätzen wusste.

»Im Kabinett geht es immer um alles, junger Mann. Ich kann Ihnen nicht nacherzählen, was in den letzten Sitzungen alles besprochen worden ist. Weil kein Mensch die vielfältigen Informationen abspeichern kann, führen wir ja auch Protokoll«, sie sprach als erklärende Oma zu dem Journalisten. Wie die böse Oma Krokodil, dachte Sarah. Sie sah, dass sich Hermann von Sonnenburg zu Wort meldete. Autsch, gefährlich, dachte Sarah. Denn von Sonnenburg gehörte zu der alten Garde der Berichterstatter. Konservativ, deswegen bei der »Frankfurter Allgemeinen« goldrichtig. Er gehörte zu den Nachdenkern und Analysten, die nicht immer gleich mitkläffen, wenn sich das junge Rudel wieder im gemeinsamen Blutdurst zusammengefunden hat.

»Würden Sie denn einen deutschen Militäreinsatz so kategorisch ausschließen, wie Frau Lohmann das soeben getan hat?« Killerfrage, dachte Sarah. Erste Lektion für den Berufspolitiker: Es gibt nichts Kategorisches. Suche nach Hintertüren, Relativierungen, lenke ab oder produziere heiße Luft, aber lege dich nicht fest.

Die Ministerin war Profi und überdies als frühere Juso-Frontfrau sofort in der Lage, künstliche Empörung glaubwürdig darzustellen. Dessen besann sie sich jetzt, auch wenn das schon der Reservefallschirm war:

»Wissen Sie, verehrter Herr von Sonnenburg, wir sitzen hier und ich präsentiere Ihnen schockierende Zahlen. Ich zähle Ihnen auf, wie viele Menschen in den kommenden Monaten an Aids sterben werden und was die Bundesregierung tun wird, um diese entsetzliche Epidemie einzudämmen. Und dann stürzen Sie sich auf die nächstbeste sicherheitspolitische Spekulation, ich muss schon sagen, das finde ich allerhand.«

Von Sonnenburg war offenbar völlig unbeeindruckt. Seine Miene hatte sich kein bisschen verändert. Sarah war jetzt klar, dass sie sich auf die »nächstbeste sicherheitspolitische Spekulation« eingelassen hatte.

»Ich würde meine Frage gerne wiederholen: Schließen Sie einen Einsatz der Bundeswehr in Namibia kategorisch aus, sehr verehrte Frau Ministerin?«

Sarah wäre am liebsten rausgerannt. Sie konnte jetzt nichts mehr machen. Wenn sie statt der Ministerin antworten würde, sieht es nach einem Zerwürfnis zwischen Fraktion und Regierung aus. Wenn sie einräumte, dass sie einfach ungedeckt etwas in den Raum geplappert hatte, gab sie sich selbst endgültig zum Abschuss frei.

Sie musste die Antwort der Ministerin abwarten. Die hatte sich an ihre Sitzlehne zurückfallen lassen und sah kurz zu Sarah herüber. Sie funkelte regelrecht in Sarahs Richtung.

»Ich bin Ministerin für wirtschaftliche Zusammenarbeit und werde mich hier und heute nicht ohne Not zu einer heiklen sicherheitspolitischen Frage äußern. Sollte die von Ihnen formulierte Frage relevant werden, können Sie dazu den Bundeskanzler, den Außen- oder Verteidigungsminister befragen. Und jetzt möchte ich mich bei Ihnen entschuldigen, es gibt weitere Termine an diesem Abend. Ich danke Ihnen.«

Die Frage war im Kabinett besprochen worden, so viel war klar. Sonst hätte die Ministerin sehr viel weniger geeiert.

Die Journalisten verließen nach und nach den Raum. Der attraktive junge Mann kam auf Sarah zu. Er sah angestrengt und zerknirscht aus.

»Frau Lohmann, dürfte ich Ihnen noch ein paar Fragen stellen? Mein Gerät hat leider nicht funktioniert.«

»Wird es denn jetzt funktionieren, Ihr Gerät? Herr ... wie sagten Sie, ist Ihr Name?«

»Robert Kapellmann vom Hessischen Rundfunk«, er sah sie bei der Vorstellung nicht an, sondern nestelte wieder an seinem Mini-Rekorder.

»Was möchten Sie denn wissen?« Sarah wäre es nicht so schwer gefallen, zu Herrn Kapellmann charmant zu sein, wenn sie nicht sicher wäre, dass die Ministerin im Nebenraum auf sie warten würde.

»Worum soll es denn gehen?«

»Die Bundeswehr-Sache. Dieser Einsatz in Namibia«, Herr Kapellmann sah sich nervös um. Hinter ihm hatte sich das Kamerateam der »Tagesschau« angestellt. Katrin-Irmgard sah sie mitleidig an. Sie wusste, dass Sarah sich vergaloppiert hatte.

»Sagst du es nochmal, Sarah?«, fragte sie matt.

Sarah stand immer noch hinter dem Tisch, hinter dem sie während der Pressekonferenz gesessen hatte. Sie ging um den Tisch herum und winkte Katrin-Irmgard zu sich.

»Ich kann das nicht wiederholen, das war aus der hohlen Hand«, sagte sie beinahe flüsternd.

Katrin-Irmgard schloss kurz die Augen und nickte.

»Wenn die anderen nichts machen, lasse ich es unter den Tisch fallen. Aber wenn die das doch aufpusten … auf den plakativen Kram wie deutsche Soldaten in Südwest fahren sie nun mal ab«, auch Katrin-Irmgard sprach so leise, dass Herr Kapellmann nichts mitbekam. Der fluchte aber auch vernehmlich und drückte ungeduldig mehrfach auf eine Taste seines Elektroschrotts.

Sarah zuckte mit den Achseln und nickte abschließend.

»Nicht gut«, sagte Katrin-Irmgard und kaute auf ihrer Unterlippe. Sie strich Sarah flüchtig über den Arm. Drehte sich um und wendete sich in routiniertem Chefinnen-Tonfall an ihren Kameramann.

»Wir sind hier fertig, Günther. Kannst einpacken.«

Sarah ging auf den Hessen-Robert zu.

»Herr Kapellmann, es tut mir Leid. Ihnen steht die Technik im Weg und mir der nächste Termin. Aber beim nächsten Mal gehöre ich ganz Ihnen, in Ordnung?«

Er lächelte erleichtert, war aber wohl immer noch konsterniert. Oder überfordert.

»Gut, so machen wir es«, sagte er, »ich kann ja auch einfach eine Nachrichtenminute schreiben, in der ich unterbringe, dass Sie einen Bundeswehr-Einsatz in Namibia ausschließen.«

»Ach, wissen Sie«, Sarah versuchte so zu lachen, dass es entspannt klingt, »mir wäre es lieber, Sie würden den

Aids-Bericht zum Thema machen. Diese Bundeswehr-Sache würde ich nicht so hoch hängen. Aber ich kann Ihnen natürlich nicht sagen, was Sie den Hessen zu berichten haben.« O Gott, dachte Sarah. Wenn die Ministerin vorhin Omi war, bin ich aber mindestens Tantchen. Noch ein kleiner Bestechungsversuch:

»Es war aber sehr nett, Sie kennen gelernt zu haben. Wenn ich Ihnen irgendwie helfen kann, zögern Sie nicht, in meinem Büro anzurufen.« Sie hob die Hand zum Gruß in seine Richtung, wollte sich eigentlich noch bei Katrin-Irmgard bedanken, aber die verließ bereits den Raum.

Im Nebenzimmer lümmelte sich Fritzi Münzberg und schob sich hektisch ein Schnittchen in den Mund. Das Stressmampfen der vergangenen Jahre hatte bei ihr Spuren hinterlassen. Sarah fand ihr Gesicht hübsch, sah aber auch, dass sie mindestens 15 Kilo zu schwer war. Der gnadenlose Hugo nannte sie Miss Fritzi, in Anlehnung an die Schweinedame der Muppets-Show.

Fritzi kaute und deutete einen Scheibenwischer vor dem Gesicht an.

»Ich weiß, Fritz, ich weiß«, Sarah zog eine Zigarette aus der Schachtel.

Fritzi schluckte, trank Wasser direkt aus der Flasche und zeigte mit den Fingern, dass sie auch eine Zigarette wollte.

Nachdem Sarah ihr Feuer gegeben hatte, nahm Fritzi zwei tiefe Züge.

»Sie wäre fast ausgerastet, Sarah«, sie schüttelte wieder den Kopf.

»Der Kanzler hätte ihr vor drei Tagen fast den Kopf abgerissen, als sie genau das gesagt hat, was du gerade in die deutsche Öffentlichkeit getutet hast. Was sollte das denn?«

Sarah blies Rauch in den Raum und betrachtete eine Fotografie an der Wand, die Henri Nannen im Smoking in einem amüsanten Gespräch mit Willy Brandt zeigte, jedenfalls lachten beide zähnebleckend.

Sie zuckte mit den Achseln.

»Wo ist sie denn jetzt?« Sarah überlegte, die Ministerin anzurufen, um sich zu entschuldigen.

»Bei der Pediküre«, grinste Fritzi, »aber du wirst sie bald wieder sehen. Ihr habt morgen um 8.30 Uhr einen Termin. Und sie bittet dich, bis dahin die Klappe zu halten.«

Sarah nickte. Fritzi packte ihre Sachen zusammen und stand mit einem Schnaufen auf.

»Ich sollte nicht sagen, sie bittet dich. Sie reißt dir jedes Haar einzeln aus, wenn du bis morgen früh auch nur einen Ton dazu sagst, wo du deutsche Soldaten hinschicken würdest und wo nicht.« Fritzi küsste Sarah links und rechts auf die Wange und hüllte sie mit dem Näherkommen in die Wolke ihres großzügig aufgetragenen Parfums. Schwere Hüften, schwerer Duft, dachte Sarah.

Sie schaltete ihr Telefon ein, als sie allein im Raum war.

Eine Nachricht auf der Mobilbox. Es war, wie von ihr erwartet, natürlich Hugo:

»So, so, meine Chefin ist jetzt die oberste Soldatenmutti. Jedenfalls lese ich hier bei der Deutschen Presseagentur ›SPD gegen Bundeswehreinsatz: Entwicklungspolitische Sprecherin hält Einsatz in Namibia für ausgeschlossen‹. Die Sprecherin bist ja du, aber mit mir hast du darüber nicht gesprochen. Musst du auch nicht. Aber vielleicht mit den anderen, die hier alle angerufen haben. Zeitung, Funk und Fernsehen. Aber auch der Fraktionschef. ›Spinnt die jetzt völlig‹, war das Höflichste, was er gesagt hat. Und dass er sich über Rückruf riesig freuen würde. Sonst war weiter nichts. Halt, doch, vielleicht etwas Ermunterndes. Die Lufthansa hat angerufen. Irgendein verstockter Stiesel, der partout nicht rausrückte, was er denn nun eigentlich will. Du würdest mir aber doch wenigstens sagen, wenn du Stewardess werden möchtest, oder? Wenn du mich schon nicht in deine geheimen Einsatzpläne der Bundeswehr einweihst. Bis später.«

Sarah fiel auf, dass sie die Zigarette ausdrücken müsste. Es roch bereits nach angebranntem Filter. Wieso müssen die Prinzen eigentlich immer auf weißen Pferden geritten kommen, dachte sie. Wenn sie geflogen kommen, ist es doch viel schöner. Vor allem, wenn sie einen dann ganz weit wegbringen.

Nach dem Verlauf der vergangenen Stunde fürchtete sie allerdings, dass ihr ein beflissener Lufthansa-Mitarbeiter ihren »Miles and more«-Kilometerstand durchgeben wollte. Damit sie ihn ordnungsgemäß der Bundestagsverwaltung melden konnte.

Beim Verlassen des Hauses fragte sie sich aber dann doch, ob eventuell Wasserflugzeuge auf dem Teil der Spree landen konnten, auf den sie gerade guckte.

Lukas schnitt durch die gelbliche Masse. Er liebte Rührei, konnte sich aber kein Ei vorstellen, das sich gerührt in eine solche Substanz verwandelte.

»Seit ich mit dem Rauchen aufgehört habe, träume ich wieder«, sagte die Frau neben ihm zu ihrer Freundin gegenüber. Er hatte sich dazusetzen müssen, weil kein anderer Platz frei war. Es passte zu diesem Morgen, es passte zur Eisenbahn, dieser überfüllte, unangenehm schnatterige Speisewagen. Die Frau, die wieder träumt, hatte ihn mit einem finsteren Blick gemustert, als er fragte, ob er sich hinsetzen dürfe. Nicht hässlich. Intensive dunkle Augen, eine zarte Nase, aber ein verstörter Zug um den Mund. Sie sah ihn an, als hätte er gefragt, ob sie sich für sein Ding interessiert. Er gab dem Rührei eine weitere Chance und wartete, dass das trockene Gebrösel einen vertrauten Geschmack in seinem Mund entfaltete.

»Ist ja auch klar, Rauchen verklebt das dritte Auge«, antwortete die mopsgesichtige Freundin der Verstörten. Das ist der passende Soundtrack zu diesem Ei, überlegte Lukas. Er tippte den vorbeigehenden Kellner an. Lukas zeigte auf seinen Teller:

»Was ist das?«

Der Kellner sah ihn unverständig an: »Ich verstehe nicht.«

»Ich würde gerne wissen, was das ist.«

»Rührei mit Kräutern, haben Sie doch bestellt.«

122

»Das ist kein Ei«, Kapitän Winninger im Ich-bin-hier-der-Chef-Tonfall.

»Natürlich, was denn sonst«, der Kellner schüttelte den Kopf. Schicksalshadernd, weil der Allmächtige ihm schon wieder am frühen Morgen einen Verrückten vor die Nase gesetzt hatte.

»Zeigen Sie mir die Eierschalen, aus denen Sie das da rausgeholt haben.«

»Die kann ich Ihnen nicht zeigen, weil unsere Eier aus der Tüte kommen. Gefriergetrocknet, verstehen Sie? Aber beste Qualität.«

Lukas hielt ihm den Teller hin.

»Bringen Sie es zurück in die Tüte. Danke schön.«

Der Kellner nahm den Teller und ging mit einem weiteren demonstrativen Kopfschütteln davon.

Die beiden Frauen hatten in ihrem Gespräch innegehalten. Lukas nickte der Verstörten aufmunternd zu, sie funkelte ihn an, als wolle sie ihn verhexen.

Er nahm sein Mobiltelefon aus der Jackettinnentasche. Er las die SMS seines Vaters gern noch einmal.

»Sarah Lohmann, 36 Jahre alt, für die SPD im Bundestag, Lavendel-Luder, Telefon über Bundestagsverwaltung, selber suchen. Immerhin Augen wie die schöne Gisela, also Porzellankiste. Gruß, Papa.« Dann der Hinweis auf den Internet-Anbieter, mit dessen Unterstützung sein Vater die Kurzbotschaft geschickt hatte. Seit er pensioniert war, erledigte sein Vater fast alles am Computer. Allerdings verzichtete er selten auf Fragmente seiner geliebten altbackenen Sinnsprüche. Vorsicht ist die Mutter der Porzellankiste, Hochmut kommt vor dem Fall und die berühmte, anderen gegrabene Grube. Vor allem aus heutiger Sicht gefiel Lukas das »Trau schau wem«, das sein Vater auf die Rückseite eines Fotos geschrieben hatte, um ihm zu seiner Hochzeit mit Eva zu gratulieren. Das Bild zeigte den siebenjährigen Lukas mit der Polizeimütze seines Vaters auf dessen Dienstmotorrad. Das Foto steckte in einem Sparbuch, das ein Guthaben von 21 000 Mark auswies.

»Bist du verrückt geworden, Papa? Woher hast du dieses Geld?«, hatte er ihn gefragt.

»Gespart, einfach auf die Seite gelegt. Jedes Jahr 1000 Mark, seit du ins heiratsfähige Alter gekommen bist.«

»Also wolltest du mich eigentlich schon mit 13 verheiraten?«

»Ich habe eingezahlt, seit du zwölf warst. Tutenchamun hat mit zwölf geheiratet, wie du sicherlich weißt.«

Darauf hatte Lukas nichts zu antworten gewusst und seinen Vater in den Arm genommen. Auch wenn ihm klar war, dass der mit solchen Gefühligkeiten nicht umgehen konnte und spontan versteinerte. Aber er ließ es geschehen. Der Mann, der sich jeden Morgen die dichten grauen Haare streng scheitelte, sich zweimal täglich rasierte und selbstverständlich auch das Sparbuch so ordentlich in einer Plastikhülle aufbewahrt hatte, dass es nach 21 Jahren noch wie neu wirkte. Der aber das Leben des 16-jährigen Lukas ins Chaos gestürzt hatte, weil er Lukas' Mutter für die schöne Gisela aus dem Tanzverein verließ. Gisela war mittlerweile seit vier Jahren tot. Lukas' Mutter pflegte sie gemeinsam mit Winninger senior monatelang, stützte ihren Ehemann, als der seine Geliebte beerdigte. Heute trafen sich die beiden regelmäßig zum Mittag- und Abendessen, tanzten zusammen. Von Scheidung war zu keinem Zeitpunkt die Rede gewesen. Lukas beobachtete das eigenartige Miteinander seiner Eltern, staunend, kopfschüttelnd und schweigend. Sein Vater konnte sich zermürbend lang über Details der antiken Geschichte verbreiten. Und in welcher abgelegenen Ecke des Internets er den Konstruktionsplan einer phönizischen Frachtgaleere gefunden hatte. Aber kein Wort der Erklärung, wenn der alte Mann an Heiligabenden eine halbe Stunde leer vor sich hin starrte. Während seine Mutter die unerträgliche Stille mit Geschirrgeklapper zerriss. Auch keine Fragen zu Eva, die bei Höflichkeitsbesuchen teilnahmslos in ihrem Essen stocherte. Nur »Trau schau wem« und Ende.

»Ich glaube nicht, dass ich die Chakrenreinigung im Oktober hinkriege«, wieder die Verstörte. Ihre Gefährtin seufzte mitfühlend.

Der Zug stoppte. Göttingen. Ein Glück. Hier würde Kotthaus zusteigen. Sein Freund Michael Kotthaus. Sie kannten sich seit der Ausbildung, Kotthaus flog auch Langstrecke, allerdings auf dem Jumbo. Seine bevorzugten Ziele lagen in der »Samba area«, Lufthansa-Sprech für Rio, Recife oder Buenos Aires. Lukas war froh, dass dieser Kelch an ihm vorüberging. Laute Musik aus mitgebrachten Gigantengeräten. Rum und Bier, immer mehr, als in das Gepäckfach passte. Tätscheln auf jeden in die Nähe kommenden Stewardessenhintern. Mindestens ein unbekümmerter Raucher auf jeder Toilette. Kotthaus liebte es und hatte die Partygäste nach seiner ersten fließend spanischen oder portugiesischen Durchsage ganz auf seiner Seite. Er sah beim besten Willen nicht nach Latino aus, aber Lukas beneidete ihn schon immer um diese Lässigkeit. So locker und leicht, wie das Klischee einen Copacabana-Flaneur beschreibt. Kotthaus konnte einen Lächelscheinwerfer in Betrieb nehmen, in dessen Licht jeder Stimmungsnebel bei einem Gegenüber sofort verdampfte.

»Hombre!« Lukas hatte Kotthaus aus der anderen

Richtung des Speisewagens erwartet. Deswegen erschrak er kurz, als er das gewohnte Dröhnen wahrnahm.

Der obligatorische Schlag zwischen die Schulterblätter, kurze Zeit später ließ Kotthaus seine massive breitschultrige Gestalt auf die Bank neben der Verstörten plumpsen. Er strich eine widerspenstige Strähne seiner strohblonden Haare aus dem Gesicht, musterte Lukas und wandte dann seinen Blick der Verstörten zu.

»Guten Morgen, gnädige Frau, wie schön, neben Ihnen zu frühstücken«, Gewinnerlächeln angeknipst.

Jetzt sagt sie ihm, dass er ihr Karma versaut, freute sich Lukas mit der Wonne des Schaulustigen. Aber Irrtum. Die Verstörte lächelte reizend zurück.

»Freut mich auch, herzlich willkommen«, zwitscherte sie ein wenig hektisch.

Er beugte sich vor, um Lukas an die rechte Schulter zu klopfen.

»Du hast auch schon besser ausgesehen, altes Lasso. Lass mich raten: Neu-Delhi?« Die arroganten Oberkasten-Inder an Bord von Lufthansa-Maschinen drehten selbst Kotthaus die Sicherungen raus, deswegen war die Vermutung nahe liegend.

»Kairo«, antwortete Lukas. Eine ausführlichere Gesprächseröffnung war nicht möglich, denn die Frau mit den ungereinigten Chakren hatte ein Signalwort gehört. Sie richtete ihre Frage direkt an Kotthaus:

»Kennen Sie Indien?«

»Kennen wäre übertrieben«, lächelte er zurück, »aber ich schätze die unverschämten Menschen dort. Natürlich auch die Kakerlaken, die Luftverschmutzung und die spektakulären Brechdurchfälle.«

»Aber spüren Sie dort denn nichts? Fühlen Sie keine Energie?« Sie schien ehrlich besorgt um Kotthaus.

»Doch, ja, wenn Sie mich so fragen«, er blickte nachdenklich in die Weite. Die Verstörte nickte unterstützend, wollte ihn offenbar ermuntern, seinen verschütteten Assoziationsketten zu Indien freien Lauf zu lassen.

»Wissen Sie, ich spüre eine unfassbare Erleichterung, wenn ich auf eine x-beliebige indische Startbahn rolle und weiß, dass ich mich gleich aus dem Latrinendampf verabschieden darf. Dann bin ich ein sehr glücklicher Mann, verstehen Sie das?«

»Aus dem, was Sie sagen, höre ich, dass Sie sich nicht öffnen können«, mümmelte sie, wendete sich hastig an ihre Freundin, »sollen wir mal auf unsere Plätze zurück, Shakira?«

»O Shakira«, sagte Kotthaus mit verblüfftem Gesicht, »was für ein schöner Name.«

Mit mehrfachem Nicken unterstrich er den tiefen Wahrheitsgehalt seiner Worte, um dann mit weicher, leiser Stimme hinzuzusetzen:

»Mein Sohn hat sich mittlerweile auch an Winnetou gewöhnt, obwohl er anfangs viel gehänselt wurde.«

»Wir können gewiss auch beim Ober zahlen«, Shakiras Stimme klang schon brüchig, Lukas hoffte inständig, dass ihnen ihre Tränen erspart blieben.

Die beiden Frauen drängten sich hektisch an Lukas und Kotthaus vorbei. Dass Kotthaus ihnen noch eine »Gute Reise« wünschte, ignorierten sie.

»Bei so viel Liebreiz wäre ich ja beinahe schwach geworden. Du bist und bleibst ein Schwerenöter, Winni«, er blätterte mit unzufriedenem Gesichtsausdruck in der Speisekarte. Michael war der Einzige, bei dem er es ertragen konnte, ›Winni‹ genannt zu werden.

»Du solltest ein Rührei nehmen, das machen sie frisch«, empfahl Lukas.

»Danke, du Arschgeige. Ich weiß, dass die Eier in der Eisenbahn nichts mit Hühnern zu tun haben. Das ist aufgeschäumtes Kojotensperma, wenn du meine Meinung hören möchtest.«

»Wollte ich eigentlich nicht, aber trotzdem danke, dass du dein Wissen mit mir teilst«, Kotthaus hatte es tatsächlich geschafft, dass Lukas an einen onanierenden Kojoten denken musste.

Sein blonder Freund winkte den Kellner heran.

»Versprechen Sie mir, dass ich nicht auf einen gefrorenen Kern beiße, wenn ich jetzt ein Croissant bei Ihnen bestelle?«, fragte er.

Der Kellner nickte missmutig, verdunkelte seine Miene noch mehr, als ihn Lukas' Blick traf, und ging.

Die beiden Männer sahen sich an. Lukas fragte sich, warum es ihm so schwer fiel, seinem Freund in die Augen zu sehen. Es kam ihm so vor, als müsse er ihm einen Seitensprung gestehen.

»Also«, Kotthaus hob seine Hand, um an den Fingern abzuzählen, »Frau, Geld, Papa tot oder irgendwas noch Schlimmeres?«

»Ich verstehe nicht, Michael. Sprich Klartext.«

»Ich will wissen, was los ist. Mein Opa sah nämlich auf dem Totenbett fitter aus als du heute Morgen. Und der war wirklich sehr tot. Deswegen stelle ich dich vor die Wahl: Entweder du erzählst mir, was los ist …«

»Oder was?«

»Oder ich laber dich so über meinen neuen Volvo zu, dass du mit gutem Grund fertig aussiehst.«

»Du hast dir nicht wirklich einen Volvo gekauft? Und wenn doch, wovon eigentlich?«

»Mit meinem guten Namen, lieber Freund. Das spielt aber auch überhaupt keine Rolle, wenn ich dir gleich beschrieben habe, was dieses Traumauto alles kann, dieses vierrädrige Leckerchen.«

Kotthaus hatte mit Recht gedroht. Er ließ kein Zubehör unerwähnt. Lukas wäre aber am liebsten gleich auf die Toilette gerannt, um zu überprüfen, was denn nun tatsächlich aus seinem Gesicht abzulesen war. Ich könnte ihn einfach unterbrechen, dachte Lukas. Ihm einfach alles vor die Füße werfen, es würde noch nicht mal lange dauern. Heute muss ich nach Kairo, Michael. Mit dem Flugzeug, und ich mache mir fast in die Hosen. Weil ich vor mir sehe, wie sich Rauch im Cockpit bildet. Dann fällt mir ein, wie viel Glück die beiden Schweizer Kollegen damals hatten, als sie die 737 mit dem brennenden Schalter kurz nach dem Start in München doch noch runtergebracht haben. Erinnerst du dich, Michael, wie uns der Mechaniker hinterher erzählte, dass sie eine Woche gebraucht haben, um die Spuren des ätzenden Qualms aus dem Cockpit zu entfernen? In einem solchen Qualm sehe ich mich sitzen. Oder der plötzliche Schubabfall, beide Triebwerke ausgefallen. Klar, haben wir alles im Simulator unzählige Male geübt. Wenn so was passiert, schieben wir den Sitz zurück und denken erst einmal nach, was denn nun zu tun ist. Suchen uns einen schönen Acker, wo wir das Ding hinsetzen. Keine Hektik, goldene Regel: »Haste makes waste«. Tausenmal gehört, tausendmal zitiert, tausendmal geglaubt. Aber ich bin nichts anderes mehr als ein Hektiker, Michael. Vielleicht bin ich noch schlimmer, ein Nervenbündel, eine Gefahr. Lukas nickte beifällig, denn er hatte mit einem Ohr mitbekommen, dass Michael über die Raffinesse des Volvo-Navigationssystems schwärmte. Es würde schon Umfahrungen empfehlen, ehe man den Stau überhaupt erreicht habe.

»Mit Radar, oder wie geht das?«, fragte Lukas.

»Quatsch, Radar. Wie teuer soll denn das sein, Radar in Autos einzubauen? Das geht folgendermaßen ...«

Während Michael mit Händen und Füßen erklärte, wie es sein Auto schaffte, schlauer zu sein als er selbst, musste Lukas daran denken, dass Michael wahrscheinlich seine Grabrede halten würde. Bei dieser Gelegenheit würde er auch gewiss erwähnen, was für ein leidenschaftlicher Autonarr sein Freund Lukas doch gewesen ist.

Ein komplettes Missverständnis. Nur weil ich durch Evas Kontakte einen dicken Mercedes fahre, gelegentlich einen Autotest lese und aus Höflichkeit mitzusprechen versuche. Pass auf, Michael, ich erzähle es dir jetzt.

Warum ich so aussehe, wie einer eben aussieht, wenn er nur zwei Stunden geschlafen hat. Nein, es waren keine Zahnschmerzen, Michael. Ich habe bei Katharina angerufen. Welche Katharina? Genau die Katharina, die du vor sieben Jahren kennen gelernt hast, als wir gemeinsam essen und tanzen waren. Die Unbeschreibliche, in die du dich mitverliebt hast. Von der ich gar nicht genug erzählen konnte, weil du immer alles hören wolltest. Vor der du mich dann irgendwann gewarnt hast, als ich ihr aber immer noch aus der Hand fressen wollte. Auf die ich zwei Stunden vor der Tür der Galerie gewartet habe, in der sie damals arbeitete. Im Auto, weil es ihr unangenehm war, wenn ich reinkam. Zu der ich nichts von dem sagen konnte, was ich mir vorher wütend zurechtgelegt hatte, als sie sich ins Auto setzte und sagte, sie habe sich ein bisschen verquatscht. Kann sein, lieber Freund, dass ich dir diese Geschichte damals nicht erzählt habe. Aber mit dieser Katharina habe ich gestern telefoniert. Ich muss manchmal mit ihr telefonieren. Eigentlich möchte ich auch mit ihr sprechen, weil es mich interessiert. Es gibt da nämlich eine Abmachung. Wenn ich dir davon erst erzähle, dann hältst du mich für komplett bescheuert. Oder du wirst wütend, schreist hier in diesem Speisewagen rum. Dass du es mir doch gesagt hast und wie man sich auf so was einlassen kann.

Du wirst dich in die Brust werfen und sagen, dass dir so was nicht im Traum einfallen würde. Nein, du würdest es nicht verstehen. Ich erinnere mich noch, wie du mich einen Nazi genannt hast, als ich an irgendeiner Bar von Ehre, Ritterlichkeit und Disziplin gesprochen habe, die zum Mannsein dazugehören.

Wahrscheinlich klang das damals reichlich verpeilt, aber genau in dieser Zeit habe ich mit Katharina diese Abmachung getroffen. Wenn ich es dir jetzt erzähle, weißt du dann eine Lösung? Kannst du mir dann sagen, wie ich es glattziehen kann, ohne dass mir alles um die Ohren fliegt? Und zwar wirklich alles.

Michael sprach darüber, dass es für breitere Reifen noch nicht gereicht hätte, der Volvo aber ohnehin in der Kurve kleben würde. Er demonstrierte mit hin und her wogendem Oberkörper das Serpentinenvergnügen mit seinem neuen Auto.

Lukas platzte mitten in seinen Redefluss hinein:

»Ist jetzt gut mit Volvo. Ich muss dir was Wichtigeres erzählen.«

»Aha«, er hielt unmittelbar inne und lächelte erstmals an diesem Morgen richtig erfreut.

»Kennst du dich in der Politik aus?«

»O Gott, ich ahne Schreckliches. Du willst den Job wechseln. Wenn du Politiker wirst, verlasse ich das Land, das sage ich dir gleich. Ich habe Angst vor Nazis.«

»Du kennst dich also nicht aus?«

»Was ist das für eine doofe Frage?« Kotthaus zuckte

ratlos mit den Achseln. »Ja, Lukas, manchmal lese ich Zeitung. Auch die Politik-Seiten. Dabei habe ich allerdings nichts empfunden, falls das deine nächste Frage sein sollte. Was vielleicht auch daran liegen könnte, dass ich mich nicht öffnen kann, wie wir gemeinsam gerade eben gelernt haben.«

»Also kennst du auch keine Politikerin, die Sarah Lohmann heißt?«

Kotthaus schüttelte verneinend den Kopf und stützte ihn dann auf der Hand auf. Lukas griff zu seinem Koffer, holte die »Frankfurter Allgemeine« heraus und legte sie auf den Tisch. Er deutete auf einen Artikel auf der Titelseite:

»Guck mal hier.«

Kotthaus las halblaut:

»Streit um Südwest – Lohmann schließt Namibia-Einsatz kategorisch aus.«

Er blickte auf: »Ja, und?«

»Ich kenne diese Frau«, Lukas zeigte wieder auf den Artikel und lächelte.

»Was heißt ›kennen‹?«

»Na ja, wir ... sie und ich sind gewissermaßen in Kontakt.«

»Du schläfst mit ihr?«

»Du kannst mich mal. Ich schlafe natürlich nicht mit ihr. Wir sind uns bisher nur einmal begegnet. Seitdem gibt es diesen gewissen Kontakt.«

»Das ist die aufregendste Geschichte, die ich seit langer Zeit gehört habe, Lukas. Danke, dass du mich ins Vertrauen gezogen hast, danke, alter Freund«, er schüttelte den Kopf.

Lukas ärgerte sich, dass ihm nicht aufgefallen war, wie viele Fallstricke die Geschichte seiner wundersamen Begegnung mit Sarah Lohmann hatte. Er konnte nicht zugeben, dass ihn der Flug Berlin–Frankfurt vor Angst fast wahnsinnig gemacht hatte. Seine Freude darüber, dass er ihn bei Ruth dank dieser Frau wieder hochgebracht hatte, sollte er unter keinen Umständen mit Michael teilen. Denn der hatte sich bei Ruth eine Abfuhr geholt, und es galt die unausgesprochene Regel, dass keiner dem anderen das Spielzeug aus der Kiste klaut. Schließlich war der Himmel voll mit Stewardessen. Wie es am Hals anfing zu prickeln, als er nach dem Einsteigen den Artikel in der Zeitung gesehen hatte, wollte er nicht erzählen. Teenager-Unfug, Kotthaus würde ihn die nächsten drei Jahre damit aufziehen.

»Ich hasse Zugfahren«, murmelte er jetzt.

»Du sitzt noch keine halbe Stunde in diesem Zug.«

»Aber es nervt mich schon. Du erzählst langweilige Geschichten, zu Hause steht der Volvo in der Garage und weint. Kann deine Politikerin nicht vielleicht LKWs und Kleinwagen auf der Autobahn verbieten lassen? Wenn ich freie Fahrt habe, wähle ich sie auch. Kannst du ihr ausrichten.«

»Wir sprechen nicht so oft. Sie beschäftigt sich mit der Dritten Welt, nicht mit Straßenverkehr.«

»Dann setzen wir uns jetzt auf das Zugdach und machen ein schönes Foto von dir. Du als Quasi-Inder, total Dritte Welt. Damit sie weiß, dass du dich in ihre Arbeit einfühlen kannst. Warum fährst du eigentlich die Strecke mit dem Zug, kein Shuttle mehr bekommen?«

»Mich entspannt Zugfahren.« Lukas wich schon zum zweiten Mal an diesem Vormittag dem Blick seines Freundes aus, »außerdem waren wir verabredet, du erinnerst dich?«

Kotthaus musterte ihn:

»Zugfahren scheint dir wirklich gut zu tun. Wenn ich eine Frau wäre, würde ich stolz sein, dass du meinetwegen rot wirst«, Kotthaus war anzusehen, dass er weiter über Lukas' Gesichtsfarbe nachdachte.

»Oder denkst du vielleicht an das Äußerste mit dieser Politikmaus? Also einen lebhaften Gedankenaustausch zwischen zwei Menschen, die sich ganz dem Kampf gegen die Armut in der Dritten Welt verschrieben haben?«

Die Zähne machen sein Lächeln so strahlend, dachte Lukas, so was schafft man nicht nur mit der Bürste. Er ließ die Häme abtropfen und lächelte zurück.

»Sie hat versprochen, mich sehr bald anzurufen«, sagte er.

Tatsächlich hatte sich ein arrogant klingender Mann in ihrem Büro gemeldet und er hatte lediglich hinterlassen, er würde sich noch einmal melden. Diese Kleinigkeit war jetzt aber auch egal, denn es schien ganz allgemein nicht der Tag der Wahrheit zu sein.

Hauptsache kein Krebs. Nach allem, was sie wusste, machte sich Krebs nicht durch ein Stechen in der Brustregion bemerkbar. Es war das Herz. Doch, doch, wahrscheinlich das Herz.

Eine Herzerkrankung konnte sie im Moment nicht schlimm finden. Langwierige Untersuchungen, Hugo würde das Attest im Büro des Fraktionsvorsitzenden vorbeibringen. Der würde wahrscheinlich einen Schreck bekommen und mit der ›Ich-fühle-für-Sie-wie-ein-Vater‹-Stimme bei ihr anrufen. »Passen Sie gut auf sich auf, nehmen Sie sich alle Zeit, die Sie brauchen, um gesund zu werden«, würde er am Telefon sagen. Alle Zeit, die ich brauche. Vielleicht eine Operation. Dann eine Kur. Irgendwo im Grünen, bei der ihr wunderbar langweilig wäre. Eine Pressemitteilung der Fraktionsgeschäftsstelle »Entwicklungspolitische Sprecherin auf dem Weg der Besserung«. Spekulationen über ihren Gesundheitszustand, heuchlerische Besserungswünsche der Kollegen. Sie würde jeden Tag baden, bekäme Anwendungen und würde lesen, lesen, lesen. Dann die Rückkehr. Alles auf null gedreht. Sie würden vorsichtig mit ihr umgehen, weil sie doch so jung ist. Jedenfalls viel zu jung für eine so ernsthafte Erkrankung. Bei genug Öffentlichkeit, also wenn nicht ein Attentat, ein Flugzeugabsturz, ein Tarifkonflikt oder ein Promi-Kind dazwischenkam, könnte sich sogar eine Debatte entwickeln, ob unsere Politiker überlastet sind. ›Unsere Politiker‹, lächerliche Formulierung. Selbst die Fußballer der Nationalmannschaft waren nur ›unsere Jungs‹, solange sie an Weltbeherrschung nachholten, was zwischen '39 und '45 so böse in die Hose gegangen war.

Sarah kaute das letzte Stückchen des Franzbrötchens. Vor ihr lag die Papiertüte mit den fettigen Flecken. Alles, was noch von den drei süßen Zimtkrapfen übrig war, waren diese verräterischen Tupfer. Damit war auch klar, dass es mit der Herzerkrankung vorerst nichts wird. Das Stechen war wohl der Magen, der mit der ungefähren Fettmenge eines halben Pfunds Butter zu kämpfen hatte. Sarah wusste, dass die drei Franzbrötchen erst der Anfang waren. Gleich würde die deftige Phase einsetzen, der Heißhunger auf Würziges.

Vor ihr lag die Telefonliste. Hauptsächlich Journalisten, die zurückgerufen werden wollten. Säuberlich notiert, in Hugos sorgfältiger Handschrift.

Sarah sah auf ihre nackten Beine und Füße, die sie auf der Schreibtischplatte abgelegt hatte. Sie würde den Nagellack auf den Zehnägeln erneuern müssen, die rote Farbe blätterte hässlich ab. Der Rocksaum wellte sich, weil sie vorhin in den Regen gekommen war. Bügeln wäre jetzt ein großer Spaß. Einfach nach Hause gehen, Hörspiel in den CD-Player und drei Stunden bügeln. Dann einkaufen, baden und Essen kochen. Ein Rotwein und früh einschlafen. Dazu müsste sie eine Fraktionssitzung, eine Sitzung des Entwicklungsausschusses und einen Internet-Chat bei Misereor ausfallen lassen. Rechts neben ihr lag der von Hugo bereits aufgearbeitete Aktenstapel. Gesetzentwürfe, Anträge, Protokolle. Mindestens drei Stunden würde es dauern, alles zu lesen. Undenkbar, einen freien Nachmittag einzulegen. Einfach nach Hause zu gehen war so unmöglich, dass es ihr kurz den Hals zuschnürte. Sie beneidete wieder einmal Freundinnen, die sich in solchen Momenten durch Heulen Erleichterung verschaffen konnten.

Sarah knüllte die Telefonliste zusammen und versuchte den Papierkorb zu treffen, an dessen Außenseite ihre Strumpfhose hing. Daneben.

»Stellen Sie sich eine Kehlkopfentzündung vor, Frau Lohmann. Wo man den Mund bewegen kann, wie man will, es kommt kein Ton. Genau so viel möchte ich von Ihnen noch in dieser Namibia-Angelegenheit hören«, der Fraktionsvorsitzende hatte heute Morgen am Telefon geschnauft. Weil es ihn so anstrengte, nicht zu schreien. Um 6.50 Uhr hatte er sie zu Hause angerufen.

Der Termin bei der Ministerin war dagegen fast schon schön.

Ein plumper Regisseur hätte es genau so inszeniert. Hier Sarah, regennass vom Fahrrad gestiegen. Die Frau, die aus dem schweren Wetter kommt, die Begossene. Da die Ministerin. Ein cremefarbenes, schmeichelndes Jackett. Perfekt frisiert, zart parfümiert. Selbstverständlich erfahren geschminkt. Aber die 24 Jahre Berufspolitik würde kein Make-up mehr überdecken können. Die vielen Fältchen um die Augen, beinahe Reptilienhaut. Auf der blank polierten Kirschholztischfläche nur ein Montblanc-Füller und die dünnrandige Tasse aus weißem Porzellan.

»Tee?«, fragte sie, lächelte und sah dadurch noch müder aus.

»Gern«, antwortete Sarah.

Die Ministerin stand auf, verschwand durch die Tür hinter ihrem Schreibtisch. Offenbar ein kleines Bad, denn sie brachte ein Handtuch mit.

Flauschig, mit einem Duft, der Sarah an ihre Oma erinnerte. Denn es war stärker als ein Waschmittelaroma. Nur möglich, wenn man Seifenstücke zwischen die Handtücher legt. Sie stellte Sarah eine Tasse hin. Es wirkte, als würde sie die Kanne aus der Schwebe greifen, so filigran war das Stövchen gearbeitet.

Höflichkeit konnte nicht schaden, dachte Sarah: »Sie haben so viele schöne Dinge«, sagte sie und fand es aufgesetzt.

Die Ministerin setzte sich wieder in ihren Sessel und blickte an Sarah vorbei, offenbar noch weit durch die hohen Glasfenster, tief in den grauen Himmel über Berlin.

»Ich glaube, der Geschmack ist mein Exil, Sarah«, sagte sie leise.

Sarah antwortete nichts.

»Verstehen Sie, was ich meine?«

»Offen gestanden: nein.«

Die Ministerin zeigte in eine unbestimmbare Richtung:

»Die trinken aus großen Humpen Bier und lachen dabei so laut, als würden sie aus Schädeln trinken. Ihre Gesichter werden dabei rot. Ihre Bäuche werden dicker und drängen den Hosenbund zurück. Von Hosen, die ihre Frauen gekauft haben. Sie selber können keine gute von einer schlechten Hose unterscheiden. Sie verabreden sich in teuren Restaurants. Nicht weil sie wissen, was gut ist. Sondern weil teuer ihre Bedeutung unterstreicht, weil sie die Wichtigen da vermuten, wo es teuer ist. Also müssen sie da auch sitzen, und es wäre ihnen auch egal, wenn ihnen Kantinenfrikadellen mit Pilzsauce serviert würden. Viele unserer geschätzten männlichen Kollegen, vor allem die richtig Erfolgreichen, werden von Instinkt, von Gier, von Neid und von Aggression angetrieben. Geschmack und Stil spielen zwischen diesen Koordinaten keine Rolle. Deswegen fühle ich mich ganz weit weg von denen, wenn ich meinetwegen diese Tasse in die Hand nehme.«

Sarah war eigentümlich fasziniert von den Worten der Ministerin. Sattelfest und effektreich vorgetragen. Aber ohne Kraftanstrengung, es klang fast jenseitig, wie der Monolog einer abtretenden Theaterdiva.

Dementsprechend blieb Sarah nur die Wahl zwischen Applaus oder Schweigen.

Sie entschied sich gegen Klatschen und schwieg. Zumal die Ministerin weiterhin an ihr vorbeisah, wohl ihren eigenen Worten nachschwärmend.

»Was wollen Sie werden, Sarah?«

»Ich verstehe Sie schon wieder nicht.«

Jetzt wendete die Ministerin ihr den Blick zu.

»Sie müssen doch irgendein Ziel haben. Auch wenn Sie es mit dem Unfug von gestern bestimmt nicht befördert haben«, sie sprach immer noch sehr leise, »wollen Sie mich nicht wenigstens ablösen? Denken Sie daran, ich bin 62 Jahre alt. Im besten Kanzleralter, wenn ich ein Mann wäre. Bin ich aber nicht. Also gehöre ich auf eine Insel, einen Berg oder eine Beauty-Farm. An irgendeinen Ort, wo ich in einem Buch bekennen darf, dass ich immer noch sehr links bin. Ich darf mich auch für Minenopfer, Waisenkinder oder Katzenhaarallergiker engagieren. Aber bitte keine Politik mehr machen. Was wollen Sie, Sarah?«

Mit diesem Verlauf des Gesprächs hatte Sarah nicht gerechnet. Deswegen zuckte sie mit den Achseln.

»Nach gestern muss ich mich erst einmal nicht darum kümmern, was ich will. Und selbst wenn es gestern nicht gegeben hätte, könnte ich Ihnen nicht antworten.« Ihr fiel Herr Bigombe ein. Aber es war ein denkbar schlechter Moment, um sie darauf anzusprechen.

»Leider kann ich Ihnen nicht widersprechen, was gestern angeht. Sie sind schwer im Minus. Der Kanzler hatte einen Ausbruch. Namibia ist eine Prestige-Angelegenheit. Das welttüchtige Deutschland übernimmt Verantwortung. Reime ich mir auch nur zusammen, weil wir so etwas selbstverständlich nicht besprechen. Angeblich soll der Generalsekretär schon beauftragt sein, etwas für Sie zu suchen.«

Sie sah Sarah in die Augen. Sarah wusste nicht, was sie aus dem Blick lesen sollte.

»Was bedeutet das: etwas für mich suchen?«

Die Ministerin rückte leicht vor, faltete die Hände auf der Tischplatte und zuckte mit den Achseln.

»Kennen Sie doch. Rundruf bei den Gewerkschaften, ob die irgendwas haben. Oder die Ebert-Stiftung. Irgendein Posten, ein freies Referat in der Versenkung.«

Sarah blickte aus dem Fenster und steckte sich die immer noch leicht feuchten Haare hinter die Ohren.

»Sie müssen jetzt Fleißkärtchen sammeln, Sarah. Es gibt da auch eine Möglichkeit.«

Die Ministerin erzählte ihr von einem Kongress der Nicht-Regierungsorganisationen, vor der der Außenminister sprechen sollte. Alle würden kommen, Welthungerhilfe, Internationales Rotes Kreuz, Ärzte ohne Grenzen, Kindernothilfe und so weiter, und so weiter. Der Minister fürchtete offenbar, dort sehr schlecht anzukommen, weil die Regierung auch den Hilfsorganisationen das Geld zusammengestrichen hatte. Ohne dass es bisher öffentlich aufgefallen war.

»Die haben zu diesem Kongress in Hamburg sogar Nelson Mandela eingeladen. Die trommeln ihre Mitarbeiter aus aller Welt zusammen. Nur Edle, die in jeder möglichen Wüste Hungernde füttern. Dazu der Mythos Mandela. Der Einzige, der ausgebuht wird, ist der Außenminister. Sein entgleisendes Gesicht in der 20-Uhr-Tagesschau, ein Fiasko, eine PR-Katastrophe. Genau das darf nicht passieren, Sarah. Die treffen sich schon drei Tage vorher zu irgendwelchen wichtigen Beratungen. Da sollten Sie sein und gutes Wetter machen. Irgendwas Tolles in Aussicht stellen, dabei dürfen Sie allerdings nicht zu konkret werden. Es wird auf Ihren Charme ankommen. Wenn Sie ›Ja‹ sagen. Aber wenn ich Sie wäre, käme ein ›Nein‹ nicht in Frage.«

Sarah blickte auf ihre durchweichten Schuhe. Ein Jammer. Sehr bequeme Edelteile, die sie an diesem Wochenende vor zwei Jahren mit Kai in Bozen gekauft hatte. Kai, der hektische Neurodermitiker, der vor allem eine Krankenschwester gesucht hatte. Sie sah auf und suchte jetzt ihrerseits den direkten Augenkontakt mit der Ministerin.

»Ein Frauenjob, oder? Hostess des Ministers?«, fragte sie, ohne eine Antwort zu erwarten, die das Angebot angenehmer machte.

»Eine Chance, Sarah. Sie werden nicht mehr wahnsinnig viele bekommen«

»Wer würde es sonst machen? Gewissensreine Helfer umschmeicheln?«

»Dreimal dürfen Sie raten, Sarah. Die 62-jährige Hostess im Ministerrang, wer sonst?«

Sarah hörte das Teelicht im Stövchen brutzeln, die Kerze würde gleich verlöschen und hier gab es nichts mehr zu sagen.

»Danke«, sagte Sarah und meinte es.

»Nichts zu danken. Tun Sie mir auch einen Gefallen

und lassen Sie meinen Staatssekretär in Ruhe. Der darf Ihnen kein Geld geben, das ich nicht bewillige.«

Franz Entrup hatte der Knutschfleck wohl so zu schaffen gemacht, dass er gleich petzen gegangen war. Du kleines Männchen, dachte Sarah. Sie nickte der Ministerin zu, die schlug die Augen zu und nickte zurück.

Auf ihrem Tisch hupte sie das Telefon zurück zum brodelnden Magen und dem freien Blick auf die verwitterten Zehnägel. Sie schwang die Beine vom Tisch, um den Hörer abnehmen zu können.

»Ich habe dir Spaghetti pesto bestellt, weil nach meiner Berechnung in etwa 15 Minuten der Heißhunger auf Deftiges einsetzt. Vorausgesetzt, du kannst die acht Franzbrötchen bei dir behalten. Danke, dass ich keins haben durfte.«

Sarah fand es immer noch eigenartig, durch die geöffnete Tür auf seinen Rücken zu sehen, während sie mit Hugo telefonierte. Er saß vielleicht zwölf Schritte entfernt.

»Dafür lass ich dich nach dem Essen ran.«

»Bitte tu mir das nicht an. Außerdem sind unsere gemeinsamen Tage gezählt.«

Sarah wurde plötzlich heiß, sie legte den Hörer hin und brüllte durch den Raum.

»Sag mal spinnst du?«

Er drehte sich feist grinsend zu ihr um und bedeutete ihr, sie möge den Hörer in die Hand nehmen.

Wieder seine Stimme an ihrem Ohr.

»Siehst du, Sarah, das ist es, was ich liebe. Dieses Gefühl, gebraucht zu werden. In einem ganz und gar körperlosen Sinn, es ist herrlich. Ich werde dich aber dennoch bei der Bundestagsverwaltung melden. Unter dem Knöpfchen ist nämlich ein Lufthansa-Mensch. Bestimmt nur, um mit dir irgendwelche Miles-and-more-Mauscheleien zu besprechen, und das kann ich nun mal nicht mit meinem Gewissen vereinbaren.«

»Danke, Herr Siepmann, stellen Sie bitte durch. Und solltest du mithören, lasse ich morgen den Praktikanten des Grauens wieder kommen.«

»Das wagst du nicht.«

»Stell den Anruf durch, Hugo. Die Leute verdienen nicht alle ihr Geld im Schlaf, so wie du.«

Sie hörte ihn die Taste drücken, er drehte sich zu ihr um und zeigte ihr den Stinkefinger.

»Hallo Lufthansa«, dröhnte sie in den Hörer.

»Ich habe auch einen richtigen Namen«, kam aus der Leitung zurück. Die Stimme kam ihr entfernt bekannt vor. Eine Stimme, die nach heißer Schokolade klang. Ja natürlich, wie schön.

»Ich weiß, wer Sie sind«, Sarah regelte ihre Lautstärke herunter, weil sie sich nicht wie ein aufgekratzter Teenager anhören wollte.

»Ach ja, wer bin ich denn?«

»Sie sind die Schande der Lufthansa. Der ruppigste Pilot in der Geschichte der Luftfahrt.«

»Und Sie sind das nachtragendste Geschöpf seit ... seit ... in der Geschichte der Sozialdemokratie. Meine Stimme bekommen Sie nicht, darauf können Sie sich verlassen.«

»Schön, dass Sie mich das wissen lassen. Ich würde auch niemals mit Ihnen fliegen, wenn ich nur daran denke, wird mir angst und bange.«

Schweigen in der Leitung, so lange, dass sie beinahe erwartete zu hören, wie die Leitung unterbrochen wurde. Nicht erwartete, befürchtete!

»Wie schön, dass Sie anrufen, Herr Winninger«, bitte nicht auflegen.

»Schön, dass Sie meinen Namen noch kennen«, er klang reservierter, abwesender.

»Wie haben Sie denn herausgefunden, wer ich bin?«

»Im Internet, war kein Problem«, sagte er. »Und heute habe ich dann gleich von Ihnen in der Zeitung gelesen.«

»Und dann dachten Sie sich: rufe ich mal an und gebe der Frau in allen Punkten Recht.«

»Fast. Ich habe gedacht: rufe ich doch mal an und frage diese berühmte Frau, ob sie nicht morgen Abend mit mir essen gehen will. Damit ich mich noch einmal in aller Form für mein Verhalten entschuldigen kann.«

»Morgen Abend?«, fragte Sarah, sah auf ihren Tischkalender und dachte: unmöglich!

»Sie haben Glück, Herr Winniger. Gerade morgen Abend geht es ausnahmsweise.« Die Besuchergruppe aus ihrem Wahlkreis musste sie begrüßen, den Rest konnte Hugo absagen. »Aber erst später, also nach halb zehn.«

»Das passt mir gut«, sagte er und dann nichts mehr. Ein Schweigen entstand. Sarah wollte es unbedingt füllen, aber sie wusste nicht wie.

»Es ist auch sehr schön … es ist durchaus angenehm, Ihre Stimme zu hören, Frau Lohmann. Sollen wir dann sagen, bis morgen?«

»Ja … ja, na klar, gern.« Sarah schüttelte sich, weil sie verschiedene Gedanken zum Abschweifen einluden. Unter anderem der Gedanke an seinen schönen, traurigen Mund.

»Kann ich in Ihrem Büro einen Treffpunkt hinterlassen?«, fragte er.

Hugo muss nicht jedes Detail mitbekommen.

»Lassen Sie uns doch im Café Maurer am Teutoburger Platz treffen«, schlug sie vor.

»Ist das im Osten?«

»Wenn Sie wollen, kann ich mich darum kümm/
dass Sie an der Grenze keine Probleme bekommen«
schwörerischer Tonfall von ihr.

»Im Osten sind die Straßen so dunkel«, weiter kam
er nicht. Geräusche im Hintergrund. Irgendjemand ruft
›Lukas‹, also seinen Vornamen. Ein Seufzen von ihm.

»Ich glaube … ist auch egal, was ich glaube. Ich muss
los, Frau Lohmann. Bis morgen.«

»Bis morgen«, sie klang viel sanfter, als sie wollte.
Hielt den Hörer in beiden Händen, als die Verbindung
schon unterbrochen war, und kam sich unmittelbar lächerlich vor. Schade, dass er nicht mehr gesagt hat, was
er glaubt. Hoffentlich glaubt er, so wie ich, dass es ein
schöner Abend wird. Ein ganz besonders schöner Abend.
An dem selbstverständlich, wie an jedem anderen Abend,
auch noch die Nacht dranhängt. Sarah verbot sich wei-
terzudenken.

Als sie aufblickte, sah sie, dass Hugo sich zu ihr herum-
gedreht hatte und unaufhörlich nickte.

»Aha, morgen ist also dein freier Abend. Wie heißt
denn das Double, das statt deiner zum Schinkenessen in
die nordrhein-westfälische Landesvertretung geht, ma
pousse? Du weißt schon, diese völlig unbedeutende Pipi-
fax-Party mit dem Parteivorsitzenden, dem Bundeskanzler und der sonstigen Rasselbande, hmmm?«, fragte er
quer durch den Raum.

Sarah knetete ihre Unterlippe.

Er lächelte sie unvermittelt an und fragte:

»Möchtest du deine Nudeln noch?«

Sie schüttelte hastig den Kopf und lächelte dann zurück. Voller Überzeugung. Weil sie froh war, nicht herz-
krank sein zu müssen.

Es gibt gute Argumente für Uniformen, dachte Lukas.

Wenn eine Jacke wie die andere ist, wenn sich die Blusen weder in Farbe noch in Schnitt unterscheiden, dann finden auf der Suche nach Eigenheiten die Kleinigkeiten viel mehr Beachtung. Lukas schwenkte mit seinem Blick die Reihe der Flugbegleiterinnen ab, die seit etwa zehn Minuten an dem U-förmigen Konferenztisch saßen. Hier waren zwei Knöpfe auf, da war das Hemd bis oben hin geschlossen. Ein Knopf geöffnet, darunter deutlich sichtbar die Perlenkette, mit an Sicherheit grenzender Wahrscheinlichkeit eine Kollegin aus Hamburg. Als Nächstes nahm er sich die Gesichter vor. Er wollte erkennen, welche Vorgaben die Lufthansa-Schminklehrerin zurzeit machte. Wie lang durfte der Lidstrich sein, welches Rouge war so langweilig, das es im engen Wahrnehmungshorizont eines fliegenden Geschäftsmannes als seriös begriffen wurde. Die Schminklehrerin war, wie viele Menschen bei Lufthansa, eine Idealbesetzung für ihre Aufgabe. In ihrem Biedersinn stand sie keinem Handelsreisenden nach, sie konnte jeden Raum sofort mit freudloser Strenge fluten. Nach der Kapitänsprüfung musste jeder Absolvent an einem zweitägigen Seminar teilnehmen, um seine neuen Führungsaufgaben kennen zu lernen.

Dazu gehörte auch, das Erscheinungsbild der Crew zu überwachen. Die Schminklehrerin hatte von einer »extrem wichtigen Aufgabe« gesprochen und dabei seinen

Sitznachbarn Kotthaus an Frau Malzahn, den Lehrerinnendrachen aus der ›Augsburger Puppenkiste‹, erinnert.

Lukas hatte in den vergangenen Jahren erst zweimal eingegriffen. Einmal hatte er einem knackjungen Steward eine Rasur befohlen und die Wanderstiefel an den Füßen verboten. Im zweiten Fall bat er eine ebenfalls kaum 20-jährige Neu-Stewardess, ihren schweren Nasenring vor dem Start zu entfernen.

Hier trug keiner einen Nasenring. Das Einzige, was auffiel, war, dass sich die großzügig aufgetragenen Parfums der zwölf Crewmitglieder in dem kleinen Raum unangenehm vermischten. Lukas kannte keine der zehn Flugbegleiterinnen, den Steward auch nicht. Heute würde er sich auch nicht wie sonst die Namen merken.

Die demonstrative Entspanntheit sollte vor allem Tauber ärgern. Das war schon der dritte Flug mit Tauber als Purser in einem halben Jahr. Eigentlich gegen jede Wahrscheinlichkeit bei dem ständigen Dienstplan-Roulette. Tauber verbreitete sich langatmig über Service-Kleinklein. Dass die Cognacschwenker bitte nur in der ersten Klasse eingesetzt werden sollen und dass der Eichstrich am Glas beim Begrüßungssekt in der Business Class zu beachten sei. »Es ist gerade in dieser Angelegenheit zu erheblichen Unregelmäßigkeiten gekommen«, stelzte er. Lukas' Co auf diesem Flug, Manfred Neuber, schien es auch kaum ertragen zu können. Er hatte die Arme aufgestützt und verbarg sein Gesicht zwischen den Händen.

Wenn Tauber sprach, vergaß Lukas, dass er bei einem weltweit operierenden Unternehmen arbeitete, bei einer der größten Airlines der Welt. Er fühlte sich durch Taubers Gerede sofort in die beklemmende Zinntellerhölle eines urdeutschen Partykellers versetzt.

Heute war es allerdings schlimmer denn je. Lukas machte Tauber dafür verantwortlich, dass ihm die Leichtigkeit, die er aus dem Telefonat mit Sarah Lohmann mitgenommen hatte, sofort wieder abhanden gekommen war. Er hatte ihre glucksende Heiterkeit am Telefon sofort wiedererkannt. Eigentlich schwer übereinander zu bringen. Eine Politikerin, die vor lauter Quicklebendigkeit scheinbar nichts lieber tut als Lachen. Politiker, die in der »Tagesschau« oder irgendeiner Polit-Talkshow sprachen, kamen ihm meistens so fad vor, dass er nach einigen Sekunden nicht mehr zuhören mochte. Die sprachen wie Tauber, dachte Lukas und warf dem nach wie vor sabbelnden Purser einen missbilligenden Blick zu.

Sie war noch sehr jung und eine attraktive Frau. Nach allem, was er sah, war Berufspolitik ein Job für hässliche Männer, die die 50 überschritten hatten. Sie fällt aus dem Rahmen, macht einen purzelglücklichen Eindruck. Oder habe ich Müdigkeit an ihr gesehen, als wir nebeneinander saßen? Nein, aber ich habe sie auch erst sehr spät wahrgenommen, ärgerte er sich. Warum sollte sie auch ausgebrannt oder unglücklich sein? Viel in der Welt unterwegs, sieht viel, spricht mit vielen, hat wahrscheinlich durchaus Einfluss und doch wohl eine Bombenkarriere vor sich. ›Bundestag.de‹ gab wenig über sie her. 36 Jahre alt, aus Bochum im Ruhrgebiet, irgendwas studiert, was er sich nicht merken konnte. Also wahrscheinlich eine Geisteswissenschaft, damit hatte er noch nie etwas anfangen können. Wenn er richtig rechnete, war sie schon mit 25 Jahren Parlamentarierin geworden. Familienstand: ledig, keine Kinder, stand da zu lesen. Völlig ungebunden? Hoffentlich ungebunden. Hoffentlich? Was kann ich von Sarah Lohmann wollen? Lukas wusste, dass es eine zweite Frage gibt, die noch schwerer zu beantworten wäre, nämlich: Was könnte Sarah Lohmann noch von mir wollen, sollte sie mich näher kennen lernen?

Völlig egal. Er wollte mit ihr essen gehen. Es kam ihm lang vor, viel zu lang, bis morgen Abend. Warum ging es nicht schon heute? Was könnte das für ein Abend sein. Er kannte Kairo gut. Ein Restaurant mit Blick auf den Nil, das Timo gehörte. Ein Mann aus Leipzig, ein Jahr älter als Lukas, der zu Ost-Zeiten Orientalistik an der Humboldt-Universität in Berlin studiert hatte. Anderthalb Monate nach dem Mauerfall verließ Timo Deutschland und war in der Zwischenzeit nur dreimal für kurze Besuche zurückgekehrt. Alles, was ihn an Deutschland interessierte, also Cabinet-Zigaretten und Vollkornbrot, brachte Lukas in unregelmäßigen Abständen vorbei. Er würde gemeinsam mit Sarah Lohmann den schönsten Tisch direkt über dem Wasser bekommen, ganz einfach, weil er immer den schönsten Tisch bekam.

Wahrscheinlich könnte er Timo auch überreden, das Spezial-Picknick auszurichten. Essen im Kerzenschein an einem Mausoleum auf einem stillgelegten koptischen Friedhof. Lukas kannte wenig stimmungsvollere Orte, vor allem in Kombination mit dem raffinierten Essen aus Timos Lokal. Eva hatte es gefallen. Ist das nicht einfältig, sich zu wiederholen? Oder sollte er es so halten wie Kotthaus? Der hatte an vielen Lufthansa-Destinationen ›horizontale Plätze‹, wie er es nannte. Orte, die garantierten, dass die Mitgenommene sich schon durch die Wucht der Umgebung gern mit ihrem Begleiter in die Waagerechte begab. »Es ist nur Bühnenbild, Lukas. Und immer wieder interessant zu sehen, wie unterschiedlich die Darstellerinnen dieselbe Dekoration bespielen«, selbstverständlich grinste Michael, als er Lukas diesen Satz in das Gedächtnis meißelte. Lukas hatte nie gefragt, ob Kotthaus eigentlich im Verlauf der Abende gestand, dass seine Plätze mitnichten exklusiv ausgewählt waren.

Vielleicht würde Sarah es aber auch morbide finden. Selbst wenn das Mausoleum mehr nach einem kleinen Palast als nach einer Totenstätte aussah. Er wusste nichts über diese Frau. Sie allein in Gedanken nur mit dem Vornamen zu nennen, erschien ihm unpassend vertraut, regelrecht ranschmeißerisch. Aber ein Abend in Kairo mit ihr, Frau Lohmann, würde ihm gefallen. Er konnte sich in diesem Moment nichts Schöneres vorstellen. Ihn beunruhigte allerdings, dass er an die Horizontale, an das Sex-Gewitter im Fünf-Sterne-Crew-Hotel mit Blick auf die Pyramiden, gar nicht so gern dachte. Er wollte sie reden hören, ihr beim Lachen zugucken, mit ihr zusammen sein. Und das kann nicht normal sein, Winninger, beschimpfte er sich selbst. Eine Frau mit einem offensiv ausgestellten Traumkörper und dir ist nach einem guten Gespräch, nach harmonischem Miteinander zumute. Die Stimme, die sich da meldete, war der alte Lukas. Frauen sind Spaß, Fliegen die Erfüllung, das Leben also eine einfache Angelegenheit. Männer werden immer fraulicher, wenn sie altern, hatte er in »Bild der Wissenschaft« gelesen. Weil eine hormonelle Begründung nachgeschoben war, hatte er auch diesem Artikel in der Zeitschrift seines Vertrauens geglaubt. Aber bezog sich dieses Östrogen-Phänomen auch schon auf Männer mit 39? Du wolltest auf den Arm, deswegen hast du sie vorhin angerufen, sagte seine eigene kalte Stimme zu ihm. Das war leider nicht abzustreiten. Er war entnervt von seiner eigenen Grübelei. Seelisch ungeduscht, könnte man sagen. Mit Kotthaus in der Eisenbahn war es zum ersten Mal seit langer Zeit, überhaupt zum allerersten Mal, richtig anstrengend gewesen. Weil Lukas so viel nicht gesagt hatte und sich an seinen Halbwahrheiten fast verschluckte. Kaum am Flughafen angekommen, brodelte dann wieder die Angst hoch, wie überlaufendes Kartoffelwasser. Das war zu viel. Oder mindestens Grund genug, wieder anzurufen.

Zweifellos hatte sie ihm wieder geholfen, ohne zu wissen, dass sie soeben sehr hilfreich war. Diese völlig fremde Frau, für die in seinem Leben noch nicht mal ein Eckchen frei war. Von der er aber hoffte, dass sie gleich eine SMS schicken möge, ob sie nicht nach Kairo mitreisen dürfe. Dazu hätte er ihr vorhin aber sagen müssen, dass und wohin er fliegt. Ob er sich gleich noch einmal melden sollte? Oder sie gleich direkt einladen?

»Was denken Sie darüber, Herr Winninger?«

Tauber wollte offenbar etwas von ihm. Denn er sah ihn an und hatte ihn namentlich angesprochen.

»Was denke ich worüber, Herr Tauber?«

Leichtes Gemurmel kam auf.

»Über das, was ich gerade ausgeführt habe«, logisch, dass er auch an dieser Stelle nicht auf seine Oberlehrer-Attitüde verzichtete.

»Ich fürchte, ich war abwesend. Vielleicht haben Sie die Güte, noch einmal zu wiederholen, was Sie ausgeführt haben«, Lukas spürte ganz genau, dass sich alle Anwesenden an dem explosiven Gemisch freuten, das sich zwischen ihm und Tauber bildete.

»Ich plane die Gäste auf Arabisch zu begrüßen. Soweit Sie einverstanden sind, selbstverständlich«, das aufgesetzte Kriecherische ekelte Lukas. Deswegen gönnte er sich den primitiven Triumph, den ihm sein herausgehobener Platz in der Hackordnung möglich machte.

»Ich bin nicht einverstanden, Herr Tauber.«

»Und warum nicht, wenn ich fragen darf?«

»Weil Sie nicht Arabisch sprechen«, unter Hüsteln verstecktes Lachen der Anwesenden.

»Aber ich habe mich akkurat vorbereitet.«

»Daran habe ich keinen Zweifel. Ich möchte aber nicht, dass sich eventuell anwesende Fundamentalisten verschaukelt fühlen und wir einen heiligen Krieg an Bord haben. Deswegen belassen Sie es bitte bei dem Nötigsten.« Lukas richtete sich in seinem Stuhl auf. Neuber hing immer noch leblos starrend in seinem Stuhl. An ihm war sogar die unappetitliche kleine Kontroverse völlig vorbeigegangen. Ein Phlegmatiker, fast zehn Jahre älter als Lukas. Der sich nicht mit der Kapitänsprüfung abmühen wollte, weil er mit Immobiliengeschäften mittlerweile ein Vielfaches verdiente und nur noch zum Spaß flog. Und um seine Frau in regelmäßigen Abständen nicht sehen zu müssen.

»Sonst noch was?« Lukas blickte in die Runde.

Kaum eine Regung, hier und da ein gelangweiltes Achselzucken. Tauber täuschte vor, sich in irgendwelche Unterlagen zu vertiefen. Er würde Lukas kein freundliches Wort gönnen, in den nächsten 24 Stunden. Aus Fliegersicht eine schnelle Sache, dieser Kairo-Umlauf. Für Lukas eine Ewigkeit. In der sich mindestens zwei Katastrophen ereignen konnten: Absturz und Absage.

Was wäre schlimmer?

Es gibt zwei Logenplätze in jedem Flugzeug.

Plätze, die niemand kaufen kann, weil man sie sich verdienen muss. Auf einem dieser beiden Plätze saß Lukas. Er hatte einen spektakulären Blick auf die Lichter von Kairo. Keine Bewölkung, weniger Dunst als üblich. Ein schwacher südwestlicher Wind. Die Maschine sank mit satter Gemächlichkeit. Im Gleitflug, denn die Triebwerke standen im Leerlauf. Kaum merkliche Bewegungen nach oben und unten, wie nach rechts und links, denn der Mann, der die 178 Tonnen mit einem Joystick steuerte, wusste, was er tat: Kapitän Lukas Winninger bedauerte, dass er nun das Fahrwerk ausfahren musste. Damit würde es deutlich lauter, das Flugzeug würde an Geschwindigkeit verlieren und das Finale dieses Fluges wäre erreicht. Sie konnten nicht einfach in die Metropole des Vorderen Orients hinuntersegeln, so wie es Lukas in seiner pathetischen Verfassung am liebsten getan hätte.

»Fahrwerk«, sagte er in das Mikrophon des Headsets.

»Fahrwerk ausgelöst«, gab Co-Pilot Neuber zurück. So unaufgeregt wie die Automatenstimme, die gleich die Höhe bis zum Boden in Fuß herunterzählen würde.

Lukas blickte auf die Kontrolllämpchen, die ihm anzeigten, dass das Fahrwerk komplett ausgefahren war.

Das zusätzliche Hindernis im Luftstrom erzeugte ein fauchendes Geräusch. Sie wurden merklich langsamer, das Schaukeln nahm etwas zu. Selbstverständlich schaukelt es, schaukeln ist normal, dachte Lukas. Wie in der Seefahrt, dem Ahnen der Fliegerei.

Sie sahen die Landebahn. So gleißend hell beleuchtet wie jede Landebahn an einem internationalen Verkehrsflughafen. Aber Lukas erschienen die hellen Lichter heute Abend wie ein Willkommen. Ein ›Hier sollt ihr hin, schön, dass ihr vorbeischaut‹, unmissverständlich ausgesprochen.

Lukas hielt präzise auf die Landebahn zu. Ein spürbares Aufsetzen war die sicherste Landung, aber er wollte die schönste. Die butterweiche, bei der den Passagieren möglichst gar nicht auffiel, dass die Maschine den Boden berührte.

»Forty«, zählte die Automatenstimme. »Thirty«, und sie näherten sich mit etwa 260 Stundenkilometern der Asphaltbahn, die insgesamt nicht breiter war als eine sechsspurige deutsche Autobahn. Die 60 Meter Spannbreite des Airbus würden darüber hinausragen. »Twenty«, Lukas zog die Nase des Flugzeuges noch etwas höher, weil es den Bremseffekt erhöhte, die Markierungsstreifen huschten vorbei und er ließ das Fahrwerk aufsetzen. Ein ganz leichter Schlag, wie er zu spüren ist, wenn ein Auto mit wenig Geschwindigkeit eine Asphaltkante nimmt. Alle Räder haben Bodenkontakt, bestätigte die zuständige Anzeige.

»Umkehrschub«, sagte Lukas.

»Umkehrschub aktiv«, bestätigte Neuber.

Lukas wusste, dass man kaum besser landen konnte, und wünschte sich für einen Moment applaudierende Charterreisende. Er nahm die Ausfahrt von der Landebahn, die der Tower angewiesen hatte. Ließ die Triebwerke auffauchen, um den weißen Streifen entlangzumanövrieren, der sie zu ihrer Parkposition lotste. Sie wären nicht die Ersten, die nach zigtausend Kilometern Flug durch den unbeschilderten Himmel plötzlich am Flughafen die Orientierung verloren. Das wussten selbstverständlich auch die Kairoer Flughafenbetreiber und schickten deswegen ein schwarz-gelb gestrichenes ›Follow me‹-Fahrzeug. Lukas sah schon das gelb zuckende Licht des eilig herannahenden Autos.

»Wie auf Cappuccino-Milchschaum, Lukas. Ich ziehe das Hütchen.«

»Danke, Manfred. Aber bei den Bedingungen kein Kunststück«, sagte Lukas und meinte das Gegenteil. Allerdings war Neuber die völlig falsche Adresse, um jetzt ausführlich zu werden. ›Weißt du, Manfred, das war mein erster angstfreier Flug seit Wochen. Ach, was sag ich, seit Monaten! Richtig perfekt war es auch noch nicht, weil ich die großen feuchten Flecken meines Hemdes spüre und weil ich den Steuerknüppel so fest umfasst habe, dass die Hand ein wenig steif ist. Aber ich konnte es endlich wieder genießen und das ist für mich die Hauptsache.‹ Jeder Co-Pilot hätte auf solche Ausführungen mindestens irritiert reagiert, auch der unerschütterliche Neuber.

Deswegen freute sich Lukas schweigend und äußerlich ungerührt.

Er würde gleich in der milden Nachtluft auf der Hotelterrasse mit einem Gin Tonic auf sich selbst anstoßen. Oder das Glas in Richtung Norden heben und schon wieder ›Danke‹ sagen. Voller Vorfreude auf den Moment, wenn er durch das kleine Fenster in der Kabine die Landebahnmarkierungen von Berlin-Tegel sehen würde.

»Komm schenk mir ein, und wenn ich dann traurich werde, lieeecht es daran, dass ich nur noch träume von da-
heim –« Brunhilde aus Bochum-Stiepel hatte sich schon
vor Betreten der Gaststätte auf »Griechischer Wein« festgelegt. Mit genau dieser Entschlossenheit trug sie jetzt
auch das Lied auf der Bühne vor.

Ohne den Hauch eines Gefühls für Tempo oder Rhythmus. Aber mit kräftiger Stimme. Schließlich wollte sie
nicht Musik machen, sondern ein Bekenntnis ablegen. Zu
ihrer Überzeugung, dass Udo Jürgens der größte Künstler
deutscher Zunge ist. Ihr Ehemann Eberhard, Udo Jürgens
und die SPD, das waren die Prioritäten in Brunhildes Leben. Meistens in dieser Reihenfolge. Während internatio-
naler Fußballmeisterschaften musste Eberhard damit leben, dass er bei Brunhilde auf Platz zwei abrutschte. Aber
damit war er wohl komplett einverstanden. Er sprang
abrupt mit einem Bierglas in der Hand auf, als sich seine
Frau erneut zum Refrain vorgekämpft hatte. Laut und
kompromisslos trompetete er »Griechischer Wein«. Seine feuchten Augen funkelten unter der großen Brille, er
lächelte beseelt.

Der Hosensaum saß deutlich über dem Bauchnabel
und die Gürtelschnalle war eine Art Gipfelkreuz auf
Eberhards vorstehendem Bauch.

Sein kurzärmliges Hawaii-Hemd wird Brunhilde angeordnet haben, dachte Sarah. Sie sah Eberhards kräftige Unterarme. Damit hatte er viele Jahre einen Presslufthammer gehalten. Ehe auch in seiner Zeche Anfang der 80er Jahre die Lichter ausgingen und sich der damals 43-jährige Eberhard widerwillig zum Krankenpfleger umschulen lassen musste. Mittlerweile war er Rentner und jammerte dem Krankenhaus viel intensiver nach als dem Pütt. Wenn Sarah jemanden für den Friedensnobelpreis vorschlagen könnte, würde sie Brunhilde und Eberhard wählen.

Es brauchte keinen besonderen Anlass, damit sich die beiden über die angeblich »stinkfaulen Polacken« oder den »versoffenen Iwan« im Nachbarhaus echauffierten. Aber als das Bochumer Flüchtlingsheim in Flammen aufgegangen war, nahmen die beiden ohne große Worte eine sudanesische Familie im Kinderzimmer ihrer Dreieinhalb-Zimmer-Wohnung auf. Eine sprachliche Verständigung war ausgeschlossen, deswegen wählte Brunhilde die internationale Sprache der Musik und konfrontierte die Schwarzafrikaner mit ihren Udo-Samplern, um die Stimmung zu heben. Im letzten Wahlkampf hatte Eberhard nächtelang an unzähligen Straßenlaternen Sarahs Konterfei aufgehängt. Brunhilde verteilte auf jedem Markt in der Umgebung in Sarahs Namen Rosen für die Frauen und Frikadellen für die Männer. Die sie gebraten hatte, wenn Eberhard nachts die Plakate verdrahtete.

Die Wählenden hatten zwar bei Sarahs Namen das Kreuz gemacht. Aber sie war sicher, dass die meisten Brunhilde und Eberhard vertrauten und nicht der Studierten aus der Bochumer Innenstadt. Die aus Sicht vieler ihrer Wähler noch nie richtig gearbeitet hat, womit ihr nach Ruhrgebietsmaßstäben die wesentlichste Lebenserfahrung fehlte.

Nicht nur deswegen freute sich Sarah, dass sie den beiden einen schönen Abend bereitet hatte. Sie hätte heulen mögen, als sie beobachtete, wie Eberhard in der Reichstagskuppel den Arm um seine Frau legte, als die beiden schweigend auf die Lichter Berlins herabblickten. Das türkische Restaurant war gut ausgewählt, denn die beiden ließen sich nach mehreren Türkei-Reisen nichts vormachen. Was aber der tatsächliche Höhepunkt der vergangenen Stunden war, konnte Sarah erkennen, als die erhitzte Brunhilde mit einem Strahlen im Gesicht zum Tisch zurückkehrte.

Eberhard zeichnete sie mit einem lauten Kuss auf die Wange aus.

Brunhilde setzte sich und nahm einen tiefen Schluck aus ihrem Bierglas.

»So, Schätzken, getz bis' du dran«, unterstreichend rieb sie Sarah über den Oberschenkel.

»Lieber nicht, Hilde. Ich kann echt überhaupt nicht singen.«

»Jetzt hör aber auf«, Eberhard lachte sie gemütlich an, »wenn mein Hildchen hier schon die Toten wachschreit, dann muss dir doch wohl vor nix bange sein.«

»Wenn mich der Udo gehört hätte, dann wärst du bald allein stehend, das will ich dir aber mal sagen, Schnubbel«, Brunhilde nickte gehässig in Eberhards Richtung und nahm noch einen tiefen Schluck.

»Komm, ich lad dich auf ein Lied ein. Und ich klatsch hinterher, als wär es ganz toll gewesen«, lachte er Sarah an.

Sarah stand seufzend auf und griff sich den Aktenordner, in dem das Repertoire verzeichnet war.

Sie schwankte zwischen »99 Luftballons«, »Like a virgin« und fluchtartigem Verlassen des Lokals. Im letzteren Fall könnte sie den beiden morgen früh sagen, ihr sei spontan schlecht geworden. Aber die beiden nur wegen einer kleinen Peinlichkeit einem abgezockten Berliner Taxifahrer unbegleitet auszuliefern, das brachte Sarah nicht übers Herz. Sie wählte keins der beiden Lieder.

»Sag ihm, er soll A-58 auflegen«, gab sie Eberhard mit, bevor der sich auf den Weg machte, um dem Karaoke-DJ drei Euro und den Musikwunsch anzugeben.

Sarah ging schleppenden Schrittes zur Bühne. Denk an die Schreihälse im Bundestag, feuerte sie sich selbst an. Die wollen deine Rede stören, die rufen absichtlich Schweinereien und die würden niemals klatschen. Auch nicht aus Mitleid. Von der ärmlichen Bühne sah sie links ein weltvergessen knutschendes asiatisches Pärchen. Frontal vor ihr eine Junggesellen-Abschieds-Gruppe. Junge Männer, die nach Sport aussahen, aber nur drei von acht waren grölbereit. Die anderen schliefen oder starrten teilnahmslos ins Leere. Etwas nach links hinten versetzt Brunhilde und Eberhard. Ihr Publikum. Eberhard reckte den gestreckten Daumen, als er die ersten Takte des Liedes hörte. Sarah mochte diesen Jazz-Standard nicht nur, sie liebte ihn. Vorausgesetzt, Toni Bennett oder Frank Sinatra sangen. Jetzt griff sie das Mikrophon fester und wusste, sie würde das Lied opfern. Damit sich irgendwann auch ein Arm mit liebevoller Selbstverständlichkeit um sie legte. In der Reichstagskuppel. Nein, da besser nicht. An einem anderen schönen Ort. Sarah leckte sich über die Oberlippe und der erste Satz erschien auf dem Textbildschirm:

»Fly me to the moon«. Sie setzte zu spät ein, hastete der Melodie hinterher und lächelte schließlich resigniert. Ein Glück, er kann es nicht hören.

Sarah schwebte. Sie lag auf dem warmen Salzwasser, den Kopf so weit im Wasser, dass sie die Musik hören könnte. Sphärische Klänge. Im Büro würde sie niemals Vergleichbares anhören können, ohne von Hugo unmittelbar zur Eso-Schachtel erklärt zu werden. Zum Kanon der nicht zu bestreitenden Hugo-Gewissheiten gehörte, dass Frauen über 35, die noch kein Kind zur Welt gebracht haben, einen Hang zur Selbsterforschung, zu jedwedem pseudoreligiösen Firlefanz, oder in Hugo-Worten: zur Wollsockigkeit entwickelten. Selbstverständlich konnte er sich auch zu diesem Thema in Rage reden.

Anfangs war es Sarah schwer gefallen, den Kopf so weit absinken zu lassen, dass die Ohren komplett unter Wasser waren. Momentan konnte sie sich kaum vorstellen, sie wieder hochzunehmen, so herrlich war dieser Schwebezustand. Das Liquidrom war das Schmuckstück des neu gebauten Tempodrom-Komplexes. Oben tobten Bands oder wüste Großveranstaltungen, hier unten war erholsamer Friede. Gerade an einem Werktag. Weil Sarah sicher war, dass es der wichtigste Werktag seit langer Zeit werden würde, lag sie hier auf dem Wasser. »Drei Stunden sind wie zwei Wochen Urlaub«, meinte ihre Fraktionsfreundin Gisela, als sie ihr den Gutschein vor sieben Monaten zum Geburtstag überreicht hatte. Gisela kommt aus Freiburg, die wissen, was gut tut, hatte Sarah gedacht. Als sie um kurz nach sechs, nach gerade mal fünf Stunden, aus einem ruhelosen Schlaf erwacht war.

Ich werde mich nicht vorbereiten, hatte sie beschlossen. Sie würde heute Abend nicht Jägerin sein wollen. Also nicht ihr übliches Programm fahren. Nicht schon vorher überlegen, worüber sie reden könnte. Sie wollte heute Abend nicht die Geschichten auspacken, bei denen sie in einem guten Licht stand, weil sie die Pointe sicher setzen konnte. Wenn sie nur daran dachte, war sie schon von ihren eigenen Worten gelangweilt. Ich klammere nichts aus, überhaupt nichts, dachte sie und schloss die Augen, weil die Musik von einer ruhigeren Passage in einen sanft-treibenden Beat überging.

Ich werde nicht verheimlichen, dass ich meinen Job nicht mehr mag. Selbstverständlich höre ich meine PR-Trainerin verzweifelt kreischen, dass offen ausgesprochene Unzufriedenheit zu Lasten meiner positiven Gesamtausstrahlung geht. Dann soll es so sein, dachte Sarah. Ich mache heute Abend keinen Wahlkampf. Auch nicht in eigener Sache. Ich treffe einen Mann. Einen gut aussehenden Mann mit Schokoladenstimme, der keinen Ehering am Finger trägt. Einen besonderen Mann. Was sind noch gleich die Besonderheiten an diesem Mann, würde Hugo fragen, wenn sie nicht so schlau gewesen wäre, ihn über die Lukas-Angelegenheit im Dunkeln zu lassen. Was war das Besondere an diesem Mann? Sein ausgesprochen schöner Hals. Seine Bräune. Seine warmen, dunklen Augen. Spätestens für die Beschreibung der Augen würde sie von Hugo einen Pilcher-Punkt bekommen. Also eine Strafe für das Abrutschen ins Schlimmstmöglich-Seifige, in Rosamunde-Pilcher-Schmonz. Wie verhält sich ein Pilot, wenn er in einem Flugzeug als Passagier mitfliegt und neben einer nach gängigen Kriterien attraktiven Frau sitzt?

Er würde gockeln, beantwortete Sarah ihre eigene Frage. Aha, die Klappen, hören Sie dies, hören Sie das, Technikgefasel, damit das Weibchen Augen macht. Nichts davon hatte dieser Herr Winninger hören lassen. Der für sie aber schon längst Lukas war, sie müsste es wenigstens hinbekommen, dass sie schnell zum ›Du‹ übergehen. Schon um sich alsbald von der glitschigen parlamentarischen Höflichkeit abzusetzen. Lukas war ein Häufchen Elend in diesem Flugzeug. Selbstverständlich war sie neugierig, was ihn so bedrückte. Das Fliegen konnte es ja kaum sein. Was sie für diesen Mann eingenommen hatte, war der Wechsel in seiner Stimmung. Sie glaubte, ihn authentisch erlebt zu haben, als er zusammengesackt Barschheiten in ihre Richtung nölte. Aber ebenso echt war ihr sein Bemühen vorgekommen, als er sich anschließend zu entschuldigen versuchte. Da war er mitreißend fröhlich, charmant und stark. Ich kann es nicht erklären, aber muss ich denn? Sarah wurde ungeduldig mit sich selbst. Vielleicht war es auch nur der eine Moment, gestern Abend in dieser Karaoke-Bar. Mir war völlig gleichgültig, ob dieser Mann kochen kann, schnarcht oder ein Kinderfeind ist. Aber als ich so schrecklich gesungen habe, bestand die Möglichkeit, dass er vielleicht genau in diesem Moment an mich denkt. Schön an mich denkt. Gut, ich habe mir auch noch vorgestellt, wie er in seiner Piloten-Uniform in diesen schäbigen Laden hereinkommt, auf die Bühne zugeht, mich herunterbittet und mir den schönsten Kuss aller Zeiten gibt. Aber wer in seiner Jugend neunmal »Dirty dancing« gesehen hat, muss logischerweise auch als Erwachsener verschattete Momente hinnehmen.

Es ist gleich so weit, dachte Sarah. Ich muss den Kopf hochnehmen, dieses Becken verlassen und das Telefon einschalten. Dann wird die Stimme meiner Mobil-Box in vorwurfsvollem Ton sagen, dass ich zigtausend Nachrichten habe.

Natürlich ist die Sitzung des Menschenrechtsausschusses eigentlich eine Pflichtveranstaltung für die entwicklungspolitische Sprecherin der SPD-Fraktion. Noch dazu, wenn ein arrivierter Tschetschenien-Experte einen Bericht zur Lage abgeben will. Aber Sarah wollte keine Dias von Erschießungsopfern, von Gefolterten und Vergewaltigten sehen. Heute nicht. »Frau Lohmann fühlt sich nicht gut, Sie wissen schon«, wird Hugo am Telefon gesagt haben. Eine Chiffre für: Frauenprobleme. Frau Lohmann liegt mit der Wärmflasche auf dem Bauch auf dem Sofa und hat Monatsbeschwerden. Nachfragen hätte es erst bei der Formulierung: »Frau Lohmann ist krank« gegeben. Sarah hatte Hugo gebeten, ganz klar zu machen, dass sie am Nachmittag aber ins Büro käme. Sie wusste, dass diese Typen einfältig genug waren, um sie als klassisches Frauchen mit fragiler Gesundheit abzubuchen. Journalisten werden wegen der Namibia-Angelegenheit nicht mehr angerufen haben. Die nageln seit gestern Nachmittag mit Wonne die Justizministerin ans Kreuz. Weil bei einem 15-jährigen Schüler in einer Remscheider Schule ein großkalibriger Revolver und drei Nazi-Wimpel gefunden worden sind, soll die Ministerin, die das neue Waffengesetz noch nicht fertig hat, rasch zurücktreten. Selbstverständlich weiß jeder Pressemensch, dass Waffen in der Schule bereits absolut verboten sind. Aber solche Feinheiten interessieren nicht, wenn sich in Kommentaren wunderbar »amerikanische Verhältnisse« heraufbeschwören lassen, ohne dass der Kopf zu sehr angestrengt werden muss.

Hoffentlich ist Claudia auf der Mailbox. Und hoffentlich hat sie das Geld. Heute Morgen kam ihr nicht nur

Herr Bigombe in den Kopf. Ihr fuhr gleichzeitig noch das schlechte Gewissen in den Magen, weil sie seit Lukas' Anruf keine Minute mehr an ihr ugandisches Projekt gedacht hatte.

Wenn er absagen würde, dann wäre er wahrscheinlich auch auf der Mailbox. Das wäre überhaupt nicht schön, dachte Sarah und beschleunigte den Schritt zu den Umkleidekabinen.

Sie zwang sich zum konzentrierten Abtrocknen nach dem Duschen, auch wenn sie am liebsten hastig nach dem Handy gegriffen hätte. Aber dann würde sie auf das Gerät tropfen und es ließe sich vielleicht nicht mehr einschalten. Als sie es angeknipst hatte, zeigte sich nur das Display. Nur das Logo »Du bist schuld«, das ihr Hugo übermütig vor geraumer Zeit heraufgeladen hatte, ohne zu wissen, wie man es wieder entfernt. Also keine Nachricht. Sarah war wieder beruhigt und wartete darauf, dass sich das erholte Nach-Urlaubsgefühl einstellte.

Sie fühlte sich entspannt, jedenfalls war der Nacken nicht so verkrampft wie sonst. Aber richtige Erholung war dann doch was anderes. Zumal ihr gerade eingefallen war, dass sie Lukas ihre Mobilnummer überhaupt nicht gegeben hatte. Er würde also im Büro absagen. Sie musste schnell zurück.

Kommen Sie noch auf ein Glas mit rein, hätte Lukas fragen wollen. Wir stellen Ihren Sender ein, ich tanze ein wenig und Sie erzählen einfach weiter. Aber das ging selbstverständlich nicht. Der Taxifahrer war sich bestimmt darüber im Klaren, dass er sein Wissen über Jazz und Swing prima rüberbringen konnte. Aber er wäre sicherlich befremdet, wenn sein leidenschaftlicher Vortrag ein anderes Ergebnis hätte als ein hohes Trinkgeld.

Es hatte begonnen wie immer. Lukas bat jeden Taxifahrer, auf InfoRadio umzuschalten, ein 24-Stunden-Nachrichtenprogramm. Nicht, weil er glaubte, dass etwas wahnsinnig Interessantes in der Zeit seiner Abwesenheit passiert wäre. Aber das monotone Einerlei der Stimmen, die vertrauten Trenner zwischen Nachrichten und den Themenblöcken verorteten ihn nach jeder Reise. Unzweifelhaft zu Hause, weil so hört sich zu Hause an. Unzweifelhaft Berlin, denn selbstverständlich werden nur in der Hauptstadt rund um die Uhr Reportagen und Nachrichtenmagazine geliefert. Vorgetäuschte Schlaflosigkeit einer behaupteten Metropole. Denn die größten Teile Berlins waren spätestens nach den ›Tagesthemen‹ genauso still wie ein Schlafmützendorf im Hunsrück. Lukas genoss es, sich vormachen zu lassen, in einer Weltstadt zu leben. In der alles möglich ist, in der dreieinhalb Millionen Menschen parallel total unterschiedliche Leben leben. In der sich verschiedene Szenen, ohne Berührung miteinander, eingerichtet haben. Kreuzberg, das sich südländisch gab. Entweder weil es die dort lebenden Südländer nicht anders wollten, oder weil die ansässigen Studienräte sich irre mediterran vorkamen, wenn sie unter dem Heizstrahler an der Straße Espresso tranken. Die Diktatur der Jugend in Mitte und Prenzlauer Berg, wo jeder unvorbereitete Passant Gefahr lief, von einem derangierten 23-Jährigen auf einem Bonanza-Rad überfahren zu werden. Die dort ganzjährig getragenen Sonnenbrillen behinderten an Novembernachmittagen durchaus die Sicht. Die Günstigwohngegend Friedrichshain. Ein einziges Güllefeld, täglich neu und unkoordiniert von unzähligen Hunden frisch gedüngt. Der alte Westen in Charlottenburg. Mit den teuer billig angezogenen Frauen, mit Versace-Männern in Wildleder-Slippern, die immer wieder lesen mussten, dass sie in Hamburg und München nicht so leicht zu den oberen Zehntausend gehören dürften.

Mit den richtig Reichen in Zehlendorf und Wannsee, wo sich mit der üblichen Friedhofsruhe Geldsack an Geldsack kuschelte. Das alles schor InfoRadio wohltuend über einen Kamm, packte es für Leute wie Lukas, die letztlich wenig von der Stadt mitbekamen, in überschaubare Förmchen. Wenn Eva die Stille in ihrem Haus ganz besonders hämmern ließ, sprach Lukas vor dem Zähneputzen manchmal mit den Nachrichtensprechern. Von denen er immerhin Stimme und Namen kannte. Aber dieser Taxifahrer hatte nicht umschalten wollen. Ein Mann Mitte 50, mit einem gepflegten eisgrauen Bart, einem akkurat gebügelten weißen Hemd und exotisch aussehendem Selbstdrehtabak in der Mittelkonsole.

»Tut mir Leid, kann ich nicht machen«, hatte er gesagt.

»Wieso nicht? Wir fahren doch ein ganzes Stück«, erwiderte Lukas umständlich. Denn er meinte eigentlich: Ich bin deine heutige Weihnachtsgans, Freundchen, wir fahren für 30 Euro durch die halbe Stadt.

»Ich kann Nat jetzt nicht unterbrechen, verstehen Sie?«

»Nein.«

Er zeigte auf das Radio. Das Gerät zeigte an, dass sie Jazzradio hörten. In Lukas' Ohren klang die Musik aber eher südamerikanisch.

»Das ist Nat King Cole. Auf Spanisch. In meinen Augen einer der größten Sänger aller Zeiten, den unterbreche ich nicht. Auch wenn Sie jetzt sagen, dass Sie dann lieber aussteigen wollen. Was mir natürlich Leid täte«, der Mann sprach so zerknirscht, als sei er als katholischer Priester gebeten worden, Lukas' Zigarette im Weihwasserbecken auszudrücken.

»Dann lassen Sie es halt laufen«, grimmte Lukas. Den Rest der Fahrt schweigend zu verbringen, würde er aber nicht aushalten. Dazu war er zu aufgekratzt.

In dreieinhalb Stunden würde sich etwas Wichtiges ereignen, von dem InfoRadio definitiv nicht Notiz nehmen würde: Er wird Sarah Lohmann treffen. Er lehnte sich wieder nach vorne.

»Was ist so großartig an Nat King Cole?«

»Hören Sie doch einfach hin. Hören Sie diese Stimme. Diesen Schmelz, das Gefühl, die präzise Betonung. Was der mit seinem riesigen Mund alles rausbringen konnte, Wahnsinn. Hören Sie doch.«

»Klingt spanisch«, Lukas war seine eigene Einfalt ein wenig peinlich.

»Können Sie Spanisch?«

»Nein«, nach Spanien habe ich meine Hochzeitsreise

gemacht, aber daran möchte ich nicht denken, weil ich sonst Sodbrennen bekomme.

»Hören Sie trotzdem hin.« Er wippte in seinem Sitz den schnellen Bolero-Takt mit.

Und er sang. Gar nicht so schlecht.

»A noche, a noche sone con tigo, sone una cosa bonita, que cosa maravillosa«, der Mann zog sich im Rhythmus am Lenkrad nach vorne und ließ sich wieder zurücksinken. Was würde er wohl machen, wenn ihm mehr Bewegungsfreiheit zur Verfügung stünde, staunte Lukas.

»Und was heißt das?«, fragte er über die laute Musik hinweg. Der Fahrer drehte die Lautstärke herunter.

»Ein sehr schöner Text: In der Nacht habe ich von dir geträumt, ich habe eine schöne Sache geträumt, eine wunderbare Sache. Andeutung ist alles«, er grinste so verschwörerisch, wie das mit seinem Weihnachtsmann-Gesicht möglich war. Lukas nickte langsam in den großen Rückspiegel, in dem ihn der Fahrer beobachtete. Er genoss zu spüren, wie sich sein Gesicht entspannte. Wie sollte er es hinkriegen, diese momentane Leichtigkeit in den Abend mitzunehmen?

Die Musik wechselte. Lukas kannte das Stück, wusste aber den exakten Titel nicht. Er musste sich nicht weiter abmühen, der Fahrer machte wieder lauter und saß, dem Musiktempo angemessen, ruhig in seinem Sitz.

»Night and day. Und wer ist es, den kennen Sie aber, oder?«

»Sinatra«, antwortete Lukas. Er übersetzte sich jede gesungene Zeile, als würde er verblüffende neue Wahrheiten aus dem Schmusesong erfahren. Du, nur du, nachts und tags, du bist die eine, nur du, unter Mond oder Sonne, nah von mir, oder fern, ganz egal, Liebling, wo du bist, ich denke Tag und Nacht an dich. Tag und Nacht.

»Eigentlich Kitsch, oder?«, sagte Lukas mehr zu sich selbst. Weil er sich nicht sicher war, ob es wirklich nur Kitsch war.

»Finden Sie?« Der Taxifahrer drehte den Kopf kurz über die Schulter, als wolle er Lukas auffordern, über das Gesagte lieber noch einmal nachzudenken. Und setzte erklärend nach:

»Die heiligen alle den Moment. Sinatra, Sammy Davis junior, Perry Como, Louis Prima. Können Sie sich das nicht vorstellen? Dass man eben die eine im Arm hat, die in diesem Moment die Allereinzige ist? Wenn dann noch Sonne, Mond und Sterne dazukommen, dann ist das Leben doch zum Zerspringen schön.«

Lukas nickte langsam. Ob auf dem Kairoer Friedhof die »Du, nur du, Tag und Nacht«-Stimmung aufgekommen wäre? Kann diese Atmosphäre in einem Restaurant in Berlin-Mitte entstehen? Wann hatte er eigentlich das letzte Mal getanzt? Aus dem Radio folgte Lied auf Lied. Wie für mich gemischt. Nicht für mich allein. Für mich und Frau Lohmann. Lukas musste lachen. Weil sich die Förmlichkeit so falsch anhörte wie im Supermarkt, wenn die eine der anderen Kassiererin zuruft: »Frau Schuster, kommst du mal kurz, ich hab ein Storno.«

Lukas bat den Fahrer nicht herein. Zehn Euro Trinkgeld. »Üppig, mein Herr, üppig, danke«, sagte der Mann. Lukas legte ihm die Hand auf die Schulter: »Ich habe zu danken. Wirklich.« Schon im nächsten Moment war ihm die merkwürdige Zutraulichkeit peinlich. Er kam sich pathetisch vor. Wie Bill Clinton, der zu Lukas' Ekel immer den Unterkiefer theatralisch vorschob, wenn er weismachen wollte, dass er mit Rührungstränen kämpft.

Er ging durch den Vorgarten und stoppte an der Tür, um seinen Schlüssel herauszuholen. Drehte sich noch einmal zum Taxi um und sah, dass der Fahrer mit beiden Händen anzeigte, dass er ihm die Daumen drückte. Missverständnis, dachte Lukas. Die Frau, die im Licht einer dieser Räume sitzt, wird bestimmt nicht in Tanzlaune sein. Es sei denn, sie hat eine Verabredung. Mit wem auch immer.

Nachdem er die Tür geschlossen hatte, die gleiche Unsicherheit wie immer. Die Hausflur-Irritation, an der er trotz viel Übung nicht vorbeikam.

Soll ich »Hallo« oder »Guten Abend« in das Haus hineinrufen? Oder soll ich es lassen, weil Eva in acht von zehn Fällen nicht antwortete? Zu seiner Überraschung hörte er ihre Stimme: »Hallo, Lukas, bist du das?«

Das Patschen ihrer näher kommenden nackten Füße. Fußbodenheizung, dachte Lukas. Eine Selbstverständlichkeit in diesem von ihrem Geld bezahlten Luxushaus.

»Ja, ich bin es«, so kleinlaut, als würde sich empfehlen, »Soll ich lieber wieder gehen?« anzuhängen.

Dann stand sie in der Tür zum dahinter liegenden Wohnzimmer, aus dem behagliches Licht drang. Eva trug einen knöchellangen, dunkelroten Kimono mit Stehkragen. Was für eine schöne Frau, dachte Lukas. Sie sah ihn an. Fast schon freundlich, mindestens interessiert, mit einem leicht verhangenen Blick.

»Hast du geschlafen?«, fragte er.

Sie nickte. »Ich hatte heute Mittag schon Sekt, bisschen zu viel«, sie nahm die Hand vor den Mund, als sie gähnte.

»Tut mir Leid, dass ich dich geweckt habe.«

»Macht nichts«, sie steckte die Hände in die Taschen.

Lukas hatte den Koffer in die Ecke geschoben, die Schuhe ausgezogen und seinen Schlüssel auf die Ablage unter den großen, alten Spiegel gelegt. Es gab in diesem Flur nichts mehr für ihn zu tun. Er stand eineinhalb Schritte von seiner Frau entfernt. Sie sahen sich kurz an, dann blickte sie zu seiner Erleichterung auf den Boden.

»Möchtest du etwa essen?«, sie wurde leiser, »oder essen gehen?«

Er zögerte. Schlug sie vor, mit ihm essen zu gehen? Sie waren seit Monaten nicht zu zweit im Restaurant gewesen. Schweigen konnten sie zu Hause besser, und billiger.

»Ich muss gleich wieder los. Wollte nur eben duschen«, er zeigte auf die Treppe, so als würde sie nicht wissen, wo es in ihrem Haus zum Badezimmer ging.

»Aha«, sagte sie. Ohne dass es nötig gewesen wäre, zog sie den Gürtel des Hausmantels etwas enger. »Dann mal einen schönen Abend«, sagte sie weich. Hob kurz die Hand zu einem unpassenden Gruß und schloss hinter sich die Zimmertür.

Lukas lehnte sich unter der Dusche mit der Stirn gegen die Wand und ließ das warme Wasser auf seinen Rücken prasseln. Er versuchte, sich an das Nat-King-Cole-Lied zu erinnern. Es fiel ihm nicht ein.

»Ich hätte dir den Namen gleich richtig buchstabieren
sollen. O Mann, was bin ich für eine blöde Kuh.« Sarah
versuchte ein noch lauteres Brüllen zu unterdrücken, weil
es auf dem riesigen Gang ohnehin genug hallte.

»Es tut mir Leid, Cherie. Genau diesen Namen habe
ich bei der Auskunft angegeben. Die haben keine Mobilnummer von Winninger, Lukas. Und einen Festnetz-
anschluss auch nicht.« Hugo sprach mit der ruhigen
Stimme eines Polizeipsychologen, der Geiselnehmer davon abhalten will, den Sprengsatz in der Bank hochzu-
jagen.

Sarah wollte alles gleichzeitig. Das Handy so fest auf
den harten Betonfußboden werfen, dass es in tausend
Stücke zerspringt. Dem Redakteur dieser Fernsehsendung in den Hintern treten und dann so schnell aus diesem Haus rennen, wie es ihre hohen Schuhe zuließen.
Ach was, sie würde die verdammten Schuhe ausziehen
und auf Strümpfen bis zum Taxi laufen. Wenn sie jetzt
losrannte, würde sie schon 20 Minuten zu spät im Café
Maurer ankommen.

»Die Nummer muss doch rauszukriegen sein. Lass uns
gemeinsam nachdenken, bitte, Hugo! Wie kann man eine
Nummer herauskriegen? Vielleicht erinnerst du dich ja
auch? Die Nummer muss doch angezeigt gewesen sein,
als er angerufen hat. Unser System zeigt doch alle Num-

mern an. Denk doch mal nach.« Ich bin hysterisch, dachte sie, aber ich kann nicht anders.

Sie hörte Hugos Seufzen am anderen Ende der Leitung.

»Ich könnte in dem Restaurant anrufen. Wo habt ihr euch verabredet?«

»Café Maurer, in Mitte«, schoss es zu laut aus ihr heraus.

»Schön, Sarah. Ich versuche es. Sobald ich ihn erreicht habe, schicke ich dir eine SMS«, antwortete Hugo ruhig.

»Und sag ihm, dass es mir sehr Leid tut. Ich würde die Rechnung bezahlen und er soll sich ganz viel bestellen ...«

»... na klar, und dass du ihn heiraten möchtest und mindestens acht Kinder von ihm zur Welt bringen wirst, wenn er dir nur verzeiht, dass du noch arbeiten musst. Alles klar, Sarah.«

Sarah wusste, dass es lächerlich war. Aber sie fürchtete, dass Hugo es vergessen könnte, deswegen erinnerte sie ihn flehentlich:

»Und du schickst mir eine SMS, ja?«

»Nein, ich lasse dich in der Fernsehsendung rausrufen, ist doch besser. Dann schicke ich den Hubschrauber los. Bis gleich«, er legte sofort auf.

Sarah behielt das Handy sicherheitshalber in der Hand. Mit der anderen Hand kramte sie in ihrer Handtasche nach den Zigaretten. Die Schachtel war selbstverständlich leer. »Mist, Mist, Mist«, brüllte sie und warf die Schachtel durch den Gang.

Eine Tür öffnete sich, und sie sah in 15 Metern Entfernung die Silhouette des Mannes, der an allem schuld war. Der Redakteur der Sendung »Klipp und Klar«. Am

Nachmittag hatte die Sprecherin der Ministerin, Fritzi Münzberg, angerufen.

»Kannst du die Ministerin in einer Fernsehsendung vertreten?« Fritzi klang so, als würde sie nur formhalber fragen, als könne sie es auch einfach anordnen.

Nach Sarahs Namibia-Fauxpas war es tatsächlich ein großes Geschenk, einen Fernsehauftritt zu bekommen.

»Klar, wann?«

»Heute Abend?«

Sarah wurde sofort heiß.

»Wann heute Abend?«, fragte sie zurück und rieb sich hektisch mit der Hand am Hals auf und ab.

»Um halb acht. Spätestens um neun ist der Keks gegessen.«

»Dann ist es kein Problem.« Hugo könnte sich vor der Besuchergruppe produzieren. Brunhilde und Eberhard würden das Gemecker unter den Bekannten aus dem Ortsverein schon zu bändigen wissen. Und sie würde problemlos um halb zehn in ein schönes Gesicht gucken.

Sie war so erleichtert, dass sie eine nicht ganz unwesentliche Frage beinahe vergessen hätte.

»Worum geht's denn, Fritzi?«

Sie hörte raschelndes Papier, ein verhaltenes Aufstoßen von Fritzi und dann ein Geräusch, weil der Hörer wieder ans Ohr geklemmt wurde.

»Die Überschrift heißt ›Afrika – der verlorene Kontinent?‹. Die anderen Gäste sind …« Fritzi stockte.

»Tut mir Leid, Sarah. Kann ich nicht lesen, mit unserem Fax stimmt was nicht. Ist ja auch egal, lernst du dann schon kennen. Dein Ansprechpartner ist ein Herr Binkel, Rudolf Binkel, offenbar der Redakteur. Und, Sarah?«

»Ja, Fritzi?«

»Ich muss nicht extra betonen, dass Namibia für dich

heute Abend nicht auf dem afrikanischen Kontinent liegt, oder? Wir wollen doch beide nicht, dass es in der nächsten Sendung um ›Sarah Lohmann – die verlorene Abgeordnete‹ geht.«

»Hättest du nicht betonen müssen, ich bin im Bilde, Fritzi. Danke.«

Rudolf Binkel war nur noch drei, vier Schritte von Sarah entfernt. Ein fröhliches Lächeln im frischen Gesicht. Ungefähr Mitte vierzig, schlank, graue, kurze Haare. Ganz offensichtlich immer noch sehr ausgeglichen. Klar, dass du dich gut hältst, hier in deiner öffentlich-rechtlichen Wohlfühllaube. Einmal in der Woche dreißig Minuten andere reden lassen und dann ab, ab auf die Planstelle. Sarah konnte sich nicht erinnern, wann sie das letzte Mal so wütend auf einen Menschen war wie auf diesen Herrn Binkel. Sie wollte jetzt auch nicht mehr vernünfteln. Selbstverständlich war ihr klar, dass Herr Binkel für den Schaden an der Kamera nichts konnte. Wahrscheinlich war es ihm durchaus unangenehm, dass die Zuschauer im Studio und die Gäste nun schon länger als eine Stunde warteten. Aber seine Befindlichkeit war Sarah völlig egal.

»Keine Panik auf der Titanic, gleich geht es wieder los, wir könnten Sie schon wieder verkabeln, Frau Lohmann«, charmierte er.

»Funktioniert Ihr Murks denn dann auch?«, blaffte Sarah. Binkel lächelte weiter. Das sind Buddhisten in diesem Saftladen, alles Scheiß-Buddhisten, kochte Sarah innerlich.

»Haben Sie wenigstens eine Zigarette?«

Binkel hob theatralisch die Hände.

»Ich bin clean, schon seit acht Monaten«, freute er sich.

»Wo kriege ich welche?« Sarah dachte an den Film »Falling down«, in dem einem braven Vorstadtbürger die Sicherungen durchbrennen. Sein Amoklauf beginnt mit einem Frühstück, das er sich in einem Schnellrestaurant mit einer Maschinenpistole erzwingt.

»Dürfen wir Sie denn nach der Sendung noch zu einem Tinto einladen?« Binkel rieb sich mit sichtlicher Vorfreude die Hände.

»Nein, gewiss nicht. Wo ist ein Automat?«, immerhin: der Mann zeigte aufgrund der Schärfe ihres Tonfalls erstmals eine Reaktion. Sarah hätte liebend gern noch ein paar Schimpfwörter angehängt. Aber sie war Parlamentarierin. Nur deswegen bewahrte sie den letztmöglichen Rest von Contenance.

Binkel kam nicht mehr zum Antworten. Denn an dem gigantisch wirkenden Tor zum Studio zeigte sich eine junge, hübsche Frau mit Headset und Klemmbrett. An ihrer Seite ein kurzhaariger Mann mit einem großen, runden Kopf. Der Typ war ihr bereits als Moderator vorgestellt worden. Sie hatte sich seinen polnisch klingenden Nachnamen nicht merken können und ihn wegen seiner leutseligen Jovialität, aber vor allem wegen seiner Pausbäckigkeit für sich selbst als ›Chubby‹ abgebucht. Die beiden winkten hastig. Offenbar sollte es schnell gehen, das war Sarah wiederum recht. Ob er warten würde? Niemals. Selbst wenn jetzt alles glatt lief, würde sie mehr als eine Stunde zu spät kommen. Sarah versetzte sich in den schnellstmöglichen Laufschritt. Binkel trottete hinterher.

Die anderen saßen bereits. Ein Afrikanistik-Professor der Humboldt-Universität, der aufreizend arrogante nigerianische Botschafter und Herbert Heller, ihr Gegenüber der Opposition im Parlament. Entwicklungspolitischer Sprecher der CDU, kühl, präzise, knochenhart. Unter normalen Umständen hätte Sarah sehr genau ihre Gedanken sortiert. Denn unaufgeräumt würde sie keinen Stich machen, wenn Heller mit einer keinen Widerspruch duldenden Schlüssigkeit erklärte, warum die Entwicklungshilfe abgeschafft gehört. Von normalen Umständen konnte aber keine Rede sein. Der starke Heller war ihr egal, die Entwicklungshilfe auch, sie wollte hier raus.

Es begann mit einem unmodern wirkenden Geklimper, offenbar die Erkennungsmelodie. Applaus der Zuschauer und Chubby hatte das Wort. Er ratterte Zahlen herunter, die belegten, dass Afrika sich eigentlich komplett fluten lassen kann. Vertraute, kraftlose Stichwörter wie »Hunger, Wassermangel, Krankheit, internationale Staatengemeinschaft« glitten an ihr vorbei. Chubby gab sich viel Mühe mit seiner einfühlsamen Einführung, schließlich sollten seine Zuschauer den Eindruck bekommen, dass er der Einzige ist, der das afrikanische Desaster komplett überblickt und dementsprechend mitleidet.

Während dieser mopsige Typ labert, sitzt er im Café Maurer. Was wird er denken? Dass sie es vergessen hat? Dass sie keine Lust mehr hatte, ihn zu treffen? Wird er ungeduldige Zigaretten rauchen? Raucht er überhaupt? Sie wusste so wenig über ihn. Wollte aber eigentlich alles wissen. Heute Abend sollte der erlösende Moment kommen, in dem sie alle Fragen stellen könnte. Stattdessen saß sie hier, zwischen diesen fremden, uninteressanten Leuten. Sie hörte ihren Namen, und auf der Kamera, die ihr gegenüberstand, glomm ein rotes Licht auf. Mein Lächeln wird noch fratzenhafter aussehen als sonst. Was war denn mit der los, werden sie sich morgen im Ministerium fragen, wenn sie das Band ansehen. Keine Ahnung, warum die Ministerin sich nicht ins Fernsehen setzen wollte. Wahrscheinlich wollte sie Sarah eine weitere Chance geben, sich zu profilieren. Woher plötzlich diese Fürsorge der Ministerin kam, konnte sie sich nicht erklären. Morgen würde sie mehr wissen. Morgen sollte eigentlich schon alles anders sein. Keine Ahnung, was sich durch ein Essen verändern würde, aber Sarah war sicher, dass sie die größere Chance gerade deswegen vergab, weil sie in diesem Moment im Fernsehen saß.

Sie appellierte an ihre eigene Disziplin: Du musst jetzt professionell sein, du darfst dich hier nicht verfrühstücken lassen.

Nachdem er alle vorgestellt hatte, wendete sich der Moderator an Sarah:

»Frau Lohmann, Sie haben erst vor wenigen Tagen ein heißes Eisen in die Hand genommen. Sie haben sich kategorisch gegen einen Bundeswehreinsatz in Namibia ausgesprochen. Ist das vor dem Hintergrund der aktuellen Lage zu verantworten?«

Er machte ein hochinteressiertes Gesicht, klemmte wie ein großer Denker das Kinn zwischen Zeigefinger und Daumen ein.

Sarah hatte keinen Schimmer, was sie antworten sollte. Sie kniff die Augen zusammen, wie immer, wenn sie höchst verunsichert war. Spätestens jetzt würde ihre PR-Trainerin kollabieren. Hoffentlich sieht sie es nicht. Hoffentlich sieht mich überhaupt keiner. Ich will gehen, dachte Sarah und leckte sich über die Lippen. Weil sie irgendetwas machen musste, um sich von den Tränen abzulenken, die ihr in die Augen schossen. Sie sagte immer noch nichts, der Moderator wurde sichtlich nervös und nickte ihr ermunternd zu.

»Die Frau Kollegin wird Ihnen nicht antworten können«, Heller mit einer vor Faszination beinahe sirrenden

Stimme, »sie hat sofort nach ihren starken Worten einen Maulkorb bekommen, das ist doch glasklar. Und vielleicht sogar mit Recht: Denn so einfach, wie es sich Frau Lohmann macht, kann man nur handeln, wenn man mit Blumen im Haar für den Weltfrieden singt. Aber nicht, wenn es darum geht, dass Deutschland seine Verantwortung in der Welt übernimmt.«

Er redete weiter, und Sarah hoffte, dass er einfach weitersprach. Sie wusste nichts zu erwidern, überhaupt nichts. Das Handy in ihrer Hosentasche vibrierte. Die Kamera war auf Heller gerichtet. Es war gewiss Hugo, hoffentlich hatte er etwas herausgefunden. Sie nahm das Mobiltelefon in die Hand, öffnete die Kurzmitteilung und las »Nimmt keiner ab, tut mir Leid. Kannst mich jederzeit anrufen, wenn du fertig bist«. Der Moderator zuckte mit dem Kopf in ihre Richtung, war offenbar entsetzt von Sarahs Desinteresse an seiner gehaltvollen Sendung.

Sie sah, dass hinter der Kamera, die auf sie gerichtet war, Binkel wild gestikulierte. »Handy aus«, war die deutlich lesbare Botschaft seiner Winkereien. Ein kleiner Erfolg, dachte Sarah, die Entspannung ist aus seinem Gesicht gewichen. Sie schaltete das Telefon aus, steckte es in die Tasche und hatte Lust auf eine Zigarette. Heller hatte seine Ausführungen offenbar vorerst beendet.

»Da möchte ich Ihnen aber die Gelegenheit zur Erwiderung geben, Frau Lohmann«, Chubby zog streng seine linke Augenbraue nach oben.

»Ich kenne die Position von Herrn Heller in- und auswendig. Deswegen verzeihen Sie mir, wenn ich auf dieses parteitaktische Geplänkel nicht weiter eingehe. Wissen Sie, ich habe es so satt«, sie stockte. Ließ sich von der Erregung durchspülen, die sofort aufkam, weil sie ja einfach sagen könnte, dass sie eigentlich alles schrecklich satt hatte. Sag es einfach, Sarah, forderte ein Teil von ihr. »Ich habe es so satt, dass wir uns hinter der so genannten Verantwortung für Deutschland verstecken. Es ist doch vielmehr so ...« Sie hörte sich selbst kaum zu, hängte in einer Art Teilbewusstsein Sprachstanze an Sprachstanze. Jetzt hat sie sich wieder gefangen, würden sie morgen im Ministerium sagen, wenn sie diese Passage sahen. Die Politikerin hatte gewonnen. Und Sarah verloren.

»Noch ein Cabernet Sauvignon für Sie?« Lukas mochte diesen Kellner. Ein kleiner, rundlicher Mann mit kurz geschorenen Haaren und einem melancholischen Blick aus Bernhardineraugen.

Ist doch egal, dachte Lukas.

»Warum denn nicht. Oder warten Sie«, sagte er, »bringen Sie mir eine Flasche Navarra. Ich denke, ich mache mir einen richtig bunten Abend.« Lukas merkte bereits die drei Gläser, die er schon intus hatte. Aber er wollte unter keinen Umständen nüchtern ein Taxi bestellen.

Arme Sau, wird der Kellner denken. Versetzt worden und jetzt säuft er sich einen an. Und soll ich dir was sagen, mein bedienender Freund, du hast in jedem Punkt Recht. Sollen wir nicht lieber sagen: arme Sau, wieder mal versetzt worden. Arme Sau, die einem Phantom hinterherläuft. Meine Frau wollte mit mir essen gehen. Meine schöne Frau, die in dieser Gruft von einem Haus in Wannsee sitzt. Wir hätten nicht geredet, aber hier sage ich ja auch nichts. Keiner da, den ich fragen könnte, warum ich hier bin.

»Eine Flasche Navarra«, sagte der Kellner, »gerne.«

»Ob Sie mir auch eine Schachtel Zigaretten bringen können?«

»Natürlich. Welche Marke?«

»Marlboro. Eine Schachtel Marlboro«, Lukas spürte, dass seine Zunge bereits Navigationsprobleme hatte. Marlboro war gar nicht so leicht auszusprechen. Gleich würde er schön rauchen. Tiefe Züge. Er hatte stark geraucht. Die Qualmerei aufzugeben war sein letztes gemeinsames Projekt mit Eva gewesen. Mit Anfang 20 hatte er in der Zeitung gelesen, dass sich alles Angegriffene im Körper gesund zurückbildete, wenn man spätestens mit Erreichen des 36. Lebensjahres das Rauchen aufgab. Warum ihm gerade diese kleine Zeitungsnotiz so lange im Gedächtnis geblieben war, konnte er sich selbst nicht erklären. Aber er war stolz, als es ihm gelungen war. Genau so mochte er es, oder sich. Ein Vorsatz und dann kein Zaudern, sondern Konsequenz. Eva war es schwerer gefallen als ihm. Sie hatte noch mehr geraucht als seine täglichen anderthalb Schachteln. Lukas erinnerte sich gern an den Entzug, weil sie so viel miteinander geschlafen hatten wie nie zuvor und nie danach. »Ich kann nur noch an eine Zigarette denken« war zu einem Signalsatz geworden, bei dem sie sich, wenn es irgendwie möglich war, sofort gegenseitig an die Wäsche gingen. Es hatte funktioniert. Sie hatten es mehrere Monate beibehalten, als der Gedanke an eine Zigarette schon selten geworden war.

Der Kellner brachte die Zigaretten und öffnete die Flasche Wein. Goss einen Schluck in das große Glas, zeigte die Flasche, während Lukas flüchtig probierte und nickte. Der Kellner füllte das Glas. Lukas fand das Lächeln des Kellners mitleidig, als er »Zum Wohl« sagte.

Warum ist sie nicht gekommen? Falsche Frage. Warum hätte sie kommen sollen? Was hätte sie erwartet? Ein verheirateter Mann. Jede vernünftige Frau schüttelt es bei dem Gedanken, weil sie weiß, dass es meistens nichts zu gewinnen gibt. Ein verheirateter Mann ist gewiss nicht auf der Suche nach der nächsten Ehegelegenheit.

Nach einer idyllischen kleinen Familie. Ich bin für ihn ein Abenteuer, wenn er sich ausgetobt hat, geht er zurück zu Mutti. Die Frau ist höchstwahrscheinlich klug. Vielleicht hat sie auch erkannt, dass ich ein noch fauleres Ei bin als ein verheirateter Mann mit Abenteuerlust. Ich kann nicht glücklich sein und suche jemanden, der bitte Glück herstellt. Lukas nahm einen kräftigen Schluck des beinahe schwarzen Weins. Der macht glücklich, dachte er. Jedenfalls für einen Moment. Hoffentlich schaffe ich es, den richtigen Moment abzupassen, bevor ich nur die Säure spüre und mir schlecht wird. Er zündete sich die erste Zigarette an und glaubte es so laut knistern zu hören wie in der Zigarettenwerbung in einem Dolby-Surround-Kino. Der erste Zug nahm ihm den Atem. Weil er unter keinen Umständen husten wollte, unterdrückte er den Reflex und hatte dabei das Gefühl, es würde ihm die Augen herausdrücken.

Es wäre dennoch schön gewesen, wenn sie gekommen wäre.

Er hätte so gerne ihr Gesicht wiedergesehen. Das zum Lachen oder Strahlen gebaut schien und beides auch gleichzeitig konnte. Ein höchst bewegliches Gesicht, dachte Lukas. Er hatte es immer als angenehme Schmeichelei empfunden, wenn ihm Ausdruckslosigkeit und Undurchsichtigkeit bescheinigt worden waren. Pokerface, hatte mancher und vor allem manche gesagt. Wobei das eigentlich Starrheit bedeutete.

Taub und leblos. So hatte er alles eingerichtet. Zugerichtet. Zu Hause Wortlosigkeit. Die Angst auf der Arbeit runtergeschluckt, auch wenn ihn die Stärke des Gefühls immer wieder überraschte. Angst, so viel wusste er mittlerweile, war mehr als nur ein Gefühl. Ein natürlicher, zum Zweck der Lebenserhaltung angelegter Instinkt.

Sie konnte mich einfach nicht erreichen, genauso wenig wie ich sie hätte erreichen können. Wahrscheinlich verabredeten sich Teenager professioneller als wir beide. Seit Lukas ein 14-, 15-jähriges Mädchen beobachtet hatte, wie nur ihr Daumen beim SMS-Schreiben über die Tastatur raste, hielt er sie für talentiert, die Jugend von heute. Ich habe noch nicht mal eine Nummer in ihrem Büro hinterlassen. Schwachkopf.

Lukas steckte sich direkt die nächste Zigarette an. Lächelte zu der höchstens 25-Jährigen hinüber, die mit demonstrativer Ernsthaftigkeit in einem französischen Buch las und bereits seit mehr als einer Stunde an ihrem Tee nippte. Selbstverständlich lächelte sie nicht zurück. Wir sind in Berlin-Mitte, feixte Lukas in sich hinein und kam sich weltweise vor. Da wird nicht gelächelt. An dem Mädchen begeisterte ihn vor allem ihr straffer Busen, der sich unter der engen, ockerfarbenen Bluse abzeichnete. Die Haare, die Bluse, das Make-up, sie wird Stunden vor dem Spiegel verbracht haben, um so perfekt nachlässig auszusehen. Mich interessieren nur deine Dinger, Mädchen. Lukas gefiel sich in seiner Primitivität. Er fand, dass er jedes Recht dazu hatte. Woher sollte ein sitzen gelassener 39-Jähriger noch Grandezza nehmen? Vielleicht sollte er den Abend stilistisch eine Etage tiefer fortsetzen. Drei Straßen weiter kannte er einen relativ gepflegten Puff. Bisschen zu hell, bisschen zu viel Wolfgang-Petry-Musik, aber die Frauen waren nicht krass nuttig. Standen vor dem Gang aufs Zimmer sogar eine Viertelstunde Konversation recht sicher, wenn man nicht zu viel erwartete. Dann muss ich wieder den Gestörten geben, wenn ich ihn nicht hochbringe. Muss Probleme erfinden und das vorgetäuschte Verständnis einer Nutte ertragen, die vor allen Dingen das Geld unter keinen Umständen zurückgeben will. Vergiss es, sagte er sich selbst. Er hatte nur Lust auf diesen dunklen Wein. Und die Zigaretten. Stellte sich die heiße Sonne vor, in der die Weintrauben gewachsen waren. Der Wein würde Sarah Lohmann ausspülen. Morgen früh wäre von ihr nicht mehr übrig als dröhnende Kopfschmerzen.

Die Kopfschmerzen waren noch nicht da.

Lukas befand sich noch in einem schmerzfreien Nebel-reich. Er schmatzte dem Schlaf nach, als könnte er ihn mit den Lippen aufhalten. Seine Zunge fühlte sich pelzig an, im Hals wähnte er einen zähen Schleim. Wie damals, als ich noch Raucher war, dachte er. Dann fielen ihm Zi-garetten ein, die er geraucht haben musste, denn dieser leichte Druck auf der Lunge war da. Als wollte seine Lunge ihm sagen: Wenn du tief einatmest, besorge ich dir einen röchelnden Hustenanfall, der sich gewaschen hat. Lukas atmete flach. Viel Alkohol. Denn nur nach sehr viel Alkohol funktionierten seine Augen nicht mehr im Autofokus-Modus. Er bildete sich ein, selber scharf stel-len zu müssen. Er fixierte seine Schlafzimmerlampe. Ein hässlicher Ballon aus Papier. Ein Erwachsenenlampion, der statt einem St.-Martins-Lied nur »Ikea, Ikea« vor sich hin sang. Lukas hielt inne. In meinem Schlafzimmer hängt kein Ikea-Ballon. In Evas schon gar nicht. Warum sollte ich auch in Evas Schlafzimmer liegen, da habe ich noch nie geschlafen.

Lukas schloss die Augen und bedauerte, dass sich alle Sinne auf hundert Prozent hochfuhren. Er roch etwas. Einen fremden Geruch. Ein angenehmer Geruch, nach Frau. Er öffnete die Augen wieder, setzte sich auf den Unterarmen auf. Der Feuerwehrhelm war da. Wenn er sich bis zur Sturztrunkenheit besoffen hatte, entwickelte

Lukas ein Schädelbrummen, das sich von der Stirn über die Kopfmitte bis etwa zu dem Punkt erstreckte, wo der Nackenschutz von Feuerwehrhelmen endete. Ohne Aspirin würde er die ersten Stunden dieses Tages nicht als aufrecht gehender Mensch verbringen können. Du hast dich in ein vorsteinzeitliches Stadium zurückgetrunken, du Penner. Als wäre das noch nicht genug, hast du dich auch ganz schwer in der Höhle geirrt. Kapitän Winninger ist abgestürzt, dachte er und kam sich sofort albern vor. Selbstverständlich war er auch mit der post-alkoholischen Euphorie vertraut. Der kichernden Unbeschwertheit, diesem Nach-Rausch-Rausch, der sich unangenehm rasant in einen schweren Blues verwandelte. Wo bin ich, wo könnte ich denn nur sein? Er versuchte sich zu erinnern. Die Flasche Navarra. Zigaretten habe ich mir bestellt. Irgendwann war die Flasche leer. Der rundliche Kellner, der mir zeigt, wo es zur Toilette geht, und mich mit Besorgnis ansieht, weil ich hektisch bin. Dann sitze ich wieder am Tisch, habe diesen säuerlichen Geschmack im Mund und denke an Averna. An Orange und Eis und Magenberuhigung. Danach kommen keine aussagekräftigen Bilder mehr in mein Gedächtnis.

Lukas sah zu einem Fenster auf, dessen Fensterbrett die übliche Beckenhöhe hat. Ich liege sehr niedrig, stellte er fest. Weil ich auf einer Matratze liege. Ohne Bettgestell. Zu meiner Linken steht eine kleine Lampe auf dem Boden, daneben liegt ein Buch von Stefan Zweig. »Joseph Fouché – Bildnis eines politischen Menschen«. Kenne ich nicht, Herrn Fouché. Daneben liegt eine geöffnete Schachtel Kondome. Das war ich nicht, das kann nicht sein, denkt Lukas. Das habe ich niemals hinbekommen. War sich aber auch nicht wirklich sicher. Seine Pulsuhr hätte im oberen Alarmbereich angeschlagen. Er lag unter einer Decke, die man üblicherweise auf einem Sofa fand. Von anderer Qualität als die billige kleine Lampe und der Altpapierballon an der Decke. Sie fühlte sich auf der Haut angenehm an. Auf der Haut. Denn ich trage nur meine Unterhose. Lukas ließ sich auf das Kopfkissen zurückfallen und blickte an die Decke. Da oben hatte jemand mit ganz ordinären Klebestreifen den Abschnitt eines Posters hingeheftet. »Wir machen nicht alles anders, aber vieles besser«, stand da. Schöne Idee, dachte Lukas. Er musste an den Fernsehproduzenten denken, mit dem er an irgendeiner Bar ins Gespräch gekommen war. »Ich habe einen Spruch an der Decke, den man nur lesen kann, wenn man auf meiner Besetzungscouch liegt. Er lautet: ›Das nützt dir gar nichts, Schätzchen‹.« Danach hatte er sein Asthmalachen röcheln lassen.

Die entspannte Lage seines Kopfes auf dem Kissen erleichterte das Denken. Ich habe auf Sarah Lohmann gewartet und sie ist nicht gekommen. Am Nebentisch saß diese junge Frau mit dem französischen Buch und dem aufragenden Busen unter der braunen Bluse. Neben diesem Bett liegt ein Buch über einen offenbar berühmten Franzosen. Ich habe dieses junge Ding rumgekriegt und bin ganz offensichtlich in ihrer Studentenbude. Nicht schlecht, Winninger, nicht schlecht, applaudierte er sich selbst. Wahrscheinlich macht sie nebenan gerade Kaffee, den rieche ich nämlich. Sie trägt dabei maximal ein langes Schlaf-T-Shirt. Gleich wird sie mit einem Tablett hereinkommen. Dann muss ich zwei wichtige Dinge erreichen. Erstens: Sie muss dieses T-Shirt ablegen, damit ich sofort diese Wunderdinger bei Bewusstsein sehen und anfassen kann. Zweitens: Ich muss ihren Namen herausbekommen, an den kann ich mich nämlich beim besten Willen nicht erinnern. Jetzt hörte er Schritte. Allerdings den harten Tritt von Schuhen. Das passt nicht zu der T-Shirt-Lässigkeit nach dem Aufstehen.

Den Namen müsste er nicht herausfinden, dachte er, als sich eine Gestalt in der Tür des Zimmers abzeichnete. Sie hatte sich schon vorgestellt, im Flugzeug.

»Guten Morgen, Herr Winninger, war ich zu laut?«, fragte Sarah Lohmann. Sie sprach beinahe schüchtern, jedenfalls viel weniger bestimmt als im Flugzeug.

Er schüttelte den Kopf und wusste nichts zu sagen.

»Ich habe Kaffee in der Küche, wenn Sie wollen«, sagte sie und räusperte sich.

»Ja, gern«, sagte Lukas. Sie verschwand aus der Tür, und er sah sich nach seinen Klamotten um. Nur ohne System gestapelte Bücher, auf denen alles Mögliche stand oder lag. Schmuck, eine Aktentasche, sogar ein Paar Schuhe. Aber keine Spur von seinen Klamotten. Er stand auf, um sich einen besseren Überblick zu verschaffen. Sein Becken schmerzte auf der linken Seite. Kaum eine Alkoholfolge. Das linke Knie ließ sich nur beugen, weil Lukas einen stauchigen Schmerz überwand. Nichts, was nach seiner Hose oder seinem Hemd aussah. Allerdings sah er in der Nähe der Tür seine Schuhe. Er zog sie an, fühlte sich aber immer noch unbekleidet. Lukas nahm die Decke vom Bett und hängte sie sich um.

So trat er in den Nebenraum. Sie saß an einem Campingtisch. Darauf lag ein kleiner Stapel mit Zeitungsfetzen, ein Aschenbecher und eine große Tasse. Auf der Fensterbank stand ein alter Radiokassettenrekorder mit weißen Farbklecksen, eine Art Baustellenradio. Eine sonore Stimme sprach, es klang wie InfoRadio, war es aber nicht, denn es war keine ihm vertraute Stimme. Sie sah zu ihm auf. Es arbeitete in ihrem Gesicht. Sie rang offenbar ihr wunderbares Lachen nieder, hatte aber keine Chance. Sie sah an ihm herauf und herunter und gluckste.

»Sie sehen toll aus«, freute sie sich und nickte bestätigend, »ganz toll.«

Dann sah sie ihm direkt in die Augen. Er blickte zurück. Das muss ein Honigkuchengrinsen sein, das sich in meinem Gesicht ausbreitet, dachte er, aber es ist mir egal. Ihm wurde warm, die Decke hatte damit nichts zu tun. Es ist keine Decke, es ist eine Toga, bildete er sich für einen übermütigen Moment ein.

»Kaffee?«, fragte sie, ohne den Blick zu lösen.

»Dürfte ich ... würden Sie ... vielleicht könnte ich ...«, ich muss nochmal neu ansetzen, da war Lukas sicher.

»Ob Sie ins Bad dürfen? Selbstverständlich.« Herbergsmutter Lohmann weist den Gast ein, denn in Decken gewickelte Gäste sind ihr täglich Brot, »ich habe Ihnen zwei Handtücher hingelegt und eine Zahnbürste.«

Jetzt nickte sie ihm aufmunternd zu, als wolle sie sagen: Du darfst mich gleich wieder ansehen, wenn du dich gewaschen hast.

Das Badezimmer war für die kleine Wohnung ungewöhnlich geräumig. Mit einem großen Fenster. Vor dem baumelten seine Hose und sein Hemd. Beides dunkel vor Feuchtigkeit, wie frisch gewaschen. Auf der Waschmaschine zwei Radios, auf allen Ablagen ein unübersichtliches Gewirr von Parfumflakons, Cremetöpfchen, Nagellackfläschchen. Während er sich die Zähne putzte, inspizierte er das Gewirr. Auf der Suche nach verräterischen Kleinigkeiten. Medikamente, vielleicht Stimmungsaufheller. Oder ein hastig liegen gelassener B-Test. Hatte er in anderen Frauenbadezimmern alles schon gesehen, wäre keine Überraschung. Hier fand er nichts. Abgesehen davon, dass Sarah Lohmann eine Schwäche für Epiliergeräte hatte. Die Dusche stellte Lukas vor Probleme. Die kalkige Mischbatterie gab ihm das Gefühl, nicht willkommen zu sein. Sie ließ ihm nur die Wahl zwischen siedend heiß und eiskalt. Mit der Geduld eines Tresorknackers schob er den Hebel so sachte hin und her, bis er die einzige Einstellung gefunden hatte, die angenehmes Wasser aus dem Duschkopf kommen ließ. Sein Körper, in dem immer noch eine Menge Alkohol unterwegs sein musste, verstand das Prickeln des warmen Wassers auf der Haut offenbar falsch. Sein Schwanz begann sich aufzurichten. Der Gedanke an die Frau, die ein paar Schritte entfernt in der Küche saß, beschleunigte die Sache. Lukas schob den Hebel in Richtung kalt und schrak viel schneller zusammen, als er erwartet hatte. Die Handtücher rochen angenehm blumig, waren aber nicht so weich wie zu Hause. Effektiver als die kalte Dusche, der Gedanke an das Haus in Wannsee. Wenn er nachts nicht nach Hause kam, bereitete er für Eva bulletinartig irgendeine Legende vor. Die sie logischerweise niemals hinterfragte. Auch egal, dachte Lukas abrupt. Was soll schon passieren, sie redet ohnehin nicht mehr mit mir. ›Wollen wir essen gehen?‹, er atmete durch.

Er fühlte an Hose und Hemd. Zu feucht, unmöglich, die Klamotten anzuziehen. Er stieg in die Unterhose und hängte sich wieder die Decke um. Versuchte aber, das Teil in eine akkurate Form zu zupfen. Soweit das möglich war.

Als er wieder in die Küche kam, sah sie ihn neugierig an. Beinahe erwartungsvoll, als habe sie einen männlichen Tabledancer bestellt, der gleich seine beste Nummer bietet, die ›Ich-schäle-mich-aus-der-Sofadecke‹-Vorstellung.

Der Geruch einer weiteren Zigarette lag in der Luft. In

seinen Rauchtagen hatte ihn spätestens die zweite Morgenzigarette wieder in einen dämmrigen Zustand versetzt, in dem er sich sofort wieder hätte hinlegen wollen. Sie wirkte noch wacher, die Augen blitzten förmlich.

»Sie haben meine Sachen gewaschen«, Lukas stand im Raum, unschlüssig, ob er sich auf den zweiten Campingstuhl setzen sollte.

»Das war bitter nötig«, sie täuschte Ernst vor, als würde eine grausige Offenbarung folgen.

»Warum?« Lukas räusperte sich unnötigerweise.

»Ich hatte Sie an die Laterne vor dem Haus gelehnt, weil ich meinen Schlüssel aus der Tasche kramen musste. Die Laterne war zu schmal, um Sie zu halten.«

»... und dann bin ich längs auf die Straße geschlagen ...«

Sie biss sich auf die Unterlippe und nickte bestätigend.

»Wobei richtiger wäre zu sagen: Sie sind seitlich in Zeitlupentempo weggesackt.«

»Und wie haben Sie mich hier hochbekommen, wir sind doch wohl im ersten Stock?«

»Es ist nur Hochparterre.«

»Aber trotzdem sind es doch wohl einige Stufen ...«

»Wenn Sie es wirklich wissen wollen: Über mir wohnt ein sehr nettes Studentenpärchen. Die beiden haben mitangefasst.« Sie versuchte sachlich zu klingen, aber die sich immer wieder hochziehenden Mundwinkel verrieten, dass sie die Szene noch im Nachhinein sehr amüsierte.

»Und dann haben wir ...«

»Von ›wir‹ kann keine Rede sein, Herr Winninger. Sie waren dreimal so schwer wie mein Rollkoffer für eine dreiwöchige Reise. Und mindestens genauso willenlos.

Sie sind nur für einen kurzen Moment zu einer Art Bewusstsein zurückgekehrt und haben mir gesagt, dass ich eine großartige Frau bin und Sie mich unendlich begehren.«

»Habe ich wirklich …«, Lukas spielte seine Verlegenheit nur.

»Nein, haben Sie nicht. Ich hätte getippt, dass Sie Ihr Sprachvermögen erst heute Abend gegen 18 Uhr wieder erlangen«, sie lächelte ihn immer noch an. Er setzte sich auf den Stuhl und sie nippte an ihrer Tasse.

Sie trug ein weißes T-Shirt, das wegen seines edlen Stoffes nach mehr aussah als nur T-Shirt. Wenn sie das Haus verließ, würde sie es unter dem Jackett des Anzugs verbergen. Der V-förmige Ausschnitt würde aber auch dann den Blick auf den Ansatz ihrer Brüste freigeben. Ihre Haut war hell. Eben und gesund, als würde sie leicht und schnell braun werden. Lukas spürte es schon wieder, ohne das kalte Wasser zur Hilfe nehmen zu können. Das eintretende Schweigen und ihr nicht weichender Blick wirkten verstärkend.

Lukas konnte sich nicht erinnern, wann es ihm zuletzt so leicht gefallen war, einfach vor sich hin zu lächeln. Er konnte sich auch nicht erinnern, jemals einen Satz gesagt zu haben wie den, der das Schweigen unterbrach:

»Ich begehre Sie unendlich, Frau Lohmann.«

In ihrem Gesicht stieg eine leichte Röte auf, der Blick blieb aber fest und ohne jede Verunsicherung.

»Wenn Sie mir versprechen, dass Sie nicht mehr Frau Lohmann zu mir sagen, kriegen Sie einen Kaffee«, sagte sie leise.

Lukas spürte Enttäuschung, dass er nur für einen Kaffee pathetisch geworden war.

»Den kriegst du aber ohnehin erst später«, sagte sie.

Lukas brauchte einen Moment, um den Satz mit seiner vollen Wucht in den Raum plumpsen zu hören. Dann stand er auf, und es war nur gut, dass die Decke schnell von seinen Schultern rutschte.

»Ich glaube, es war schön. Aber war es schön genug, was meinst du?« Sarah lag auf der Seite, hatte den Kopf aufgestützt und streichelte mit der linken Hand über sein Brustbein. Sie mochte den Widerstand der drahtigen Brusthaare.

»Das ist ein Fass, das wir dringend aufmachen sollten, was meinst du?« Er drehte den Kopf zu ihr hin, um seine Worte mit einem sehr entspannten Schmunzeln zu unterstreichen.

Er begreift schnell, freute sie sich. Hat sofort durchschaut, dass ich ihn mit der klassischen Mädchendiskussion nach dem Sex nur provozieren wollte. Sie küsste ihn auf den Mund. Während sie ihn noch küsste, dachte sie an Mascarpone-Creme. Weil es ihr mit seinen Küssen genauso ging. Wenn sie die ersten drei Löffel genommen hatte, fürchtete sie sich vor dem Moment, in dem die Schüssel leer sein würde. Wahrscheinlich ist in genau einem solchen Moment, während eines Mascarpone-Kusses, die Formulierung »bis ans Ende unserer Tage« entstanden.

Es war völlig klar, dass auch schöne Küsse auf Dauer ihren Zauber verlieren. Bei diesen Lukas-Küssen würde das anders sein. So schön wie von ihm war sie noch nie geküsst worden. Dachte sie und wünschte sich beinahe gleichzeitig eine Löschtaste für den Gedanken. Wie hatte sie sich auf den Hochzeiten von Freunden und Bekannten vor genau diesen Sätzen geekelt. ›So schön geküsst wie nie‹, ›dann hat es einfach gefunkt, und ich wusste, er ist der Richtige‹, ›da waren wir uns einig, dass wir uns genug ausgetobt haben, und haben beschlossen, auf die Langstrecke zu gehen‹. Die Langstrecke bemühten vor allem die Freundinnen, die Ausdauersport als Quasi-Religion betrieben. Zuerst, um durch wegschmelzende Kilos attraktiver zu werden, und später, nach der Heirat, um ihre Libido auszuschwitzen. Keine Superlative, keine Vergleiche, vor allem keine Einordnung in meine persönlichen Hitparaden. Das hatte sie sich in der letzten Nacht vorgenommen. Als Lukas endlich im Bett lag und ihre Muskeln vor Erschöpfung zitterten. Wäre sie ihrer Stimmung gefolgt, hätte sie »Love Shack« von den B 52's so laut gemacht, dass der herzkranke West Highland Terrier ihrer Nachbarin definitiv den Löffel abgegeben hätte.

Eigentlich hätte sie Champagner öffnen müssen, aber selbstverständlich stand im Kühlschrank nur der gammlige Möhrensaft. Als anklagender letzter Zeuge ihres Vorhabens, ein gesundes Leben zu führen, das sie in der Politik an die Positionen brachte, die nur junge, topfitte Menschen einnehmen konnten.

Dann eben Tee. Davon war mehr als genug da, denn in ihrem Bekanntenkreis hielt sich das unausrottbare Missverständnis, dass Sarah notorische Teetrinkerin sei.

Die Berg- und Talfahrt des Tages hatte auf dem Gipfel geendet, ein Symbol musste her. Also nahm sie den neun Monate alten Weihnachtstee zur Hand, da stand nämlich »Festzauber« drauf. Der sich ausbreitende Zimtgeruch erinnerte sie auch an die Schattenseiten des Weihnachtsfestes, aber von ihrem Hoch bekam sie in der vergangenen Nacht auch kein kleiner Ekel herunter.

Er war noch da. Sie hatte noch nicht verloren, ganz im

Gegenteil. So viel Superlativ musste sein: Sarah hatte sich noch nie vorher in ihrem Leben so sehr über einen beinahe bewusstlos betrunkenen Mann gefreut. Nur kurz ätzte das schlechte Gewissen. Sie würde diesem Fernsehredakteur eine Entschuldigungskarte schreiben müssen. »Nein, mit Ihnen pumpe ich jetzt keinen Tinto mehr ab. Ich will hier nur noch weg«, hatte sie ihn angeschrien. Im Taxi musste sie an ihre hässliche Wohnung denken, in der sie gleich sitzen würde, wenn sie nur der Vollständigkeit halber im »Café Maurer« vorbeigeschaut hätte. Sie hatte keinen Schimmer, wie sie aus diesem Stimmungsloch herauskommen sollte. Vielleicht sollte ich kiffen, oder koksen, dachte sie. Hatte sie schon jahrelang nicht mehr gemacht. Aber sie würde gewiss nicht den Antrieb haben, auch noch in den Absturzbuden vorbeizugehen, wo sie das nötige Zeug bekäme. Wie lächerlich wäre ein Näschen Koks gewesen gegen das natürliche High, das sich einstellte, als sie ihn sah. Er bot ein jämmerliches Bild. Vornübergebeugt. Mit deutlichen Koordinationsstörungen, denn er schaffte es nur mit Mühe, die Zigarette noch zum Mund zu führen. Außerdem stand er unter besonderer Beobachtung des Kellners. Der befürchtete wohl Schlimmes. Lukas weinte. Zwar beinahe geräuschlos, aber doch so stark, dass sein Gesicht regennass wirkte. Er bemerkte sie erst, als sie nur noch einen Schritt entfernt vor ihm stand. Dann hob er den Kopf und lächelte sie an. Erlöst, hätte sie in der dramatischen Stille der Nacht gesagt. Jetzt, bei Tag, auch an diesem ganz und gar ungewöhnlich verlaufenden Vormittag, tat es vielleicht auch ein »zufrieden«. Aber er hatte geweint. Vorsicht Sarah: Superlativ. Auch da konnte sie sich nicht aktiv an einen Mann erinnern, der seinen Gefühlen für sie so stark Ausdruck gegeben hätte.

»Das hat er alles getrunken?« Es klang wie das Entsetzen einer Ehefrau über den entgleisten Ehemann, als sie die Rechnung sah.

Der Kellner nickte mitleidig. Lukas hatte Wein und Schnaps im Wert von 130 Euro im Leib.

Der Mann, der in diesem Moment seine feste Hand auf ihren Bauch legte, hatte ihretwegen geweint. Sie legte ihre Hand auf seine und umschloss sie.

»Weinst du oft?«, fragte sie ihn. Sie hatte den Kopf auch wieder auf das Kissen gelegt und sie lagen so nah beieinander, dass sich ihre Nasenspitzen fast berührten.

»Weswegen?«

»Du sollst mir keine Gegenfrage stellen. Also: Weinst du oft?«

»Nein, Sarah, wieso denn? Mache ich auf dich einen so dermaßen verstörten Eindruck, dass ich sonst nur am Heulen bin? Ich kann mich nicht erinnern, wann ich das letzte Mal geweint habe.«

Ich aber, dachte sie. Sie fuhr mit dem Zeigefinger die Linien seines Gesichts nach. So leicht, als würde sie es mit einer Feder tun. Er schloss die Augen. An den Wangen zeichnete sie die Linien nach, wo ihm in der Nacht die Tränen entlanggelaufen waren.

Er küsste den Finger: »Darf ich auch mal was fragen?«

»Ja, meinetwegen gern, so lautet die Antwort.«

»Wem gehören die Kondome neben dem Bett?«

»Mir. Wolltest du das wirklich wissen, oder hast du eine andere Frage, die dich mehr interessiert, die du dich aber nicht zu stellen traust?«

»Na ja, die Schachtel sieht noch recht neu aus, und da dachte ich.«

»Da dachtest du: Mann, bei der geht's aber ab.«

»Nein, ich dachte, vielleicht ist sie ja mit jemandem zusammen und der kommt irgendwann vorbei und dann ...«

»Und dann?«

»Dann müssen wir zu dritt in diesem Bett liegen, das wäre dann wohl doch eng.«

»Ich kann dich beruhigen, es kommt niemand. Ich übrigens leider auch nicht, weil du zwar einen Alabasterleib hast, aber ein grottenschlechter Liebhaber bist.«

»Du machst mir nichts vor, du hast heute Vormittag bereits die zwei schönsten Höhepunkte deines Lebens haben dürfen. Wenn du möchtest, ist jetzt der richtige Zeitpunkt, ›Danke, Lukas‹ zu sagen.«

»Danke, Lukas. Muss ich mich auch bei den Männern sofort bedanken, an die ich gedacht habe, während ich kam? Dann müsste ich nämlich eben schnell ein paar Telefonate erledigen.«

»Also hast du doch einen Freund?«

»Warum muss es denn ein Freund sein? Vielleicht bin ich bisexuell und lebe parallel in einer Liebesbeziehung mit einer Frau aus der CDU-Fraktion? Oder ich bin verheiratet. Mit einem afrikanischen Mann. Von denen habe ich bisher jedenfalls die meisten Anträge vorliegen. Oder bin ich am Ende die Mätresse des Bundeskanzlers? Dann würdest du beim Verlassen dieser Wohnung sogar verhaftet. Lukas, du hast dich mit einer völlig fremden Frau eingelassen, ist dir das überhaupt klar?«

»Ja, ich fürchte, du hast Recht. Ich sollte meine Sichtweise auf dich ändern.«

»Wie meinst du das?«

»Dreh dich bitte um.«

»Ich finde, du weichst der Diskussion aus.«

»Magst du nicht?« Sie mochte es, wenn sie ihn verunsicherte. Sie merkte es an der Vorsicht in seiner Stimme.

»Ich gebe dir noch eine Chance, mich zu überzeugen«, sagte sie, küsste ihn und drehte sich um.

Sie sah Hugo sofort. Er saß mit kümmerlicher Miene vor einer Tasse Tee. Sie küsste ihn flüchtig auf beide Wangen und setzte sich zu ihm.

»Was hast du bestellt?«, fragte sie ihn aufgedreht.

»Nichts.«

»Wieso denn das nicht? Du liebst doch diesen Laden.«

»Das ist richtig. Ich werde hier auch weiter essen, wenn es vorbei ist.«

»Was vorbei ist?« Na toll, dachte Sarah, einmal läuft etwas goldrichtig, dann brechen die anderen Stützen weg. Hoffentlich sagt er mir jetzt nicht, dass er ein attraktives Jobangebot hat.

»Frag bitte nicht weiter.«

»Wenn was vorbei ist, Hugo?« Sie versuchte, Schärfe in ihre Stimme zu legen. Gelang ihr aber nicht.

»Gut, wenn du es wirklich wissen willst. Ich habe die Frikadelle gegessen, die du, allerliebste Sarah, in unseren Bürokühlschrank gelegt hast. Die war offenbar aus einem alten Brötchen und gehackten Salmonellen hergestellt. Möchtest du, dass ich dich jetzt über die Details auf den neuesten Stand bringe, Chefin?«

Sarah presste die Lippen aufeinander.

»Ich finde das nicht zum Lachen«, er klang wieder so stark nach Kermit, dass Sarah ihr Lachen nicht mehr unterdrücken konnte.

»Gut, liebe Sarah. Wo wir gerade bei Dingen sind, die dich gut drauf bringen: Sag mal, bist du eigentlich gerne Parlamentarierin?«

Sarah bestellte auch einen Tee. Auf die Frage von der Theke, ob sie essen wollte, schüttelte sie energisch den Kopf. Sie hatte über den weiteren Verlauf des Tages recht präzise Vorstellungen, deswegen musste sie unter allen Umständen einen orientalischen Atem vermeiden.

»Nehmen wir die Antwort, die deinen Arbeitsplatz sichert: Ja, ich bin gerne Parlamentarierin.«

»Das ist schön zu wissen. Wie lange beabsichtigst du denn noch für die SPD im Bundestag zu sitzen?«

»Hugo, was soll die Fragerei. Sag mir, was es zu besprechen gibt.«

»Nur damit du weißt, dass es völlig in Ordnung ist, wenn du dir in einer Woche wie dieser mal eine wohlverdiente Auszeit nimmst, habe ich diese Liste angefertigt.«

Er hielt einen DIN-A4-Zettel hoch, der beidseitig eng beschrieben war.

»Das sind die Anrufe, die gestern Vormittag aufgelaufen sind, als du nicht erreichbar warst«, er zeigte auf einen Punkt, etwas tiefer als die Hälfte der ersten Seite.

»Der Rest sind die Anrufer, die bis vor einer halben Stunde etwas von dir wollten. Mit Ausrufezeichen habe ich die vier Anrufe aus dem Ministerbüro markiert. Und die Brüllattacken des Fraktionsvorsitzenden gestern einmal und heute bereits zweimal. Er wollte sich von mir nicht helfen lassen. Wiederholte stattdessen mehrfach: ›Was glaubt diese Frau eigentlich, wer sie ist?‹«

Hugo erwartete sichtlich eine Wirkung seiner Worte. Sarah war froh, dass sie heute Morgen den Telefonstecker gezogen hatte.

»Das kann bis morgen warten. Hat Claudia aus Frankfurt angerufen?«

»Nein, hat sie nicht. Dafür hatte ich Herrn Bigombe dran. Ich musste die Ausrede mit der plötzlich unterbrochenen Leitung nehmen.«

Die beiden sahen sich an. Während der paar Schritte zum »Falafel Ufo« waren ihre Knie weich gewesen. Es war, als würde sie beim Gehen permanent gekitzelt. Momentan war ihr, als habe sich dieser Effekt auch in ihrem Kopf breit gemacht. Sie hatte im Spiegel gesehen, was sie ohnehin spürte. Ihr Gesicht glühte. Von Bartstoppeln. Von seinem Bart! Für das Lächeln, das sie Hugo herüberwarf, gab es keinen vernünftigen Grund. Sie hasste seine Liste. Aber sie mochte diesen Mann. Es war mehr als mögen. Die dunklen Ringe unter den Augen hatte er ihretwegen und für sie. Für seine Blässe galt das Gleiche. Allerdings hätte sie ihn von der Frikadelle abgehalten, in diesem Punkt war er mitverantwortlich.

Jetzt lächelte er zurück, und seine Grübchen ließen ihn als den jungen Mann aussehen, der er war. Er nickte.

»Ist es schön? Was immer es ist?«, fragte er.

»Hugo, es ist … es ist einfach, hach.«

»Aha. ›Hach‹ ist es«, er nickte wieder.

Sie trank von ihrem Tee. Schon wieder Tee, dachte sie.

»Einmal darf ich, oder?«

»Was darfst du?«

»Einmal raten.«

Sie täuschte eine Abwägung vor und nickte dann.

»Du brauchst die Nummer von Lukas Winninger nicht mehr, oder?«

Es ist wie auf Dróge, dachte sie innerlich kopfschüttelnd. Aber jetzt strahlte sie vermutlich flutlichtartig.

Weil sie sich selber unzurechnungsfähig erschien, senkte sie den Kopf und sah auf ihren ausgedrückten Teebeutel.

»Nein«, murmelte sie, »wie hast du die denn rausbekommen?«

»War kompliziert. Aber wäre langweilig zu erzählen.«

Sarah sprang hastig auf.

»Das war es, oder?«

»Wenn du mir versprichst, dass du im Ministerium und bei der Fraktionsgeschäftsstelle anrufst, dann war es das. Kommst du morgen?«

Sarah hätte am liebsten verneint. Aber sie nickte matt.

»Du könntest dich auf mich freuen, denn ich werde da sein. Und dir eine Frikadelle warm machen, meine Teure.«

Sie beugte sich herunter, umarmte ihn und küsste ihn fest auf die Wange.

»Un murmur, qui prends la bouche pour oreille«, sagte er.

»Was heißt das?«

»Ein Flüstern, das den Mund statt des Ohres nimmt. Über den Kuss, aus ›Cyrano de Bergerac‹. Brauchst du vielleicht noch.«

Wieder strahlte sie ihn an.

»Du bist großartig«, sagte sie und fand sich lächerlich, weil sie bereit war, sofort Rührungstränen zu vergießen.

Er deutete ihr an, sie möge verschwinden.

Hugo trank einen Schluck Tee und sah auf den kleinen Notizzettel, den er in der Hand hielt. Lukas Winningers Telefonnummer in Wannsee.

Noch vor Sarahs Anruf, dass sie nicht ins Büro kommen würde, hatte er die Nummer gewählt. Eine angenehm warme Frauenstimme hatte sich gemeldet.

Nein, Lukas Winninger sei nicht zu sprechen. Ihr Mann sei außer Haus, hatte die schöne Stimme gesagt. Hugo wusste nun, wo ihr Mann war. Er zerknüllte den Zettel, es tat ihm Leid.

»Einschläfern, verdammt nochmal«, zischte Lukas halblaut.

Zu leise für Sarah: »Was hast du gesagt?«

Der Rottweiler stand fünf bis sechs Menschenschritte
entfernt und sah die beiden an. Sarah schien den Hund
gar nicht zu beachten. Lukas verlangsamte seinen Schritt.
Versuchte aber, seine Gänsefüßchenschritte wie ein lässi-
ges Schlendern aussehen zu lassen.

»Nichts«, gab er ihr zur Antwort, ließ den Hund dabei
nicht aus den Augen.

Kein Herrchen oder Frauchen zu sehen. Wie immer,
Lukas spürte die gewohnte Wut aufsteigen. Wie oft hatte
er aus einem angenehm selbstvergessenen Lauftrab jäh
abstoppen müssen, weil sich eine dieser Bestien zeigte.
Wie kann ein geistig gesunder Mensch ein liebesähnliches
Gefühl zu einer Kreatur entwickeln, die nur auf der Welt
ist, um riesige Haufen auf Straßen zu kacken, an jedwedem Unrat zu riechen oder mit Killerzähnen ein sab-
berndes Terrorregime in jeder Grünanlage zu errichten?
Acht Stunden hatte er an einem Sonntag in verschiedenen
Krankenhäusern verbracht, nachdem ein Kollege von einer Promenadenmischung gebissen worden war. Tetanus,
Tollwutimpfung und eine offene Wunde, die nicht genäht
werden darf, weil die Infektionsgefahr nach einem Hun-
debiss sehr groß ist. Sein Zorn war in solchen Momenten
grenzenlos, Zorn auf alle und alles. Die Stadt Berlin, die

sich selbstverständlich auch um leinenlose Hunde nicht kümmerte. Die idiotischen Halter, die noch idiotischeren Tierschützer, die keinen Kampfhund eingeschläfert sehen wollen, selbst wenn er gerade ein Kind gerissen hat. Der einzige Gedanke, der ihm eine gewisse Beruhigung verschaffen konnte, war seine Laderaum-Phantasie. Ein ganzer Flugzeugbauch voller Hunde. In 10 000 Meter Höhe öffnet Lukas in dieser Phantasie die Laderaumklappe, möglichst mitten über dem Mittelmeer. Lukas war mittlerweile stehen geblieben, Sarah auch. Sein interessierter Blick in die Baumkronen konnte sie nicht täuschen. Zumal er in sehr kurzen Abständen immer wieder den Blick senkte und den Rottweiler fokussierte.

»Du musst sie ignorieren«, sagte Sarah mit verständnisvoller, weicher Stimme.

»Wie bitte?«, gab er unnötig scharf zurück.

Der Rottweiler versetzte sich in einen leichten Trab, kam auf Lukas und Sarah zu. Sein Halsband klingelte. Wie immer, schrie Lukas innerlich, wie immer. Es klingelt süßlich, als käme ein drolliges Alm-Lämmchen herbeigeeilt.

»Du musst Hunde entweder ignorieren oder ihnen sonst wie klar machen, dass sie dir keine Angst machen.« Sehr aufgeräumt, sehr sachlich, fand Lukas. Vor allem kurz bevor dieser wunderschöne Nachmittag in einer Hundebeißerei endet. Lukas sah sich nach einem großen Knüppel um. Wäre er in seinen Laufklamotten unterwegs, könnte er zum Pfefferspray in der Seitentasche greifen.

Lukas spannte alle Muskeln an, denn der Hund hatte sie erreicht. Ich muss sie beschützen, vielleicht sollte ich mich sofort auf den Köter werfen, dachte Lukas. Dann drücke ich ihm das Maul zu und den Kopf nach hinten, bis ein deutliches Knackgeräusch zu hören ist. So hatte er es auf einer Internet-Seite gelesen, die sich nach der Sucheingabe: »hunde+verteidigung« zeigte.

Sarah beugte sich hinunter und kraulte die Bestie hinter dem Ohr. Der Hund drängte sich dichter an ihr Bein, so als solle sie unter keinen Umständen damit aufhören.

»Na, du bist ja ein ganz Feiner, ein ganz Feiner bist du«, zwitscherte sie dem mindestens 65 Kilo schweren schwarzbraunen Brocken zu. Lukas war auch jede Form von Dialog mit einem dieser behaarten Darmwesen ein Gräuel. Allerdings war er ganz froh, dass er um den Zweikampf herumgekommen war.

In einiger Entfernung war jetzt eine Frau zu erkennen, die rief. Als sie näher kam, sah Lukas, dass sie eine Leine in der Hand hielt. Sie rief »Robert« und »Robert, kommst du her«. Der Angesprochene kümmerte sich nicht weiter darum, sondern versuchte sich für das Kraulen erkenntlich zu zeigen, indem er Sarahs freie Hand leckte.

»Robert, du Schmuser. Hast du dich schon wieder eingeschmeichelt?«, sagte die Frau, als sie Sarah, Lukas und ihren Hund erreicht hatte. Lukas schätzte die Frau auf Mitte 50. Sie trug einen teuer wirkenden, beigefarbenen Kurzmantel. Auch ihre Haare machten den Eindruck, als würden sie mindestens dreimal in der Woche von einem Nobel-Friseur in Charlottenburg zurechtgelegt.

»Darf ich Sie daran erinnern, dass es in Berlin eine Leinenpflicht für große Hunde gibt?« Lukas kam sich vor wie ein verklemmter preußischer Bürokrat, was ihm aber gleichgültig war. Noch lieber hätte er gesagt: ›Sie wissen, dass wir Ihren Hund jetzt mitnehmen müssen?‹

Die Frau sah ihn nicht an, sondern half jetzt Sarah, das Vieh zu streicheln.

»Mein Robert ist doch ein ganz Lieber«, sie klang ausgeglichen, gütig und warm, wie eine liebenswürdige Omi aus der Keks-Werbung.

Das spielt überhaupt keine Rolle, wollte Lukas laut sagen und dann die gefährdeten Kinder ins Spiel bringen, oder sich ganz generell in Rage reden. Aber Sarah kam ihm zuvor.

»Robert ist aber ein ungewöhnlicher Name für einen Hund«, sagte sie lächelnd.

Wahlkampf, die macht Wahlkampf, empörte sich Lukas im Selbstgespräch.

»Ach, mein Mann heißt schon Hasso, und zwei Hundenamen in der Familie, das wäre dann doch ein bisschen viel«, lächelte das Frauchen zurück. »Jetzt komm, mein Schatz, wir fahren einkaufen«, sie sprach zu dem Hund und ließ den Karabinerhaken der dicken Lederleine in den Ring an Roberts Halsband schnappen. Na immerhin, Teilerfolg, dachte Lukas.

Sarah erhob sich, der Hund quiekte ein wenig, die Frau verabschiedete sich.

Sarah grinste Lukas kopfschüttelnd an.

»Kein Tierfreund, oder?«

»Hat damit nichts zu tun«, schnauzte er zurück. Wie lächerlich, dachte er. Ich denke an Knüppel, Messer oder Gas und diese Frau beugt sich einfach zu dem Hund herunter. So leicht kann es nicht immer sein.

»Das hätte schief gehen können«, er behielt seine missmutige Miene bei.

Sie lachte auf: »Was genau?«

»Der Rottweiler war mindestens so schwer wie du.«

»Aber ich habe die bessere Figur«, sie streckte ihm die Hand hin. An der soeben der Hund geleckt hat, dachte Lukas, bemühte sich aber, schnell nach der Hand zu greifen, weil er fürchtete, dass die Stimmung kippen könnte.

»Bist du schon mal gebissen worden?«, fragte sie.

»Von wem?« Er wusste, kaum ausgesprochen, dass es eine dumme Frage war.

»Von einem Hund. Irgendwoher muss die Angst doch kommen?«

»Wieso denn Angst? Es geht um Risiko. Ein Hund ist potenziell gefährlich. Es geht nur um eine Abschätzung der möglichen Gefahr. Deswegen sollen die verdammten Viecher angeleint sein.«

»Damit du keine Angst haben musst?«

Lukas schloss die Augen, atmete tief ein und sah sie dann abrupt an. Wie nennt man diesen Blick von ihr, fragte er sich. Nur wach? Oder keck? Oder vielleicht doch frech? Sie sahen einander tief und ausdauernd in die Augen. Lukas kam es vor wie ein Kinderspiel, wer muss zuerst lachen, oder verzieht mindestens das Gesicht. Er wollte gleich den Gewinn haben und küsste sie. Entweder hatte Sarah darauf gewartet, oder sie war angenehm überrascht, jedenfalls ließ sie nicht den geringsten Widerwillen erkennen.

Nach dem Kuss reichte ihm das Händchenhalten nicht mehr, er legte den Arm um sie. Dirigierte sie vom Hauptweg auf einen kleinen Seitenpfad. Der führte zu einem Ententeich. Heute ist es ein See, hätte Lukas am liebsten laut gesagt, wenn er nicht diesen Kloß im Hals hätte. Warum ist es so schön? Wer richtet es so perfekt ein? Manche Tage Mitte des Septembers ließen das kommende Böse bereits ahnen. Wer aus der Tür trat, bekam einen feuchtkalten Lappen ins Gesicht, jedenfalls fühlte es sich so an. An diesem Teich, der heute ein See war, ließ sich der Herbst allenfalls aus der milden Luft herausriechen. Alles andere war in diesem Moment ein Ausstandsfest des Sommers. Die Bäume noch voller kaum verfärbtem

Laub. Ein Himmel, der zu rufen schien: »Guckt mal, was für ein Blau ich kann. Und das über der stinkenden Großstadt!« Die Sonne stand tiefer als an einem Hochsommertag. Aber dieser Tatsache hatten die beiden die Funkeleffekte auf dem Wasser zu verdanken. »Lass uns auf die Bank setzen«, sagte Lukas. Eine Bank, jubelte er, selbstverständlich eine einzelne Bank. Ohne einen Penner drauf und auch ohne einen Opa, der sein Fahrrad angelehnt hat, um das Gedudel aus seinem Lenker-Radio genießen zu können. Eine einzelne Bank, unsere Bank an unserem See, an unserem Tag. Oder müsste er ›an unserem ersten Tag‹ denken? Was ist denn morgen? Morgen wird Sarah wieder in ihr Büro gehen müssen. Er würde übermorgen wieder fliegen. Dazwischen aber nochmal nach Hause. Zu seiner Frau. Der er hastig eine SMS geschickt hatte, als Sarah weg war. »Bin noch unterwegs. Melde mich wieder. Lukas«, hatte er geschrieben. Selbstverständlich eine unmögliche Botschaft. Aber was hätte er schreiben, was am Telefon sagen können, ohne dass es völlig unpassend gewesen wäre?

»Hör auf damit«, sagte Sarah und legte ihre Hand an seine Wange.

»Womit?«

»Mit den Gedanken.«

»Woher willst du wissen, was ich denke?«

»Ich weiß nicht genau, was du denkst. Aber was Gutes kann es nicht sein, sonst hättest du nicht diese Ziehharmonikafalten um den Mund.«

Er wusste, was sie meinte. Schließlich hatte er schon oft mit seinem Gesicht gesprochen, wenn es im Flugzeug verwitterte.

»Ich weiß nicht, was du meinst«, sagte er, »bin ich dir plötzlich zu alt?«

»Ich weiß nicht, wie alt du bist. Und du bist ein schöner Mann«, er fand ihr Lächeln sexuell. Sie drängte ihn, dass er sich auf die Bank und seinen Kopf auf ihre Beine legte. Er ließ es geschehen, auch wenn ihm diese Haltung etwas unbehaglich war. Er kam sich pflegebedürftig, mindestens rekonvaleszent vor. Schwächlich, kam ihm in den Sinn.

»Was kommt denn jetzt?«, fragte er mit übermäßig fester Stimme.

»Wie ich schon sagte, du bist ein schöner Mann. Du bist auch noch schön, wenn du einem Hund begegnest oder üblen Gedanken nachhängst. Aber ...«

»Aber was?«

»Aber es ist auch erschreckend. Diese schnelle Wandlung. So als würde von einem Moment auf den anderen aus einem Sunnyboy-Surfer plötzlich ein Bestatter.« Lukas lachte auf.

»Nimmst du es mir übel, wenn ich keins von beidem sein möchte?«

Sie sah auf das Wasser, und es schien Lukas, als müsse sie etwas zu Ende denken, ohne sich dabei aus dem Konzept bringen lassen zu wollen.

»Wenn ich es genau überlege, sahst du gerade eben und vorhin bei Robert so aus wie bei unserer ersten Begegnung im Flugzeug. Was genau hast du in dieser Maschine nach Frankfurt gefürchtet? Dass Hunde mitfliegen?«

»›Bei Robert‹, ich finde es toll, dass ihr euch gleich so nahe gekommen seid, der Robert und du. Wahrscheinlich könnt ihr gute Freunde werden.«

Sie sah schmunzelnd auf ihn herab.

»Netter Versuch. Was war also los in diesem Flugzeug? Warum hast du dagesessen, als wärest du von einem ganzen Rudel Bluthunde umzingelt?«

Lukas sah an ihrem Gesicht vorbei, blickte in die Blätter über ihr. Wahrscheinlich muss ich jetzt entscheiden, dachte er. Ob der Tag eine Chance hat, so weiterzugehen wie bisher, oder ob ich einen ähnlichen Krampf möchte wie in diesem Speisewagen mit Kotthaus. Lukas sah, dass sich die Blätter leicht im Wind bewegten. Die beiden Buddha-Mädchen würden sagen, der Baum winkt. Aber ich bin doch bitte nicht wie diese verstrahlten Elsen, ermahnte er sich.

In seiner Liegeposition war es beinahe unmöglich, laut zu sprechen. Aber es hätte verständlicher sein können, als Lukas es hinbekam:

»Ich habe Angst.«

Sie beugte ihren Kopf etwas zu ihm herunter und zog die Stirn kraus:

»Angst vor was?«

»Angst ... Angst vor dem Fliegen«, er schloss sofort die Augen, weil er ihre Reaktion nicht sehen wollte. Wenn sie loslachte, müsste er sofort von dieser Bank aufspringen. Und nackt durch den Tiergarten laufen, auch wenn er immer noch seine Kleidung trug.

»Aha«, sagte sie. Lukas hatte die Augen wieder geöffnet und sah sie nicken. Er richtete sich auf und setzte sich sehr nah neben sie. Sarah nahm seine Hand und sah ihn an.

»Wie lange denn schon? Ist irgendwas Schreckliches passiert?«

Er zuckte mit den Achseln und blickte auf die kleinen Steinchen, die den Weg befestigten. Am Ufer des Teichs zerfaserte ein Tempo-Taschentuch vor sich hin.

»Ich weiß nicht genau, wann es angefangen hat. Aber es ist stärker geworden. Ohne irgendein von der Regel abweichendes Ereignis. Wenn irgendwo ein Lufthansa-

Flugzeug große Probleme hat, liest du davon ohnehin in der Zeitung. Es war irgendwann da und ich werde es nicht los«, Lukas blickte weiter auf den Boden.

»Obwohl du weißt, wie sicher alles ist. Merken denn deine Kollegen nichts?«

»Bisher nicht, aber ist wahrscheinlich nur eine Frage der Zeit. Ich schwitze, ich verkrampfe, einmal war ich schon beinahe hysterisch. Selbstverständlich weiß ich, dass alles sicher ist. Tausendmal geprüft. Alles zigmal geübt, jede x-beliebige Krisensituation. Aber mir fehlt das Vertrauen.«

»Wie meinst du das?«

»Das Vertrauen, mit dem du dich in ein Auto setzt und dir Gedanken darüber machst, was du an deinem Ziel zu tun hast. Oder was du am Abend essen wirst, oder wer dir gerade schwer auf den Keks gegangen ist. Aber nicht daran denkst, dass das Auto einen so schweren Unfall haben könnte, dass du …«

»… dass ich sterbe, das meinst du doch?«

Lukas nickte, denn er wollte nicht noch weiter. Er wusste, warum er seit einiger Zeit das Gefühl hatte, nicht sterben zu dürfen. Aber darüber würde er nicht auch noch sprechen wollen. Jetzt schien sie gedankenverloren.

»So richtig überraschen tut es dich aber nicht, dass ein Pilot Angst vor dem Fliegen hat. Offenbar doch keine originelle Angst, jedenfalls nicht originell genug für dich.« Sie drehte sich zu ihm hin und lächelte ihn wieder an. Müder als zuvor, abwesender. Sie gab ihm einen flüchtigen Kuss und wendete sich dann ihrer Handtasche zu.

Als sie die Zigaretten gefunden hatte, steckte sie sich eine an und sah dem Rauch nach, der sich in Richtung Wasser verzog.

»Logisch, es klingt verrückt, oder beinahe gemeingefährlich, dass da vorne einer drinsitzt, der sich vielleicht mehr fürchtet als mancher Passagier ...«

»Aber? Es klingt nach einem Aber, Sarah.«

»Ich frage mich, wie viele Leute Angst haben, obwohl sie sich am allerwenigsten fürchten dürften? Hat nicht vielleicht ein Chirurg besonders viel Angst, wenn er einen Menschen operieren muss, der bei der Vorbesprechung unglaublich sympathisch war? Könnte das nicht sein?«

»Das nimmst du an, weil du dich selber fürchtest, oder?« Lukas sprach verhalten, denn er wusste, dass er in der Gefahr schwebte, entweder besserwisserisch oder wie ein Therapeut zu klingen.

»Ja, ich fürchte mich«, sagte sie. Kräftiger, als sein Geständnis zuvor ausgefallen war. »Es ist keine Angst vor dem Sterben, wie bei dir. Aber es lässt dich die ganze Zeit angespannt sein. Wer wird es sein, wer ist gegen dich? Was haben sie vor, wer sind sie überhaupt? Finden sie heraus, wenn du dich nicht genug vorbereitet hast, wenn du nicht im Bilde bist?«

»Aber du wirst nicht abstürzen, du bleibst am Leben«, warf er vorsichtig ein.

»Doch, Lukas. Es ist wie abstürzen. Jedenfalls kommt es mir so vor. Weil ich keinen Schimmer habe, was denn kommen soll, wenn ich nicht mehr im Parlament sitze. Wenn ich noch deutlicher die Unterstützung derjenigen verliere, die mich irgendwo hinempfehlen können. Wahrscheinlich ist sogar das Schlimmere, dass ich selbst nicht weiß, was denn von mir übrig bleibt, wenn man die Politik abzieht.«

»Nach allem, was ich in den letzten Stunden mitbekommen habe, eine Menge«, sagte er, wie zu sich selbst.

Sie strich ihm über die Wange.

»Außerdem«, setzte er fort, »scheinen deine anderen Qualitäten doch auch schon öffentlich zu sein? Ich habe irgendwas von ›Lavendel-Luder‹ gelesen.«

Sie zog ihre Hand schnell zurück.

»Was hast du darüber gelesen?« Ihre Stimme klang scharf, wie noch nie in den vergangenen Stunden. Lukas war verblüfft und hob beschwichtigend die Hand.

»Nichts. Ich habe nur diesen Spitznamen gefunden, als ich dich in der Suchmaschine eingegeben habe. War nur eine Überschrift«, er mochte nicht bekennen, dass er sich diese Mühe gar nicht gemacht hatte, sondern auf die Informationen seines Vaters vertraut hatte.

Sie stand von der Bank auf und ging los. Er folgte ihr sofort.

»Was ist denn, Sarah? Ich habe keine Ahnung, was mit ›Lavendel-Luder‹ gemeint ist.«

Sie blieb stehen. Schüttelte den Kopf. Lukas sah, dass sie in ihrem sonst so lachbereiten Gesicht andere Regungen niederkämpfte. Ihre Augen funkelten.

»Woher sollst du das auch wissen«, sagte sie leise. »Aber ›Lavendel-Luder‹ steht genau für das, wovon ich gerade gesprochen habe. Du weißt nicht, was kommt und woher es kommt.«

Er nahm sie in den Arm und spürte, dass es richtig war, denn sie entspannte sich etwas.

»Vielleicht erklärst du es mir«, sagte er und zeigte auf die Bank. Sie setzten sich wieder.

Sarah nahm wieder eine Zigarette aus der Schachtel und steckte sie an.

»Ich habe zwei schwere Fehler gemacht. Oder sagen wir drei. Der erste Fehler war, bei den letzten Bundestagswahlen ein Super-Ergebnis in meinem Wahlkreis zu holen, ein sattes Direktmandat.«

Lukas zog die Stirn kraus, um anzuzeigen, dass er bereits Verständnisprobleme hatte.

»Die Ergebnisse der meisten anderen SPD-Kandidaten waren schlecht. Also war der Neid noch schlimmer. In der Politik gibt es den goldenen Satz: ›Der Mann ist gut, den machen wir kaputt.‹ Für Frauen gilt der selbstverständlich noch etwas mehr, weil die Männerbündelei mit Frauen nun mal nicht funktioniert und nicht genug erprobt ist.« Sarah nahm einen tiefen Zug.

»Nach der Wahl kam der Fraktionsvorsitzende mit zwei seiner Vertrauten auf mich zu und bat mich, dafür zu sorgen, dass eine Kollegin, die über die Landesliste in den Bundestag kommen würde, ihr Mandat zurückgibt.«

»Warum?«

»Weil ein verdienter Genosse, wie das dann immer heißt, sich nicht damit abfinden konnte, Rentner zu werden. Also noch eine neunte Wahlperiode im Parlament sitzen bleiben wollte. Um dafür zu streiten, dass auch weiterhin Milliarden in deutsche Steinkohlegruben geschüttet werden. Dafür sollte Susanne, meine Freundin Susanne, eine 39-jährige Frau mit Jura-Prädikatsexamen, drei Fremdsprachen und ordentlich Energie, verzichten.«

»Du hast dich also verweigert.«

»Genau. Zweiter Fehler. Der dritte war dann wirklich einer. Nach einer langen Nacht habe ich morgens im Radio rumgetutet, dass der Osten langsam genug Geld bekommen hätte. Jetzt seien auch mal die Wessis dran, mit ihren Sorgen, zum Beispiel die Wessis in meiner Ecke, im gebeutelten Ruhrgebiet.«

»Wo liegt da der schwere Fehler?«

»Passte nicht in die Zeit. Wir hatten zwei wichtige Landtagswahlen im Osten. Und hatten die große Ossi-Versteher-Mütze auf. Es gibt ja so genannte Sprachregelungen. Die kenne ich auch. Wurde aber hinterher von meinen Kollegen als Profilierungsversuch ausgelegt und damit war ich fällig.«

»Fällig für was?«

»Für den Schuss vor den Bug, für den Schlag in den Nacken, nenn es, wie du willst.«

Sarah warf die Zigarette auf den Boden und trat sie kraftvoller aus, als es nötig war.

»Ein paar Wochen später war ich dann in Südfrankreich, um mir anzusehen, wie und wo die Franzosen Arbeitsbeschaffungsmaßnahmen einrichten. Es war heiß, es war sterbenslangweilig, und ich hatte den Blues, weil wir durch die schönsten Landschaften gefahren sind, nur um immer wieder in irgendwelchen düsteren Vororten anzukommen. Die französischen Kollegen hatten allerdings ein Picknick an einem Lavendelfeld organisiert.« Sarah hob den Zeigefinger, um das Schlüsselwort deutlich herauszuheben.

»Dabei habe ich mich in entspannter Pose fotografieren lassen. Ich hatte keine Schuhe mehr an und habe plakativ auf einem Grashalm gekaut. Dieses Foto habe ich zum Spaß einer Fraktionskollegin geschickt, die ich gar nicht so gut kenne. Von der ich aber weiß, dass sie einen Frankreich-Tick hat.«

Sarah drückte die Fingerkuppen ihrer linken Hand nacheinander, so als müsse sie überprüfen, ob ein Fingernagel abzufallen droht.

Sie wurde leiser.

»Dieses Bild war zwei Tage später groß in der Bild-Zeitung. Mit einem Text, der verdammte, dass ich den armen Ossis Geld wegnehmen möchte, während ich als luxuriöse Tagediebin, als ›Lavendel-Luder‹, auf südfranzösischen Wiesen liege.«

»Woher hatten die denn das Foto?«

»Von der Kollegin, die es wahrscheinlich dem Frakti-onsvorsitzenden oder einem seiner Heinis weitergeschickt hat. Dann brauchte es noch zwei Anrufe bei einem ge-neigten Bild-Mann, oder auch nur ein Treffen auf zwei schnelle Biere, und fertig ist der Arschtritt mit Anlauf.«

»Aber ist es denn mehr als ein böser Scherz?«

»Leider ja, Lukas«, sie zählte es ihm an den Fingern vor.

»Nicht mitgemacht, als sie einen Gefallen wollten, Mi-nuspunkt. Nicht an die Sprachregelung gehalten, aus der Reihe getanzt, Minuspunkt. Und Frau, und nicht häss-lich und aus eigener Kraft erfolgreich, ganz schwerer Mi-nuspunkt. Mit so einer kleinen Intrige sagen sie dir: Wir haben mit dir nichts Großes mehr vor. Wir freuen uns, dass du einen Spitznamen bekommen hast, der in jedem Bauwagen bestätigt, was die da sowieso denken: eine gut aussehende Frau, was will die in der Politik, die muss ein Flittchen sein.«

Sie lehnte sich zurück. Lukas war aufgefallen, dass ihr Gesicht einen fremden, beinahe verhärmten Zug bekam, wenn sie über ihren Job sprach. Sie sah ihn nicht an. Er wusste, dass es nun an ihm war, die weiche Vertrautheit zwischen ihnen beiden wieder herzustellen. Etwas zöger-lich legte er den Arm um sie und strich ihr mit der freien Hand über das Gesicht. Ihre Angespanntheit wich nur langsam.

»Tut mir Leid, dass ich diesen Spitznamen ins Spiel gebracht habe.«

Er ging noch etwas näher an ihr Ohr heran und sah dabei, dass eine einzelne Träne ihre Wange herunterlief.

»Hilft es, wenn ich verspreche, dass ich dich immer wählen würde, egal, welches Foto in der Zeitung war?«

Sie reagierte nicht, und Lukas spürte, dass der Krampf scheinbar auch auf ihn überging. Sarah wendete sich ihm zu und sah ihn an. Undurchdringlich, wie er fand, nicht so uneingeschränkt aufgeschlossen wie vorher.

Sie lehnte ihre Stirn an seine.

»Es tut mir Leid, Lukas«, sagte sie und zog die Nase hoch. Sein Krampf, vor allem in der Bauchgegend, dehnte sich aus. Herzlichen Glückwunsch, dachte er, jetzt habe ich alles versaut. Sein Vater war mindestens mitschuldig, weil er das ›Lavendel-Luder‹ so unbedacht weitergereicht hatte. Jetzt würde sie sagen, dass sich ihre Wege hier trennen, weil sie auch zur Arbeit zurückmüsste, und dass sie telefonieren würden und so weiter und so weiter.

»Es tut mir echt Leid, aber …«

»Aber was?« Lukas fürchtete, panisch zu klingen.

»Aber ich kann nicht versprechen, dass ich mitfliegen würde, wenn du das Flugzeug steuerst.« Lukas sah an ihrem Gesicht herunter und konnte sich nicht an eine vergleichbare Erleichterung in den vergangenen Monaten erinnern, als er sie lächeln sah.

Das Fliegen ist mir doch völlig egal, dachte er noch, bevor er sie so intensiv küsste, dass sich sein Kopf völlig leerte.

Sarah zitterte.

Sie spürte ihr Herz schnell schlagen, nahm seine Hand und legte sie zwischen ihre Brüste. Wenn ihr Freundinnen oder Bekannte erzählt hatten, dass ihnen danach zum Weinen zumute war, hatte sie das immer für Mädchenkram gehalten. Eine erwartete Sentimentalität, vorgegeben von Filmen oder Frauenzeitschriften. Aber jetzt war ihr danach. Weil sie sich so leicht fühlte, weil sie es für einen Moment für möglich hielt, dass das Weinen der letzte Schritt wäre, um sich komplett aufzulösen. Sie saß auf ihm, aber es fühlte sich an, als sei die physikalische Gesetzmäßigkeit, dass von ihrem Körpergewicht zwangsläufig Druck ausgeht, außer Kraft gesetzt.

Sie hielt die Tränen zurück. Es kam ihr vor, als würde sie eine Schwelle übertreten, wenn sie weinte. Die letzte Schwelle, bevor sie sich diesem Mann ganz und gar zeigte. Sie sah auf ihn hinab. Die Augen geschlossen, die Züge um den Mund endlich ganz und gar gelöst. Nicht einmal das kantige Kinn konnte seinem Gesicht noch Schärfe geben. Sie bewegte sich immer noch langsam auf und ab. Jede einzelne Bewegung tat gut, ließ sie leise seufzen. Wahrscheinlich war sie gerade eben lauter gewesen. Aber dass sie es nicht genau wusste, erfüllte sie mit Befriedigung. Keine Inszenierung aus der Trickkiste, wie so oft zuvor. Wie zuletzt mit Herrn Siemens, damit es ihn anmachte und alles in einer angenehm überschau-

221

baren Zeit vorüberging. Sie sah ihn schwitzen. Auf dem sich schnell hebenden und senkenden Brustkorb glänzten die drahtigen Haare feucht. Im Gesicht der feinperlige Sexschweiß, wie mit dem Pflanzensprüher in der Nebelstellung aufgebracht. Oder schwitzt er vielleicht immer so? Ich kenne ihn ja nur, wenn er beim Sex schwitzt, dachte Sarah amüsiert. Er schlug die Augen auf. Sein Blick, wie aus der Narkose erwacht. Seine Mundwinkel schienen ihm beim Lächeln noch nicht gehorchen zu wollen.

»Und?«, fragte er mit krächziger Stimme.

Sie stieg von ihm herunter und legte sich in seinen sofort ausgestreckten Arm. Mit einer Selbstverständlichkeit, als würden sie schon Jahre miteinander im Bett verbringen. Wir sind gut, dachte Sarah. Weniger als 24 Stunden beieinander, aber nichts hakt, alles ist leicht. Alles nur schön, fand Sarah. Es kann mir ja morgen wieder kitschig vorkommen, jetzt gestehe ich mir selbst ein, dass ich alles genieße. Das Kerzenmeer, das Schlafzimmer und Küche nicht beleuchtet, sondern eher als aufregendes Halbdunkel inszeniert. Kurz tauchte der Gedanke auf, wie richtig es aus Sicht des heutigen Abends war, dass sie im Drogeriemarkt die runtergesetzte Hunderter-Teelichter-Tüte mitgenommen hatte. Zum Glück warfen sich Joan Sutherland, Sopran, und Jane Berbié, Mezzosopran, ordentlich mit »Dome épais le jasmin« ins Zeug und gaben dem Augenblick die Würde jenseits jedes Drogeriemarkts zurück. Auch aus ihrem blechern klingenden Kassettengerät war dieses Duett aus der Oper »Lakmé« von Delibes wie ein zusätzliches Streicheln. Was würde ich sagen, wenn morgen Frankfurt-Claudia anrufen und mir erzählen würde, dass sie einen sehr attraktiven Mann getroffen und mit ihm bei Kerzenschein, Oper und Rotwein so spektakulär Liebe gemacht hat, dass sie beim Höhepunkt Blumen sah?

Sarah lachte leise auf. Ich würde sagen, dass ich mir Sorgen um sie mache. Dass sie mittlerweile wohl so einsam ist, dass sie sich in plumpen »Pretty Woman«-Tagträumen verliert. Ihr trocknender Schweiß ließ sie frösteln, sie drängte sich enger an Lukas.

»Soll ich die Frage wiederholen?«, seine Stimme war immer noch nicht in vollem Volumen zurück. Seine belegte Stimme war eine Art Souvenir, denn sein lautes, unkontrolliertes Stöhnen hatte sie zusätzlich angespornt.

»Was war die Frage?«, flüsterte sie ihm so nah ins Ohr, dass es ihn kitzeln musste.

»Ich hatte ›Und?‹ gefragt.«

»Kommt es mir nur so vor, oder ist diese Frage unvollständig?«, sie stützte ihren Kopf auf und blickte auf ihn hinunter, »sollte mit ›Und?‹ die entsetzlich einfältige Frage ›Und wie war ich, Schätzchen?‹ gemeint gewesen sein, dann muss ich antworten: Du warst im Rahmen deiner Möglichkeiten passabel. Was allerdings daran gelegen haben kann, dass ich so toll war. Für den Fall, dass du die viel sinnvollere Frage ›Und was möchtest du jetzt, Sarah?‹ stellen wolltest, könnte ich antworten: die Decke, mehr Wein und eine Zigarette. Genau in dieser Reihenfolge«, sie schmatzte ihm aufmunternd auf die Wange.

Er drehte sich ebenfalls auf die Seite und drückte das Gesicht ins Kopfkissen.

»Der Wein steht in der Küche. Das ist sehr weit«, brummte er aus dem Kissen heraus.

»Aber wer soll den weiten Weg schaffen, wenn nicht du. Und ich kann einen genießerischen Blick auf deinen Prachthintern werfen, Kapitän.«

Lukas erhob sich seufzend. Sein Schwanz hing jämmerlich zusammengekrempelt zwischen seinen Beinen. Sarah hätte am liebsten darauf gezeigt, wusste aber, wie empfindlich Männer in solchen Angelegenheiten sein konnten. Wo Lukas dünnhäutig war, konnte sie nicht sagen. Auch wenn es im Bett spektakulär klappte, dazu waren 20 Stunden definitiv zu kurz. Würde sie in vier oder in acht Wochen mehr wissen? Noch etwas mehr als drei Monate, dann endet dieses Jahr. Sarah dachte an Silvester. An die grässlichen Abende der vergangenen Jahre, mit der pflichtschuldigen Heiterkeit. Nein, es ist nicht wichtig, um Mitternacht liebevoll umarmt zu werden, hatte sie sich selbst immer wieder versichert. Weil es vielleicht so aussieht wie bei den Paaren drum herum, die sich eher dienstlich ins neue Jahr küssen. Ah ja, Silvester, gleich Mitternacht, schon leicht besoffen, dennoch Freund oder Freundin ausfindig machen, 24 Uhr, Kuss draufdrücken, Feuerwerk, weitertrinken, Taxi, Neujahr und weiter im Text. Sie hörte die Klospülung und anschließend das Patschen seiner nackten Füße auf ihrem Primitiv-Laminat. Der Kassettenspieler stellte sich mit einem vernehmbaren Klacken der Stop-Taste mitten in »Nessun Dorma« selbst ab. Ein Fluch von Lukas. Offenbar mochte er es auch. Sie hörte ihn eine Taste an dem Gerät drücken und dann Gläserklappern. Als er wieder im Türrahmen stand, hatte das unfassbar zarte Duett ›Belle nuit, ò nuit d'amour‹ aus ›Hoffmanns Erzählungen‹ soeben begonnen. Nein, sie wollte nichts mehr zurückhalten, es war zum Zerspringen schön. Da stand dieser Mann mit zwei Gläsern Wein in der Hand und lächelte ganovig. Sie breitete die Arme weit aus und meinte es nicht so theatralisch, wie es vielleicht aussah. Bis Silvester, so lange würde sie ihn in den Armen halten.

Lukas fror. Aber er war dem Sprühregen dankbar. Denn die
Feuchtigkeit, die in Hemd und Hose eindrang, verstärkte
den Duft des Waschmittels. Ihres Waschmittels. Die da-
zugehörige Waschmaschine stand in einer anderen Welt,
45 Minuten S-Bahn-Fahrt entfernt. Lukas überquerte die
Straße vor dem Bahnhof und blieb an der Treppe stehen,
die zu dem Spazierweg am Rande des Sees führte.

Der See war nur ein See, ein größerer Teich. Die Bäume, die das gegenüberliegende Ufer säumten, täuschten
ein Idyll vor. Lukas erinnerte sich, dass ihm sein Nachbar
erzählt hatte, dort drüben sei zu Ost-Zeiten Müll abge-
kippt worden.

Fünfzehn Minuten würde der Fußweg dauern, bis zu
seinem Noch-Zuhause. Lukas fuhr gern mit der S-Bahn,
wenn er kein Gepäck schleppen musste. Bis zur Haltestel-
le Griebnitzsee fuhren vor allem Filmstudenten mit. Junge
Männer, die mit allen Mitteln versuchten, in ihre glatten
Gesichter einen resignierten Wim-Wenders-Gram hin-
einzufurchen. Junge Frauen mit kalkuliert schmutzigen
Fingernägeln, die viel zu laut über die Bemerkungen der
jungen Männer lachten. ›Ich muss fühlen, ich bin Künst-
lerin‹ sollte dieses Gegacker ausdrücken. Wie für einen
möglichst scharfen Kontrast hingesetzt, hockten Potsda-
mer Rentner zwischen den Studenten, die ihrer kunstle-
dernen Aktentasche mal wieder einen Berlin-Spaziergang
gegönnt hatten. Lukas fehlte heute die Ruhe, um sich

möglichst intensiv in die Gespräche der anderen Fahrgäste hineinzulauschen. Selbst die Entscheidung, ob er sich setzen oder lieber stehen bleiben sollte, war ihm schwer gefallen. Als er saß, wollte er fast im gleichen Moment schon wieder ein paar Schritte durch den S-Bahn-Wagen gehen. Er hatte die Augen geschlossen, um sich Sarahs Bild komplett zurückholen zu können. Es war misslungen. Stattdessen kamen Fragmente. Ein leichter Körper im Halbdunkel. Helle Augen, die beim Orgasmus beinahe Erschrecken ausdrückten. Kalte Füße, die sich zwischen seine Waden drängten. Unpassenderweise drängte sich dann auch noch das lachende Gesicht von Michael Kotthaus dazwischen, der mit erhobenem Zeigefinger seine auf ewig gültige Beobachtung preisgab, dass Frauen immer einen kalten Arsch und kalte Füße haben. Hier ist alles anders, hatte er gestern zwischenzeitlich gedacht, hier in dieser angeschlagenen Wohnung in Berlin-Mitte kann ich alles auf ›null‹ stellen. Meine Ehe, das gruftartige Haus in Wannsee, die Lufthansa, Katharina und die Abmachung, das gibt es alles nicht mehr. Vergangenheit. Der Alptraum, aus dem ich unter einer billigen Papierlampe erwacht bin. Auch sein langes Schweigen über seine Flugangst hatte gestern Nachmittag einen Sinn bekommen. Ohne es zu wissen, hatte er auf diese Frau gewartet, um es loszuwerden. Die ihn nicht zu einem verlorenen Freak stempelte, wie es Kotthaus wahrscheinlich getan hätte. Sondern die ihn eigentümlicherweise beruhigte, weil sie klarzog, dass Angst in den meisten Leben eine große, oft unausgesprochene Rolle spielt. Aber dann. Die Opernmusik. Da war es mit dem losgelösten Lukas schlagartig vorbei. Wer hat dir beigebracht, dass Rigoletto, Don Giovanni und Tosca nicht nur die Namen von italienischen Restaurants sind? Wer hat mit dir am Orchestergraben der Deutschen Oper gestanden und dir die Sitzordnung erklärt, die Instrumente imitiert und beim gemeinsamen Duschen »Nessun dorma« vorgesungen? Du bist verheiratet, mit einer Schauspielerin, die Opern liebt. Auch wenn sie in der letzten Zeit kaum das Wort an dich gerichtet hat, in irgendeinem Teil des Hauses hast du sie oft singen hören und es hat dich immer gefreut, auch wenn du beim besten Willen nicht gemeint warst. Gestern Abend war Sarah selbst der Notausgang aus diesen Gedanken gewesen. Einmal schütteln, ein Schluck Wein und wieder küssen, streicheln, gedankenlos sein. Heute nach dem Aufwachen gab es dann aber keinen Fluchtweg mehr.

Aus der amüsant dauerplaudernden Sarah war wieder die Politikerin geworden. Die ihn zwar über die Schulter anlächelte, als sie nur mit einer Bluse bekleidet in ihren Regalen nach einer Strumpfhose suchte. Aber ihr Schweigen kam ihm vor wie ein böses Déjà-vu. Warum soll sie morgens redseliger sein als du, hatte er sich gefragt. Sie ist kein Morgenmensch, sie hat gestern viel getrunken, sie muss sich auf diesen Tag konzentrieren, der wieder Schwarzbrot ist. Damit konnte er sich selbst nicht überzeugen. In ihr Leben passt ein Mann nur als überschaubares Abenteuer, sagte er seinem Gesicht in ihrem Badezimmerspiegel. Wenn du ehrlich bist, hat sie nichts anderes versprochen, nichts Phantastisches ausgemalt. Was könntest du denn von ihr überhaupt wollen, weißt du das? Auch wenn du selbst die Banalität, dass sie morgens Aronal und abends Elmex benutzt, schon wieder als spannendes Detail empfindest, du Spinner.

Beim Abschied war sie wieder einmal souveräner als er.

»Grüß mir die Sonne«, leise in die Umarmung hineingesprochen.

»Was meinst du?«, seine belämmerte Nachfrage.

»Das Lied? ›Flieger, grüß mir die Sonne‹?«

Er nickte und küsste sie. Nicht nur aus Verlegenheit, aber auch.

»Ruf mich an«, hatte sie noch gesagt. Mit einem Lächeln. Weil sie unterstreichen wollte, dass es eine Floskel ist? Oder weil sie wirklich angerufen werden möchte?

Sie hat nicht gefragt, ob ich allein bin, dachte Lukas. Weil es egal ist, wenn man einen Tag im Leben miteinander teilt. Es hätte sie doch nur interessiert, wenn es in ihrer Vorstellung eine Zukunft geben würde. Wenn sie einen Anruf wirklich wollen würde und das, was darauf folgen könnte. Ich hätte fragen sollen, ärgerte er sich. Aber was wäre dabei herausgekommen, außer einem schlimmstenfalls sämigen Beziehungsgespräch ohne tatsächliche Beziehung?

Nein, es war richtig, alles dabei zu belassen, wie es war. Nur schön. Ohne Diskussionen, folgenloser Genuss ohne Erörterung.

Die Siedlung, zu der auch sein Zuhause gehörte, rückte in den Blick. Gleich würde er Fragen stellen müssen. Sich mit seiner Frau unterhalten. Auch wenn er sich nicht darauf freute, er hoffte, dass sie zu Hause war. Heute würde das Schweigen ein Ende finden. Mindestens das.

Berlin
Bahnhof Zoologischer Garten
10.51 Uhr

Hallo, schöner Mann, dachte Sarah und war kurz versucht, den Kopf in den Nacken zu werfen. Um die Geste der schönen Frau aus dem Campari-Werbespot nachzuahmen, die ihr bisher immer affektiert vorgekommen war. Heute könnte es mir gefallen, dieser Bahnhof mit den vielen Leuten ist genau der richtige Ort für meinen Übermut, freute sie sich. Sie lachte den Graumelierten an, der auf der anderen Ecke der Theke in der kleinen Tasse rührte. Seine schulterlangen Haare gefielen ihr. Wahrscheinlich wollte er wie ein Künstler wirken, deswegen die filigrane Brille und das Halstuch. Hauptsache, er richtet nicht das Wort an mich, dachte Sarah. Sie hatte ihn einen Espresso bestellen hören. Selbst die wenigen Worte waren der akzenttypische schwäbische Sprachbrei. Aus Sarahs Sicht ein extrem abregender Dialekt. Du gefällst mir nur, Schwabe, weil mich dein dunkler Teint an jemanden erinnert. An einen, der ein viel stärkeres Kinn hat als du. An den Hals der Hälse. Einen Mann, der kräftig anfasst, ohne grob zu sein. Der immer so aufgeräumt spricht, dass es mich permanent reizt, ihn wieder in Unaufgeräumtheit zu versetzen. Heute Morgen war Lukas ihr sehr zurückgenommen erschienen. Wahrscheinlich ist er einfach kein Morgenmensch und ich wollte ihm nicht wie eine notorische Schwatzschachtel vorkommen. Außerdem war ich selbst traurig, dass es nicht sofort weitergehen konnte. Einfach noch ein Tag wie der gestrige. Scheiß-Politik. Aber nehmen wir an, aus uns beiden würde etwas mehr, könnte dann nicht vielleicht auch der Job erträglicher werden? Weniger Wein mit Hugo, dem sie damit auch weniger Zeit stahl, und dafür herrliche Abende mit Lukas? Restaurant, Kino, ganz übliche Paarabende. In vollen Zügen genossene, romantische Normalität, als Kontergewicht zu dem überreizten Tagesgeschäft. Sie rechnete durch, welche Abendtermine sie ohne Nachteil einfach streichen oder schwänzen könnte. Der Schwabe gestikulierte, wollte offenbar herüberkommen. Zum Glück klingelte ihr Telefon und sie machte eine uncharmante Stop-Handbewegung in Richtung des süddeutschen Langhaars.

»Cherie, in deinen Unterlagen fehlt ein Name. Ein sehr wichtiger Name. Auf den Mann musst du deinen ganzen Liebreiz konzentrieren, Carsten von Soest. Das ist der Typ von Amnesty, der schon seit Wochen auf dem Außenminister rumhackt. Hat in der taz und in der Frankfurter Rundschau eine Kolumne geschrieben und der Berliner Zeitung ein dickes Interview gegeben. Und nur rumgespestet, von wegen Menschenrechte interessieren den Außenminister nicht, es würde nur um Wirtschaftskontakte gehen, ›Das Auswärtige Amt: Easyjet für Global Player‹ heißt eine der Überschriften. Die Artikel faxe ich dir ins Hotel.«

»Du bist der Beste«, flötete Sarah.

»Nein, der Allerbeste. Denn ich habe auch noch eine alte Bekannte bei Amnesty angerufen, und die hat erzählt, dass Herr von Soest der Megastecher sein muss.«

»Du meinst ein Schürzenjäger?«

»Ja, Frau Trutsch, ein Schwerenöter. Ein Heißsporn. Aber so verträumt hörte sich das nicht an, was meine Bekannte erzählte. Sehr zielgerichtet, viel Körpereinsatz, vor allem die Hände scheinen nie stillzustehen.«

»Ach?« Sarah war schon nicht mehr richtig bei der Sache, weil sie bei nicht stillstehenden Händen an Lukas' lange gepflegte Finger denken musste. Finger auf ihr.

»Ja, ein schmutziger Job für eine schmutzige Frau«, Hugo raunte ins Telefon.

»Wieso schmutzig? Bist du eifersüchtig?«

»Nein, aber ...«

»Was soll denn dieses Drucksen? Versuchst du dir Verlegenheit anzutrainieren?«

»Du weißt doch, was du tust. Du bist eine erwachsene Frau.«

Sarah wurde beklommen zumute.

»Hugo, ich glaub, es klingelt, seit wann reden wir so miteinander?« Sie hatte Mühe, leise zu sprechen, plötzlich war es ihr aber wichtig, dass sie keine Mithörer hatte.

Sie versuchte, die Schärfe aus ihrer Stimme zu bekommen.

»Also: Was wirfst du mir vor? Was hat es mit ›erwachsen‹ zu tun, wenn ich einen schönen Tag mit einem wunderbaren Mann verbringe? Mit einem ganz, ganz wunderbaren Mann?« Sarah fand, dass Lukas es wert war, mit Superlativen verschwenderisch umzugehen.

»Na ja, die ganzen Termine ausfallen zu lassen, jetzt wo wir so viel Ärger haben. Es sieht ja nun wirklich nicht gut aus. Und das alles ...« Hugo stockte, Sarah merkte genau, dass er noch nicht beim wesentlichen Punkt angekommen war.

»›Und das alles‹ waren deine letzten Worte, für den Fall, dass du den Faden verloren haben solltest«, sagte sie.

»Ach, Sarah, ihr werdet doch darüber geredet haben«, er war wieder in der vollen Hugo-Lautstärke zurück. Oder etwas lauter. »Ich weiß doch, was du hier oft für einen Blues geschoben hast. Dann sehe ich dich gestern weltvergessen auf Wolke sieben sitzen und denke mir: Na klar, wissen wir ja, dass verheiratete Männer ständig ihre Frauen für einsame Sarahs verlassen, ist ja die absolute Regel. Ganz, ganz wunderbare Männer, überall, auf jedem Ast sitzen die.«

Der Schwabe lächelte ihr immer noch zu. Sarah wollte es nicht sehen und drehte sich mit ihrem Stuhl, damit sie in Ruhe versteinern konnte. Warum habe ich denn nicht gefragt, ich hatte doch so viel Zeit? Die naheliegendste Frage überhaupt, warum habe ich die nicht gestellt und mir stattdessen angehört, dass er Angst vorm Fliegen hat? Weil es mich in der Vergangenheit auch nicht gekümmert hat, ob ich einen verheirateten Mann mitnehme, oder einen zweifach Geschiedenen, oder einen frisch Verlobten. Aber Lukas war doch was ganz anderes. Der schien nicht gehetzt, als müsse er schnell nach Hause oder hinter der Tür eine Lüge für zu Hause ins Telefon murmeln. Die Frau könnte natürlich einfach im Urlaub sein, oder die führen eine superoffene Wir-können-über-alles-reden-Ehe mit drei Kindern in der Waldorf-Schule. Sarah legte die Hand an den Mund. Ich bin eine solche Idiotin. Über was haben wir eigentlich die ganze Zeit geredet?

»Er hat es dir nicht gesagt, oder?« Hugo klang wieder sehr leise.

Sarah schüttelte den Kopf. Das würde er nicht hören können, aber daran dachte sie nicht. Ich muss wohl keine Termine streichen.

»Es tut mir Leid, Sarah. Ich wollte nicht Scheiß-Hiob sein.«

»Woher weißt du denn überhaupt, dass er eine Frau hat?«

Sie konnte durch das Telefon hören, wie er sich in seinen Bartstoppeln kratzte.

»Ich hatte bei der Lufthansa die Nummer rausbekommen und wollte kontrollieren, ob es den Anschluss überhaupt noch gibt. Also habe ich angerufen. Gestern Morgen, als ich annahm, du würdest die Nummer vielleicht brauchen ... Mist.«

Sie hatte eine andere Nummer. Sein Mobiltelefon. Auf diesem Zettel in ihrem Portemonnaie. Den sie schon zweimal rausgeholt hatte, aus Sorge, sie könnte ihn verloren haben. Und um seine korrekte Handschrift angucken zu können. Idiotin!

Sie müsste sich bei Hugo bedanken. Er will mich tatsächlich beschützen, dachte sie, traurig gerührt. Der schmalste Mann der Welt mit Kermit-Stimme, auf den ich mich absolut verlassen kann.

»Danke, Hugo«, sagte sie.

»Ach, vergiss es«, er ärgerte sich wohl immer noch über sich selbst, »ich faxe dir den Kram gleich rüber. Dein Zug fährt in sechs Minuten, Sarah. Bis dann.«

Er hatte schnell aufgelegt. Sie spürte ein Tippen auf ihrer Schulter.

Der fängt sich eine, der Schwabe, Sarah empfand beinahe Vorfreude, ihre Wut ablassen zu können.

Sie drehte sich energisch mit dem Stuhl und sah in das breite, lächelnde Gesicht von Dorothee Unstrut-Vider. Eine Grüne, auch im entwicklungspolitischen Ausschuss. Gab immer das Seelchen, um ihren Ehrgeiz, der sich vor allem in missgünstigem Neid ausdrückte, zu vertuschen.

»Hallo, Frau Kollegin«, sie sprach barsch, wie viele Menschen aus ihrer ostwestfälischen Heimat, »auch nach Hamburg?«

Sarah hätte gerne nicht genickt.

»Ich auch, was ein Zufall. Da müssen wir aber los.«
Sie nickte so entschlossen in Richtung Bahnsteig, dass ihr
leichtes Doppelkinn der Bewegung etwas verzögert folgte. Dorothee Unstrut-Vider nahm ihren Koffer. Mit der
linken Hand griff sie nach dem Riemen ihrer Handtasche. Ihr Ehering war offenbar fluoreszierend. Jedenfalls
strahlte er Sarah mitten ins Gesicht.

Es roch nach ätherischen Ölen. Wie in einer Massage-
praxis. Lukas bedauerte, dass er kein Gepäck hatte, das
er ausräumen konnte. Er stand im Hausflur und zog seine Schuhe aus. Vielleicht sollte ich nach Schuhspannern
suchen, überlegte er. Benutzte er eigentlich nur für seine
Lackschuhe, die er zweimal im Jahr trug. Es würde ein
wenig Zeit kosten, ein zweites Paar Schuhspanner in der
Abstellkammer zu finden. Woher kam nur dieser starke
Geruch? Er verzichtete auf die Schuhspanner und klopfte
an die Tür von Evas Zimmer. Keine Antwort. Er öffnete
die Tür und der Geruch wurde augenblicklich noch stärker. Eva schlief auf dem Sofa, unter zwei Decken. Vor
zweien der drei Fenster waren die Vorhänge zugezogen,
nur das Fenster des kleinen Erkers, das den schönsten
Blick auf den Garten hatte, war frei.

Auf dem Beistelltischchen neben dem Sofa sah Lukas
mehrere Medikamentenschachteln und eine Teekanne
auf einem Stövchen mit erloschener Kerze. Er stand einen Schritt von dem Sofa entfernt und blickte auf seine
schlafende Frau hinunter. Ihr Gesicht war fiebrig gerötet.
Um ihren Hals hatte sie einen Schal gewickelt. Eva ist
nicht einfach krank, Eva ist grazil krank, war sein Gedanke. Er spürte einen Reflex, der ihm nach dem, was
unmittelbar hinter ihm lag, bizarr erschien. Er wollte sich
dazulegen, sie in den Arm nehmen. Oder wenigstens über
das Gesicht streicheln, um auszudrücken: Ich bin bei dir.

Er erinnerte sich nicht, sich jemals so schlecht vorgekommen zu sein. Ich war schon häufiger unnütz, oder fehl am Platz, aber hier bin ich jetzt schädlich. Wenn sie wach wird, mache ich sie noch kränker. Eva schlug die Augen auf. Auch bei Eva bestimmten offenbar die fünf lebendigen Jahre ihrer Ehe ihre unbewussten Reaktionen, denn auf ihrem Gesicht bildete sich ein Lächeln, als sie ihn sah. Es verlosch in Zeitlupentempo, in genau den Sekundenbruchteilen, die der Verstand brauchte, um die Überhand zu gewinnen.

»Entschuldigung«, sagte sie mit heiserer Stimme.

Er zog sich einen Stuhl heran, um sich nahe an sie heranzusetzen. Die Sofakante erschien ihm zu intim.

»Für was denn, Eva, für was?«, fragte er leise.

Sie setzte sich etwas mehr auf und griff zu der Teetasse, die neben ihr auf dem Tischchen stand. Er hörte ihr Schlucken. Mühsam, wie jemand schluckt, der Halsschmerzen hat.

»Grippe?«, fragte er.

Sie nickte. Damit hatte sich sein Arsenal von originellen Fragen bereits erschöpft. Er sah aus dem Fenster in den Garten hinaus.

Sie half ihm. »Milch mit Honig ist gut für die Stimme. Wir sollten uns vielleicht unterhalten«, krächzte sie und nickte in Richtung Küche.

Er drehte sich um und ging in die Küche. Als er mit dem heißen Becher zurückkkam, stand sie am Fenster. Sie hatte sich einen dicken Fleece-Pullover angezogen. Jetzt sah sie in den Garten. Sie nahm den Becher und ging an ihm vorbei, um sich wieder auf das Sofa zu setzen. Nachdem sie langsam getrunken hatte, hielt sie den Becher mit beiden Händen umschlossen und sah ihn an.

»Wie geht es dir?«, fragte sie. Lukas zuckte zweimal

mit den Achseln, konnte ihren Blick nicht aushalten und ließ sich wieder auf den Stuhl fallen.

»Helfen die Tabletten?« Er zeigte auf die Schachteln und dachte: Eine Erkältung dauert eine Woche, mit Medikamenten sieben Tage. Eva zuckte mit den Achseln, weil sie selbstverständlich erkannte, dass es eine dümmliche Verlegenheitsfrage war.

»Ich war bei einer anderen Frau, Eva.«

An der Schauspielschule werden sie ihr beigebracht haben, jede mögliche menschliche Regung herzustellen. Angst, Schmerz, Vorsicht, Verzweiflung. Auch diese Regungslosigkeit? Sie pustete in den Becher.

»Nicht schön. Aber keine Überraschung«, ihr Sprechen klang nicht mehr so anstrengend.

»Ich war auch schon hier und da«, setzte sie nach.

»Auch nicht überraschend«, kam von Lukas.

Nun hast du schon das erste Mal verloren, dachte er. Die Frau, die du aus dem Waschmittel deiner Klamotten herauszuriechen glaubst, die ist unter einem nichtigen »hier und da« abgebucht. Was war denn Evas »hier und da« eigentlich? Nicht das Thema, Lukas, nicht jetzt, ermahnte er sich.

Eva stellte den Becher auf das Tischchen und legte sich auf das Sofa. Ihre Füße, die in dicken Wollsocken steckten, grub sie in das Deckenknäuel ein. Sie lag auf der Seite und sah ihn an. Er kannte diese Haltung. In gemeinsamen Urlauben hatte sie auf ihrer Sonnenliege genauso dagelegen. Auch wenn er las oder wegdämmerte, hatte sie oft seine Aufmerksamkeit herbeigezwungen, weil sie ihn einfach nicht aus den Augen ließ.

»Das war bis hierhin schon das intensivste Gespräch in den vergangenen zwei Jahren. Ist dir das klar?«, er sprach sanft. Ohne Wut.

Sie sah ihn an. Lukas konnte nicht erkennen, ob das Fieber ihren Blick verschleierte oder aufsteigende Tränen. Aber sie würde bestimmt nicht weinen wollen. Er erinnerte sich an ihre hasserfüllten Tiraden über die teuren britischen Privatschulen, auf die ihre Eltern sie gezwungen hatten. Ihm war aber auch aufgefallen, dass sie in unangenehmen Situationen oder zu ihr unangenehmen Menschen mit englischer Oberklassenattitüde Distanz zu wahren versuchte. »Stiff upper lip« und die Devise »Never complain, never explain«. Lukas war das schon immer blasiert vorgekommen. Wenn sie ihm so herablassend kühl begegnet war, trieb den Polizistensohn Lukas die Wut beinahe die Wände hoch. Früher, als sie noch gestritten hatten, vor der Friedhofsruhe.

»Es ist furchtbar, Lukas. Oder vielleicht sollte ich sagen: Es war furchtbar.«

»Wie meinst du das?«

»Du bist derjenige von uns, der im Dunkeln sehen kann. Also: Was siehst du?«

Lukas lachte kurz auf, denn er verstand die Anspielung sofort. Damit war klar, dass er heute nicht mit der späten Privatschülerin sprach. Kurz nach ihrem Kennenlernen hatte er Eva mit großer Geste nach Barcelona eingeladen. Zu seiner Verwunderung war sie nicht hellauf begeistert. »Ich mag keine Hafenstädte. Häfen sind Industriegebiete und genau so romantisch. Fliegst du nicht manchmal an die Rhön, oder in den Hunsrück, da war ich noch nie«, damit hatte sie für einen Moment schwerer Verunsicherung gesorgt, war dann aber doch mitgekommen. Sie wohnten in einem Lufthansa-Partner-Hotel direkt an der Rambla. Lukas wäre schon im Flugzeug am liebsten über sie hergefallen. Geduldete sich aber, bis sie im Hotelzimmer angekommen waren. Er kam sich sehr weltmännisch vor, als er sofort die versteckte Fernbedienung hinter der Nachttischlampe fand und damit die Jalousien herunterließ. Es wurde schlagartig stockfinster. »Ich kann besser im Dunkeln sehen als andere Menschen«, sagte er, »ich habe so was wie Katzenaugen.«

Viel später hatte sie ihm erzählt, dass sie die Jalousie-Nummer eigentlich abgeschmackt fand. Aber von seiner viel zu zögerlich vorgetragenen Katzenaugen-Geschichte wäre sie hingerissen gewesen. Danach bestand sie noch monatelang darauf, dass alle Lichter ausblieben, wenn er nachts aufs Klo musste. »Kein Problem für dich, Katze«, selbst äußerst schlaftrunken raunte sie diesen Satz beharrlich.

Eva stellte die Tasse ab und schnäuzte sich.

»Lange her«, sagte Lukas. Sie nickte und legte den Kopf wieder auf das Kissen und blickte in den Raum hinein. Scheinbar ohne einen besonderen Punkt zu fixieren.

»Ob deine Tochter auch im Dunkeln sehen kann?«, fragte sie.

Lukas dachte an den Betrunkenen, der ihm in der Flughafen-Cafeteria ohne Vorwarnung ins Gesicht geschlagen hatte. Der Mann traf ihn direkt aufs Ohr, anschließend hatte sich ein kohlensäureartiges Brausen im Kopf ausgebreitet. Dieses Brausen war nun plötzlich da.

Eva sah ihn wieder an und sprach sehr leise:

»Du weißt, wen ich meine, oder? Jasmin. Das Mädchen, das Katharina Redemann zur Welt gebracht hat. Deine Tochter. Von der du weißt, denn du zahlst für sie.«

Lukas ließ den Kopf sinken. Dann stand er von seinem Sessel auf und ging zum Fenster. Er öffnete es und atmete die frische Luft tief ein.

»Woher weißt du das?«, fragte er, ohne sich umzudrehen.

»Von Katharina Redemann«, noch leiser als zuvor.

Lukas drehte sich wieder um, lehnte sich an die Fensterbank und sah zu ihr hinüber. Sie deckte sich wieder zu.

»Seit wann?«

»Seit etwas mehr als zwei Jahren.«

Er musste beinahe nicht weiterfragen. Wahrscheinlich hatte Katharina die Abmachung noch nicht einmal kalkuliert gebrochen. Ein Anruf, irgendwann, als er nicht zu Hause war. Eva nimmt ab und sie platzt damit heraus. Sie hält es für eine schlaue Idee, weil sie glaubt, dass sie den moralischen Druck erhöhen kann, wenn ihm auch seine Frau zusetzt. Dass sie damit auch ihr einziges Druckmittel ›Ich erzähle es deiner Frau‹ aus der Hand gibt, ist ihr nicht klar. Und Katharina hat wieder einmal Glück. Denn Eva schweigt. Er stellt sie nicht zur Rede, also weiß Katharina, dass ihm Eva nichts gesagt hat, und sie kann weiter erpressen. Lukas spürt einen unbändigen Zorn. Er sieht sich, wie er Katharina ohrfeigt, und er möchte am liebsten sofort rausrennen, zu ihr fahren und es tun, damit es ihn wirklich erleichtern kann. Er drückte seine rechte Hand zusammen, dass die Knöchel hörbar knacken.

»Es tut mir ...«, er dachte an die Ausflüchte. Eva, du bekommst keine Rollen mehr. Es ist der falsche Zeitpunkt. Wir haben noch Zeit. Wir müssen uns nicht hetzen. Schale Scherze: Ältere Eltern haben klügere Kinder.

»Ich weiß nicht, ob meine Tochter im Dunkeln sehen kann«, begann er stockend.

»Ich habe sie noch nie aus der Nähe gesehen. Nur aus dem Auto heraus, auf dreißig Meter Entfernung. Sie hat sie mich nie sehen lassen, Eva.«

Er rieb sich die Stirn, wischte sich dann mit der Hand über das Gesicht.

»Du hast mit dem Kind nichts zu tun, außer einem kleinen Zellfaden, Lukas, hat sie immer gesagt. Ich habe gedroht und gebettelt, aber ich durfte sie nicht sehen.«

Er spürte die Nässe auf seinem Gesicht, aber es reichte nicht. Er wollte schreien, aber der Schrei kam nicht hoch. Er trat einen Schritt nach vorn und presste den Satz heraus, weil er ihn nicht mehr richtig sprechen konnte: »Es tut mir Leid, Eva.«

Sie ließ den Kopf sinken und wischte sich über die Augen.

»Warum hast du es mir denn nicht einfach gesagt, verdammt nochmal?« Selbst ihr Fluch klang kraftlos.

Er zuckte mit den Achseln.

»Wenn du ihr sagst, dass du schon Vater bist, überlegt sie es sich noch einmal und jagt dich weg, habe ich zuerst gedacht. Ich warte eine gute Gelegenheit ab, habe ich mir vorgenommen. Bald, im Urlaub, oder an einem ruhigen Wochenende«, er versuchte sie anzusehen, aber sie wich seinem Blick aus.

Lukas schluckte und sprach weiter:

»Aber dann ... dann erschien es mir irgendwann zu spät. Wenn ich es jetzt sage, dann gehst du, habe ich gedacht. Wozu auch, dachte ich. Es bedeutet nichts, es ist vielleicht wirklich nur ein Zellfaden, ein Klecks von mir, mehr nicht. Nicht genug, um Ärger zu haben, um uns beide in Frage zu stellen. Aber es ist dann wohl doch mehr. Viel mehr.«

Er stand mit herabhängenden Armen beinahe mitten im Raum. Immer wieder zuckten seine Schultern, um die Luft zu sammeln, die das Schluchzen verbrauchen wollte. Eva stand vom Sofa auf und ging auf ihn zu. Sie schloss die Arme um ihn, er erwiderte ihre Umarmung. Er roch ihre Haare, er fühlte ihre weiche, heiße Haut an seiner

Wange, spürte ihre schmalen Schultern unter seinen Armen. Zwei Jahre Schweigen, aber nichts ist fremd, dachte er.

Sie brachte ihren Mund an sein Ohr. Es war wieder krächziger als zuvor, aber dennoch verständlich:

»Lukas, du musst gehen. Wenn ich alleine bin, bin ich einfach nur krank.«

»Dorothee, wir können einfach tauschen. Mein Zimmer geht nach hinten raus«, Sarah klang matt. Seit Minuten redete Dorothee Unstrut-Vider auf den Rezeptionisten ein. Ein junger Mann, dessen Vier-Sterne-Höflichkeit gut trainiert schien.

Er blieb wohl temperiert, Dorothees Bockigkeit zum Trotz. Sie variierte ihren Tonfall zwischen ›Ich meine es doch nicht böse‹ und dem offensiveren ›Das können Sie mit mir nicht machen‹. Worum es ihr genau ging, erschloss sich Sarah nicht. Schon im Zug waren ihr Dorothees Ausführungen rätselhaft geblieben. Sarah fand es einfach nur schwer zu ertragen, besonders wenn Dorothee von ›Maßnahmen‹ und ›Thematiken‹ sprach. Eigentlich hätte ich das Recht, laut zu werden, war Sarahs Gedanke. Thematik gibt es nicht, sondern nur ein Thema, in der Mehrzahl Themen. Und überhaupt: Wie lange beginnst du schon Sätze mit der Formulierung ›Politik muss begreifen …‹? Seit den Tagen im Studentenausschuss, oder seit wann, du dumme Gans? Mit deinen lächerlichen Aufklebern auf dem Alu-Rollkoffer. Aha, ›Attac‹ findest du gut und Pelze tragen gemein. Du bist bei den ganz, ganz lässigen Film-Vorpremieren selbstverständlich eingeladen und dort hast du auch den Aufkleber ›Ostschnitte‹ abgegriffen. Du bist nur Ostwestfälin, Dorothee. Du trampelst mit flachen Schuhen durch die Gegend, um deine Erdigkeit auszudrücken, und trägst aber in diesem

Hotelformular hinter deinem Namen ›MdB‹ ein, damit sie hier wissen, dass du was ganz Besonderes bist. Du bist Mitglied des Deutschen Bundestages, weil dir sonst kein Job eingefallen ist. Mit 41 findest du auch nichts anderes mehr. Als sie sich ihren Schreianfall bis zu diesem Punkt ausgemalt hatte, ging Sarah die Luft aus. Du bist verheiratet und deswegen kann ich dich heute nicht leiden. Ansonsten trennt uns nicht wahnsinnig viel. Ich bin attraktiver als du und trage schickere Schuhe. Aber ich spreche deine Sprache und sage mindestens einmal in der Woche ›Problematik‹, wenn ich eigentlich nur ein Problem meine.

»Nein, Sarah, das finde ich nicht gut. Der junge Mann wird doch bestimmt ein zweites Zimmer nach hinten raus finden.« Der Rezeptionist nutzte die Gelegenheit, um mit vorgetäuschter Beflissenheit auf seiner Computertastatur zu tippen.

»Es ist wirklich völlig in Ordnung«, Sarah blickte auf ihre Schuhe.

»Na gut, wenn du meinst«, wieder in Richtung des Hotelmanns, »bitte vermerken Sie, dass wir die Zimmer tauschen. Nicht, dass es Verwechslungen gibt und am Ende müssen wir die Telefonrechnung der anderen mitbezahlen.«

Der Mann nickte und tippte wortlos weiter.

»Aber du brauchst doch auch deinen Schlaf. Du siehst jetzt schon erschöpft aus, da habe ich bestimmt morgen früh ein schlechtes Gewissen«, komplett leere Süßlichkeit, dachte Sarah. Der Hamburger Verkehrslärm würde nicht zu laut sein. Höchstens die Oper, die sie wahrscheinlich im Ohr haben würde. Natürlich hatte Sarah schon während der Zugfahrt überlegt, ob die nervige Dorothee vielleicht die Strafe für den gestrigen, erschlichenen Tag war. Nur vier Jahre evangelische Jugendarbeit reichten offenbar aus, um einen Menschen lebenslang in der Vorstellung zu verhaften, dass für Schönes immer bezahlt werden muss. Wunderschönes ist selbstverständlich besonders teuer.

»Nein, nein, lassen Sie das stehen«, herrschte Dorothee den Pagen an, der schon versucht hatte, den Griff ihres Rollkoffers herauszuziehen.

Sie zog den Koffer allein, Sarah lächelte den Rezeptionisten so entschuldigend wie möglich an und folgte ihrer Kollegin in den Aufzug.

»Diese Trinkgelderschleicherei geht mir auf die Nerven«, maulte Dorothee.

Sarah lehnte ihren Hinterkopf an die verspiegelte Wand des Lifts und fragte sich, ob sie sich in diesem Hotel massieren lassen könnte. Aber dafür war keine Zeit und es wäre heute wahrscheinlich auch nicht richtig schön. Weil es nicht zart und fest gleichermaßen sein durfte. Weil es eben professionell sein würde, ohne Gefühle. Aber Gefühle können auch gestern nicht im Spiel gewesen sein. Sonst könnte er doch nicht seelenruhig zu seiner Frau zurückgehen. Einfach so, als wäre nichts gewesen. Die Türen öffneten sich und die beiden stiegen aus. Sarah zeigte nach links und freute sich auf die Wortlosigkeit ihres leeren Hotelzimmers. Sie hatte schon den ersten Schritt gemacht, als Dorothee sie noch einmal aufhielt.

»Ich habe das beinahe vergessen: Ich freue mich sehr für den Hugo. Vielleicht kann ich dir helfen, wenn du nun jemanden suchen musst. Ich habe da eine sehr intelligente junge Frau in der Anti-Globalisierungsarbeit kennen gelernt. Die kommt eigentlich aus der gleichgeschlechtlichen Anti-Diskriminierungsecke, hat auch viel zu Transgender gemacht. Hat ein enormes Problembewusstsein und ist gerade mal 27 Jahre alt. Da kann ich dir gern die Nummer geben.«

»Wie meinst du?«, gab Sarah zur Antwort und wusste, dass sie in diesem Moment nicht besonders helle wirken würde. Dorothee blickte erstaunt zurück.

»Ich meine Hugo, deinen Hugo aus dem Büro.«

»Ja, was ist mit dem?« Sarah spürte wütende Ungeduld aufsteigen.

»Jetzt sag aber bitte nicht, dass er es dir nicht gesagt hat? Der hat doch diesen feinen Job bei der Stiftung Wissenschaft und Politik abgestaubt. Ist ja mal wieder klar, dass er nichts gesagt hat. Die sind alle gleich, diese Typen. Nur Karriere im Kopf, immer nur nach vorne, wer auf der Strecke bleibt, ist völlig egal.« Sie schüttelte den Kopf. Eine sehr geübte Geste.

Sarah legte sich den Riemen ihrer Tasche wieder auf die Schulter und ging. Wortlos. Ich will diese Frau nicht mehr angucken. Ich will nicht, dass sie mich heulen sieht. Sie ging immer weiter, vor der Tür des Zimmers 325 blieb sie stehen, ließ die Tasche fallen, trat dagegen, so fest sie konnte. Dann setzte sie sich auf den Boden, lehnte sich an die Zimmertür und spürte wie ihr Blick verschwamm. Sie umschloss ihre angewinkelten Beine mit den Armen und legte den Kopf auf die Knie. Weinflaschen in ihren Schuhen, Raucherbeine als Bildschirmschoner, Sarah hatte die vertraute Stimme im Ohr und wollte sich nicht vorstellen, wie Kermit verlegen sagt: »Ich hatte es dir schon früher sagen wollen, aber ...« Sarah ignorierte, dass ihre Nase lief, es war ihr völlig egal.

Vielleicht lag es an der Bluse. Bestimmt lag es an der
Bluse. Die brachte einfach Pech. Hatte sie im letzten
November noch zusammen mit Franz gekauft. Eine der
guten Eigenschaften von Franz: Er konnte den Eindruck
erwecken, es würde ihm Spaß machen, mit einer Frau
einkaufen zu gehen. Hätte er nicht so dringend zugera-
ten, gäbe es diese Bluse nicht in ihrem Kleiderschrank.
Violett ist eine schwierige Farbe, nahe der Untragbarkeit,
dachte Sarah. Am Abend nach dem Kauf hatten sie einen fürchterlichen Streit. Sarah erinnerte sich kopfschüttelnd. Es begann mit einer Diskussion über Patriotismus
in Deutschland. Franz fand es plötzlich wichtig, dass
jeder eine Einstellung zu seinem Heimatland hat. Sarah
widersprach gelangweilt, seine Aggression hatte aber
keinen zusätzlichen Zunder gebraucht. Nach anderthalb
Flaschen Wein, also keine zwei Stunden später, brüllte er
dümmliches Zeug über ihre angebliche Bindungsunfähig-
keit. Natürlich wusste sie schon in diesem Moment, dass
ihr »Ach nein, jetzt nicht« der wahre Grund für seinen
Zorn war. Er hatte sie sehr feucht geküsst, kaum dass sie
mit den Einkaufstüten zur Wohnung hereingekommen
waren. Schon damals war ihr klar, dass jemandem wie
Franz eine solche Zurücksetzung besonders stark zusetz-
te. Das brachte sofort seine Komplexe zum Pochen. Damals hätte sie ihn gern weniger präzise durchschaut. Von
diesem tollen Tag war die violette Bluse übrig geblieben.

247

Hing ungetragen im Schrank. Heute Morgen hatte sie das Ding mit Kalkül eingepackt. Nach Sarahs Erfahrung war es besser, bei Veranstaltungen wie dieser nicht gut angezogen zu sein. Vertreter von Hilfsorganisationen wie Deutscher Entwicklungsdienst oder ›Ärzte ohne Grenzen‹, Menschenrechtler der ›Gesellschaft für bedrohte Völker‹, Gesandte von Caritas, Brot für die Welt und der Welthungerhilfe, alle herzlich uneinig, nur Schulter an Schulter in ihrer demonstrativen Uneitelkeit. Eine Art Anti-Prada-Kollektiv, das internationale Gegen-Gucci, nicht immer reine Absichten, aber wenigstens unbefleckt von der Dekadenz des Konsumterrors. Solange es nicht um die extrem teuren Geländewagen ging, die ein westlicher Entwicklungshelfer in der Dritten Welt fährt, wenn er was auf sich hält. Dass es einen guten Grund für ihre Anwesenheit gab, war ihr bei der Begrüßungsrunde aufgefallen. Alle Anwesenden wurden einzeln vorgestellt und mit einem gemeinschaftlichen Klopfen auf den Tisch willkommen geheißen. Nur bei Dorothee und ihr hatte es kein Klopfen gegeben. Als Ausdruck der gemeinschaftlichen Unzufriedenheit mit der Politik. Sarah war es egal. Das Tischklopfen hatte sie schon immer unangenehm gefunden. Es wirkte wie eine Verhaltensstörung bei Schulkindern, jedenfalls nicht wie ein erwachsenes Gebaren.

Die Teilnehmer der Runde wollten eine Art Wunschzettel für den Außenminister zusammenstellen. Die meisten formulierten allerdings so grantig, dass es Sarah wie der unbarmherzige Forderungskatalog von Geiselnehmern erschien. Zumal sie wusste, dass die wenigsten Wünsche in Erfüllung gehen würden. Aber deswegen war sie hier. Der Außenminister wird nett mit euch plaudern, er möchte vor allem gemeinsam mit euch auf Fotos als Mann der guten Sache rüberkommen und dabei sollt ihr schön brav sein und kameradschaftlich lächeln. Ich soll euch freundlich stimmen, und das scheint mir so einfach, wie im Dezember Krokusse blühen zu lassen. Für heute hatte sie ohnehin kapituliert. Die Humanitäts- profis hatten sich in einer grimmig geführten Diskussion über Transportwege verfangen und versuchten sich ge- genseitig mit noch exklusiveren Insider-Informationen über die Bestechungssummen, die dem Hafenmeister im kenianischen Mombasa zu zahlen waren, auszustechen. Auch wenn es das pure Selbstmitleid ist, ich muss mir heute Abend selbst helfen, Afrika kann mich mal und ihr sowieso, hatte Sarah entschieden. Sie war zu Herrn Hüttmann gegangen. Der führte seit mehr als dreißig Jahren die Bar des Hotels. Seit Sarah in der ›Amica‹ ge- sehen hatte, dass eine Modefotostrecke in diesem Hotel entstanden war, stieg sie nur noch hier ab, wenn sie in Hamburg war. Herr Hüttmann war wie immer tadellos rasiert, wie immer trug er die Krawattennadel, die die Sil- houette der Hamburger Skyline zeigte. Der Hosenbund saß am gewohnten Platz, deutlich über dem Bauchnabel, wie immer hatte er sie mit einem präzise ausgestoßenen »Schön, dass Sie wieder bei uns sind, Frau Lohmann« begrüßt. Ihm ist aufgefallen, dass ich nicht richtig rund- laufe, bildete sich Sarah ein. Jedenfalls hat er mir noch nie eine so große Schüssel mit Nüssen in Paprikakruste hingestellt. Er würde selbstverständlich niemals fragen. Schließlich erinnert er sich auch niemals, wie derangiert ich diese Bar schon oft verlassen habe. Ich bleibe »Frau Lohmann« oder »meine Dame«.

»Danke schön. Jetzt erst Pause, gleich machen wir es weiter«, sagte die hüftstarke Sängerin in einem karpati- gen Akzent. Auf ihr entschlossenes Nicken hin erhob sich ein mondfahler Pianistenschlaks und die beiden verließen unter dem matten Applaus einiger rotgesichtiger Vertretertypen den Raum.

Sie hielt ihr Weinglas mit beiden Händen gegen die Kerze auf dem Tisch und fand die Schmierflecken auf dem Glas widerlich. Habe ich gemacht, dachte sie, Schmierflecken kann ich. Und sonst? Sie hatte Hugo nicht erreicht und war zu stolz, um zu fragen, woher Dorothee wusste, dass er einen besseren Job antreten würde. Definitiv ein besserer Job. Er war viel zu talentiert, um einfach nur ihre Sekretärin mit besonderen Aufgaben zu bleiben. Aber für mich ist er viel mehr als das. Kaum was gegessen, aber schon drei Gläser Rotwein. Sie spürte den Alkohol, aber es dämpfte sie nicht, so wie sonst. Ihr kam es vor, als würde sie klarer sehen, allerdings ohne ihre Gefühle vernünftig unter Kontrolle zu haben. Wenn sie weitertrank, würde sie bald hysterisch über Herrn Hüttmanns Krawattennadel kichern, oder gleich wieder losheulen. Ich habe mich um niemanden wirklich gekümmert, Geburtstage vergessen, Abendessen abgesagt. Weil es ja Hugo gab. Meinen platonischen Quasi-Partner, dem ich auch noch erzählen konnte, wen ich auf der Pirsch eingesammelt habe. Hugo, du könntest doch niemals widerstehen, wenn du die Nüsse auf dem Tisch sehen würdest. Setz dich einfach hin und ich erzähle dir, warum ich glaube, den tollsten Mann der Welt getroffen zu haben. Gestern Abend haben wir auch Rotwein getrunken. Er hatte einen richtigen Rotweinkranz um seinen Sorgenmund, den ich ihm wegküssen wollte. Das hätte ich beinahe geschafft, wenn er nicht die ganze Zeit so hätte kichern müssen. Den Rotwein haben wir getrunken, nachdem wir an einem Tag mehrere Monate miteinander verbracht haben. Du kannst dir nicht vorstellen, wie selbstverständlich sich alles angefühlt hat.

Weißt du noch, wie oft ich dir erzählt habe, dass ich die Rituale mit irgendwelchen Typen so leid bin? Das Versteckspiel, die Standardsätze, das Taktieren? Ich habe sogar vergessen, welche Unterwäsche ich trug. Spielte überhaupt keine Rolle. Aber ich habe ihm meinen Frust vor die Füße werfen dürfen und er hat mir anschließend nicht die Welt erklärt. Er hat mir einfach nur zugehört und mich in den Arm genommen, das war es. Aber ich hatte das Gefühl, schon lange nicht mehr so viel bekommen zu haben. Vielleicht noch nie. Jemand, der dich in den Arm nimmt, nicht weil ihm nichts Besseres einfällt. Sondern der weiß, dass es das Beste ist, was ihm einfallen kann. Lass uns loslegen, habe ich gedacht. Und ich weiß, jetzt würdest du mich fragen: loslegen? Womit loslegen? Mit irgendwas, was ich hundertprozentig noch nicht hatte, würde ich dir antworten. Worauf ich mich aber freuen würde. Ich kann nicht den genauen Begriff vorhersagen, aber ich weiß, welche Richtung du einschlagen würdest. Dass ich eine Apokalyptikerin bin, eine notorische Schwarzseherin, eine Frau, mit deren Pessimismus es niemals ein Wirtschaftswunder und schon gar keine Mondlandung gegeben hätte. Dass er sich bestimmt bald meldet und dann kommen die Geigen und dann die Langeweile, du niederträchtiger, geliebter Zyniker, so würdest du es doch sagen, oder? Sarah nahm einen Schluck aus ihrem Glas. Sie war sicher, dass nichts losgehen würde. Seine Zurückhaltung heute Morgen war wahrscheinlich nur als Vorbereitung gedacht. Geschwindigkeit rausnehmen, rechts ranfahren, aussteigen und dann das Auto anstecken. »Es tut mir Leid, aber ich bin verheiratet. Ich liebe meine Frau, es war wunderschön.« Sarah schluckte und nahm eine Hand voll Nüsse, obwohl sie wusste, dass ihr davon später die Zunge unangenehm brennen würde. Die beiden Ost-Musiker kamen zurück. Mit der Entschlossenheit im Blick, es jetzt für Geld weiterzumachen.

Direkt hinter dem spargeldünnen Pianisten folgte ein Mann mit einem grauen abgetragenen Anzug. Dazu trug er dunkelbraune Turnschuhe und ein rotes T-Shirt mit einem ›ai‹ auf der linken Brust. Sie hatte den Mann vorhin schon im Konferenzraum gesehen und wusste, dass er Carsten von Soest war. Der ›amnesty international‹-Vertreter, der böse Zeitungskommentare geschrieben hatte, ihre Zielperson. Sie lächelte ihn an, er guckte kurz irritiert, entschloss sich dann aber auch zu einem Lächeln. Das Sarah überheblich erschien. Allerdings stellte sie sich selbst in Rechnung, dass sie bei Männerlächeln aktuell sehr festgelegt war.

Vor gestern hätte Carsten von Soest durchaus in ihr Beuteschema gepasst. Dunkle, volle Haare mit den in Sarahs Altersklasse obligatorischen grauen Sprenklern. Eine große Nase und dunkle Augen. Seine zusammengewachsenen Augenbrauen gaben ihm, zusammen mit dem routinierten Lächeln, einen verschlagenen Zug.

»Frau Lohmann, nehme ich an, darf ich mich dazusetzen?«

»Gern, vielleicht darf ich Sie sogar einladen?«, fragte sie.

»Da sage ich nicht nein. Ihre politischen Freunde kommen mich ansonsten ja schon teuer genug zu stehen«, er verzog den Mund zu einem Grinsen, das leidgeprüft rüberkommen sollte.

»Darüber können wir ja vielleicht ein bisschen reden«, gab Sarah zurück. Leider fiel ihr auf, dass sie sich schon sehr konzentrieren musste, um die Wörter trennscharf zu artikulieren.

»Vielleicht reden Sie darüber lieber mit Ihrem Herrn Außenminister, der in aller Welt Menschenrechte im Sonderangebot verkauft.«

»Sie wissen es besser, Herr von Soest. So einfach ist es nicht.« Sarah erkannte die Stumpfheit ihrer Erwiderung. Aber sie spürte schon ihren Zorn hochbrodeln. Wie immer, wenn sie ein Gegenüber als ignorant und selbstgerecht empfand.

»Es scheint mir manchmal erschreckend unkompliziert, Frau Lohmann. Aber lassen Sie uns doch einfach über etwas anderes reden. Zumal mir Ihr unglücklicher Gesichtsausdruck schon genügt, um zu wissen, dass ich den richtigen Punkt erwischt habe«, ein ›Ich weiß doch Bescheid‹-Lächeln. Sarah erinnerte sich an das Gespräch mit der Ministerin. So wahnsinnig viele Chancen habe ich nicht mehr, deswegen jetzt Contenance, sei ein Profi.

»Worüber möchten Sie denn gerne reden?«, ihr war eklig zumute, weil sie Sätze mit leicht anzüglicher Klangfarbe seit gestern nur in zwei ganz bestimmte Ohren sprechen wollte.

»Sie sind ja nicht nur Politikerin.«

»Wie meinen Sie das?«

»Sie sind ja ganz offensichtlich auch eine Frau.«

»Ich freue mich über die Schärfe Ihres Wahrnehmungsvermögens.« Vorsicht, Sarah, ermahnte sie sich. Spiel mit ihm, mach ihn nicht nieder, das kennt er nicht.

»Lassen Sie uns anstoßen. Dann können wir auch gleich dieses dämliche ›Sie‹ beerdigen. Dann redet es sich leichter«, er hob sein Glas. Sarah wollte nichts weniger, als diesem Mann Nähe gestatten. Und wenn es nur die Anrede war. Andererseits wäre eine Ablehnung brüsk. Was für ein ungerechtes Schicksal, dass dieser Mann gewissermaßen meine letzte Chance ist, bedauerte sie sich.

»Natürlich«, sagte Sarah, »warum denn nicht.«

Er stieß an ihr Glas, trank und sagte:

»Carsten, sehr angenehm«, verschwörerisch, er hätte es wahrscheinlich sogar verführerisch genannt.

»Sarah, auch angenehm«, gab sie zurück. Ehe sie das Glas abgestellt hatte, erhob er sich und küsste sie auf den Mund.

Sarah führte sofort das Glas zum Mund. Sie hoffte, dass sie nichts von ihm schmecken würde, wenn sie den Wein herunterschluckte.

Er taxierte sie und hob dabei einen Mundwinkel leicht an. Sarah fand mittlerweile jede seiner Mienen hässlich.

»Schöne Bluse«, sagte er, »erinnert mich an meine Oma. Die hat immer gesagt: Wenn nichts mehr geht, geht lila.« Er lachte auf und schüttelte über seine kecke Oma scheinbar staunend den Kopf.

»Haben Sie alles über Galanterie von Ihrer Oma?«

»Ich dachte, wir haben das ›Sie‹ hinter uns?« Er lehnte sich in seinem Stuhl zurück und brachte seinen Arm so zurück, dass er mit der Hand zwischen seine Schulterblätter fassen konnte.

»Ja, natürlich«, antwortete Sarah. Gleich hat es sich mit der Professionalität, gleich koche ich über. Er ist wahrscheinlich etwas angeheitert und möchte sich toll vorkommen. Morgen wird er wieder ein akzeptabler und vor allem wichtiger Gesprächspartner sein, versuchte sie sich herunterzukühlen.

»Meine Oma hat mich immer getröstet, wenn ich Liebeskummer hatte. Viele Mütter haben schöne Töchter, hat sie immer gesagt«, er rückte näher an den Tisch heran und berührte unter dem Tisch ihr Knie, das der Rock freigab.

»Und ich muss sagen: Da hatte die alte Dame durchaus Recht«, er ließ die Hand auf ihrem Knie und begann hin und her zu streichen.

Sarah kämpfte jetzt mit sehr sicheren Instinkten, denen sie zu verdanken hatte, dass sie unbedrängt 36 Jahre alt geworden war. Dieser Mann war an der Grenze, oder schon darüber hinaus. Das Bild der mahnenden Ministerin begann sich zu verlieren.

»Carsten«, Friedensangebot, ich sage deinen Vornamen und du nimmst deine glitschige Hand weg, »das ist mir nicht so angenehm …«

»Ich bin ja auch noch nicht am Ziel.« Wieder der Verschwörer-Tonfall mit der separat hochgezogenen linken Augenbraue. Er schob die Hand ihren Oberschenkel entlang unter den Rocksaum.

»Hör bitte auf«, Sarah musste kämpfen, damit sie es möglichst leise sagen konnte. Ihr Bedürfnis laut zu werden, war fast unüberwindlich. Er beugte sich über den Tisch näher an sie heran, ließ die Hand, wo sie war. Er sprach langsam, intim, zudringlich. Mit dem unveränderten wissenden Lächeln im Gesicht:

»Ich glaube nicht, dass du wirklich möchtest, dass ich aufhöre. Du sitzt hier ganz allein, mit deinen traurigen, hungrigen Augen. Ich komme vorbei, es ist ein reiner Zufall. Aber bitte: Es ist doch ein glücklicher Zufall, weil ich habe – genau wie du – nichts anderes vor mir, als eine weitere einsame Nacht. Was liegt denn da näher, als dass wir gemeinsam gegen die Einsamkeit ankämpfen«, er kam noch etwas näher, war schon so nahe, dass sie seinen Atem riechen konnte, »morgen kommt die Politik, und bevor wir uns streiten, entspannen wir gemeinsam, haben einfach ein bisschen Spaß. Hmm, was meinst du?« Mit der abschließenden Frage schob er die Hand noch tiefer unter ihren Rock. Sarah sah einen Blitz. Sie holte mit der rechten Hand aus und schlug ihm ungebremst ins Gesicht. Der schwere Metallring traf so fest auf seinem Jochbein auf, dass es sie selbst schmerzte. Er nahm sofort die Hände vor das Gesicht. Sarah sprang auf und schlug auch mit der linken Hand zu, allerdings viel kraftloser als zuvor. Die übelsten Schimpfwörter kamen ihr in den Sinn, überschlugen sich beinahe, aber die Wut nahm ihr die Luft, die Wörter auch zu artikulieren. Das Nächste, was sie wahrnahm, waren die zangenstarken Hände von Herrn Hüttmann, die ihre Unterarme umschlossen: »Frau Lohmann, ich bitte Sie inständig …«, flüsterte er, immer noch komplett beherrscht. Das Jammern von Carsten von Soest klang gedämpft, weil er immer noch sein Gesicht bedeckt hielt. Unter seinen Händen trat ein dünnes Rinnsal Blut hervor. Sarah war nicht komplett zufrieden, denn sie hätte gerne noch getreten.

Lukas zog den Schlüssel aus dem Zündschloss.

Er war froh, angekommen zu sein. Zwei Nächte, insgesamt fünf Stunden Schlaf. Alles hatte nichts genutzt. Er hatte ein Hotel in der Nähe des Hauses gewählt, mit Blick auf den Griebnitzsee. Komfortabel, ruhig. Mit langen Läufen hatte er versucht, sich müde zu machen, sinnlos. Selbst das anschließende Bad verhalf ihm nur zu einer Dreiviertelstunde Schlaf, dann waren die Gedanken wieder da. Mehrere Gedanken auf einmal, alle gleichzeitig. Zwei Jahre lang hat sie es gewusst. Zwei Jahre lang Frauen mit Kinderwagen gesehen und jede hätte es sein können. Sarah schob sich immer wieder dazwischen. Sarah, die Traumfrau. Einen Tag lang hat sie sich selbst weggeträumt aus dem ganz anderen Leben, an dem er sofort wieder teilnehmen könnte, wenn er das Fernsehen einschaltete oder die Zeitung aufschlug. Er würde sie sehen, von ihr lesen können, und es wäre doch nicht die Sarah, mit der er vor drei Tagen die Zeit angehalten hatte. Würden sie das gemeinsam immer wieder schaffen? Wenn er auf dem Hotelbett lag und auf die Entspannung wartete, wünschte er sich, es würde klopfen und Sarah käme herein. Er konnte nicht vorhersagen, was sie sagen würde, genau deswegen wäre es so schön, wenn sie klopfte. Gleichzeitig hatte er in regelmäßigen Abständen auf sein Mobiltelefon gesehen. Vielleicht nur eine kurze Nachricht von Eva. Zwei Wörter könnten schon reichen:

›Was jetzt?‹ Sie will noch gemeinsam überlegen, sie hat noch nichts entschieden, würde das bedeuten. Will ich, dass es weitergeht? So ging es hin und her. Bis er das Telefon ausschaltete. Immer wenn im Fernsehen eine Nachrichtensendung bevorstand, wechselte er sofort den Kanal. Noch ein Tierfilm, noch eine Krawall-Talkshow, noch ein Krimi. Alles fad, aber seine Augenlider wurden nicht schwer.

Wenn er einfach so dalag, war ihm kalt. Wenn er sich zudeckte, juckte ihn die gestärkte Bettwäsche. In Sarahs Wohnung hatte nichts gejuckt, dachte er dann. Ich habe schön gelegen und sie hat schön gelegen, weil wir beide zusammen waren. Das war keine einfache Affäre, die lautlos zu nichts mehr als einer schönen Erinnerung wird, wenn ich stillhalte, dachte er wütend. Es war wenig Zeit, aber es fühlt sich an, als wärest du ihr lange nahe gewesen, du Pfeife. Lukas drehte sich auf die linke Seite, dann wieder auf die rechte. Er stand auf, ließ Wasser in den Zahnputzbecher und trank. Er stützte sich auf dem Waschbeckenrand auf. Ich rufe sie sofort an und sage ihr, dass wir es probieren müssen. Dass ich meine Frau verlasse, weil mir meine Ehe nichts mehr bedeutet. Er nickte seinem Spiegelbild gehässig zu. Genau, ich beginne wieder mit einer neuen Lüge. Das ganze Spiel von vorn. Ich kenne Sarahs Nummer längst auswendig, ich kann sie sofort anrufen. Aber ich habe nichts zu sagen. Lukas ließ den Kopf heruntersinken, damit er sich nicht mehr ansehen musste.

Heute Morgen hatte er bei der Firma Bescheid gesagt. Eine Premiere. Denn er hatte sich noch nie an dem Tag krankgemeldet, an dem er eigentlich arbeiten müsste. Heute würde erstmals der ›Stand by‹-Kollege für ihn einspringen und es war ihm noch nicht einmal peinlich. Seit seiner Ausbildung hatte es keinen Tag gegeben, an dem er so fest davon überzeugt war, kein Flugzeug fliegen zu können, wie an dem heutigen.

Er stieg aus dem Auto aus und ging auf das Haus seines Vaters zu. Ein hässlich-braunes Reihenendhaus. Es war zu erkennen, dass seine Mutter häufig zu Besuch kam. Denn sein Vater wäre nicht auf den Gedanken gekommen, eine Pflanze in einem hochwertigen Terrakottatopf neben die Haustür zu stellen. Winninger senior kümmerte sich nur um Pflanzen, die auch essbar waren. Die Tür öffnete sich, ohne dass Lukas klingeln musste. Sein Vater konnte sich die Geräusche von Automotoren merken und hatte ihn kommen hören.

Er trug Birkenstocksandalen ohne Socken, eine dunkelblaue Drillichhose und ein schwarzes T-Shirt. Den dunklen Hautton hatte er an Lukas vererbt. Weil er schon vor seiner Pensionierung keinen Sonnenstrahl ausgelassen hatte, war sein Gesicht mit kleinen Fältchen überzogen. Die Haare, wie ein monochrom grauer Teppich, setzten seinen Teint und seine hellen blauen Augen günstig in Szene. Winninger senior war etwas rundlicher als sein Sohn, der allerdings auch schon seit vier Tagen nicht mehr viel gegessen hatte.

»Pünktlichkeit ist eine Zier«, sagte er, ohne weitere Begrüßung.

»Und weiter kommt man ohne ihr«, gab Lukas zurück, während er an seinem Vater vorbeiging und ihn zur Begrüßung kurz am Ellenbogen berührte.

Lukas ging direkt zur Terrasse durch und ließ sich auf einen der sorgfältig gewachsten Holzstühle fallen.

»Tee?«, rief sein Vater von drinnen.

»Was sonst«, antwortete Lukas automatisch.

»Ich hab es bald geschafft«, kam aus der Küche zurück. Als das Internet noch spannendes Neuland für ihn war, hatte sein Vater irrtümlich 75 Kilo schwarzen Tee online geordert. Daran trank er mittlerweile seit anderthalb Jahren.

Lukas blickte in den sonnenbeschienenen Garten. Alles war streng symmetrisch ausgerichtet. Die Tomatenstauden mit Präzision aufgerichtet, die Kartoffelfurchen wie mit dem Lineal gezogen. Der Mittelpunkt des Gartens war allerdings ein kleines Bäumchen, das sein Vater regelrecht hätschelte. Das Bäumchen trug den Namen Gisela. ›Er hat für sie einen Baum gepflanzt‹, war Lukas von seiner Mutter zugeraunt worden. Ein halbes Jahr nach dem Tod der schönen Gisela aus der Sportgemeinschaft Tanzbein Wilmersdorf. Die Gisela, wegen der Lukas heute seinen Vater besuchte. Auch wenn der es noch nicht wusste.

Die Sprinkleranlage begann feinen Nebel über den Kopfsalat zu sprühen.

»Siehst du das?« Sein Vater stand mit einem Tablett sichtlich hingerissen in der Terrassentür.

»Was sehe ich?«

»Na, das Wasser. Die Anlage steuere ich mit meinem Rechner.«

»Toll, Papa, ganz toll.« Lukas hoffte, dass er heute um die Wetterausdrucke herumkam, die sein Vater ebenfalls computergestützt erstellte. Selbstverständlich täglich.

»Das kannst du wohl laut sagen. Technik, die begeistert.« Seit mehreren Jahren stockte er seine Spruchweisheiten mit Werbeslogans auf, die den nötigen Binsenwert besaßen.

Winninger senior setzte sich, schenkte Tee ein und begann dann, sich eine Zigarette zu drehen.

»Wie viele?«, fragte Lukas.

»Du bist nicht mein Arzt.«

»Wann hast du den das letzte Mal gesehen?«

»Gestern in der Zeitung. Der will sich für die CDU ins Bezirksparlament wählen lassen. Der sieht mich so schnell nicht wieder.« SPD-Mitglied seit 1963, Gewerkschaft der Polizei seit 1965, Lukas kannte die Daten.

Mit einem zufriedenen Seufzer inhalierte sein Vater den ersten Zug des schwarzen Tabaks. Wenn Lukas jetzt kein Gespräch anfing, würden sie hier mindestens die komplette Zigarettenlänge schweigend sitzen, nach weiteren fünf Minuten würde sein Vater vom Sonnenschein auf seine Ausdrucke überleiten.

»Und wie geht es dir?«, fragte Lukas.

»Ich bin 68 Jahre alt und noch nicht tot. Es kann mir nur gut gehen.« Ein Qualmwölkchen entlassend, lächelte ihn sein Vater an.

»Musst du nicht arbeiten?«

»Ein paar Tage frei«, log Lukas einsilbig und kratzte mit der Schuhspitze in einer Fuge zwischen den Bodenplatten der Terrasse.

Im Nachbargarten wurde ein Rasenmäher angelassen, der aber recht schnell von einer über sie hinwegdröhnenden Boeing 737-800 von HapagLloydExpress übertönt wurde. Feiner Sichtanflug heute, dachte Lukas. Gut, dass ich da nicht drin sitze und mir den Kragen durchschwitze, war gleich der nächste Gedanke. Sein Vater schien das Flugzeug überhaupt nicht wahrzunehmen. Nach acht Jahren in diesem Haus in der Nähe des Flughafens Tegel nicht besonders überraschend.

»Du trinkst viel, mein Sohn«, Lukas' Vater war überzeugter Antialkoholiker, warum, wusste Lukas nicht.

»Wie kommst du darauf?«

»Weil du so aussiehst. Vergiss nicht, ich habe als Bulle mehr Säufer gesehen als du Koffer auf Gepäckbändern.«

»Ich bin kein Säufer.« Lukas wandte dennoch sein Gesicht ab, konzentrierte seinen Blick auf die Kartoffelfurchen.

»Dummheit frisst, Intelligenz säuft«, war die abschließende Einlassung seines Vaters zum Themenkomplex ›Du siehst nicht gut aus‹.

Winninger senior lächelte entspannt seinen Garten an.

»So viel Septembersonne. Leider nur noch morgen«, sagte er. Lukas atmete tief durch. Warum bin ich hier, fragte er sich. Gleich sehe ich wieder langweilige Wetterdaten auf überkommenem Endlospapier, das ein alter Freund aus dem Polizeipräsidium umsonst besorgen kann. Wann habe ich jemals mit ihm über irgendwas gesprochen, was mit Gefühlen zu tun hat? Ich kenne ihn als Maske. ›Lass den Papa mal‹, hatte seine Mutter gesagt, als er dreizehn Jahre alt war. Sein Vater sprach damals tagelang kein Wort. Jahre später erfuhr Lukas, dass sein Vater damals im Dienst einen Mann in die Querschnittslähmung geschossen hatte. Ein Messerstecher, der Kollege von Lukas' Vater hatte die Attacke des Mannes nicht überlebt. ›Du machst das schon‹, wie oft hatte Lukas diesen Satz von seinem Vater gehört. Vor dem Abitur, vor der Führerscheinprüfung, vor dem Abschluss seiner Pilotenausbildung. Sein Vater fehlte nicht bei der Abiturfeier, er kam nach Bremen, als Lukas seine Verkehrsfliegerlizenz entgegennahm. Um seinem Sohn die Hand zu schütteln. Seine Hand in der größeren Hand seines lächelnden Vaters, das war für Lukas die unspektakuläre wortlose Normalität. Was es zu besprechen gab, formulierte seine Mutter. Nur selten unbeholfen. Kompliziert waren ihr nur die Andeutungen geraten, mit denen sie Lukas sexuell aufklären wollte. Der war schon längst im Bilde, versuchte seiner Mutter dennoch den Eindruck von wissbegieriger Aufmerksamkeit zu vermitteln, während sie über die Körper sprach, die irgendwann ›zueinander drängen‹. Sein Vater hielt sich selbstverständlich raus, hatte sich sogar sein ›Du machst das schon‹ in diesem Zusammenhang gespart. Aber derselbe Mann ist zu Gisela gegangen.

»Du bist schon seit sieben Jahren Großvater, Papa«, Lukas sprach zu seiner Schuhspitze herunter.

»Wie bitte?«

»Vor sieben Jahren hat eine Frau mein Kind zur Welt gebracht. Ich darf es aber nicht sehen.« Jetzt sah Lukas ihn an. Sein Vater starrte in den Garten. Er griff in seine Hosentasche, zog das Brillenetui heraus und setzte seine Brille auf. Lukas musste über die hilflose Geste beinahe lachen, zumal die billige Brille die Augen seines Vaters grotesk vergrößerte.

Winninger senior lehnte sich auf seinem Bänkchen zurück, hielt sich mit einer Hand an der Kante des Gartentisches fest und bedeutete Lukas mit der freien Hand, dass er weitererzählen möge. Er sah seinen Sohn nicht an, hielt stattdessen den Kopf leicht gesenkt.

Lukas erzählte die Geschichte von Katharina. Die ihn nicht mehr wollte, zu ihrem Ex-Freund zurückkehrte und ihn zehn Tage später anrief, weil sie schwanger war.

»Sie war absolut sicher, dass es von mir war. Warum wegmachen, habe ich gedacht. Sie kann es mit ihrem Freund großziehen. Kein Theater, ich zahle und kann mir auch noch moralisch vorkommen. Ich würde es einfach schlucken, habe ich mir gedacht. Und mich daran erinnert, wie du geguckt hast, wenn du wieder irgendetwas weggeschluckt hast. Das hat mir schwer imponiert.«

Winninger senior sah kurz auf, blickte abwesend und

machte eine wegwerfende Handbewegung. Dann nickte er Lukas aufmunternd zu.

Sein Sohn beschrieb Evas Schweigen. Die Begegnung mit Sarah, ein bisschen stockend, weil es ihm schwer fiel, die erotische Spannung zu schildern, ohne allzu deutlich zu werden. Bevor er von dem Gespräch mit Eva erzählen konnte, machte er eine kleine Pause. Die Lukas' Vater nutzte, um kurz zu husten und sich eine weitere Zigarette zu drehen.

»Seit zwei Tagen wohne ich im Hotel. Ich kann nicht schlafen, ich kann nicht zur Arbeit fahren, weil ich das Gefühl habe, keine Flugzeuge mehr fliegen zu können. Ich wusste nicht wohin damit, Papa. Ich weiß auch nicht, wie ich weitermachen soll. Ich musste immer wieder daran denken, dass du damals zu Gisela gegangen bist, und ich wollte endlich wissen, wie du das entschieden hast. Und warum. Was hast du dir versprochen? Ist das in Erfüllung gegangen?«

Sein Vater sagte nichts, blickte weiter auf die Tischkante. Er nahm die Brille ab, steckte sie vorsichtig wieder in das Brillenetui. Dann erhob er sich. Weit müder, als er den Tee herbeigebracht und sich gesetzt hatte.

»Komm«, sagte er leise und nickte in Richtung Garten.

Er ging zu dem kleinen Bäumchen. Lukas stellte sich neben seinen Vater, der mit herunterhängenden Armen vor dem Baum stand, den er Gisela genannt hatte.

»Sie mochte Bäume so gern«, sagte er leise.

»Ich habe sie beim Tanzen kennen gelernt. Aber irgendwann sind wir viel mehr im Wald spazieren gegangen, als zu tanzen. Sie hat immer so schön erzählt. Und so laut gelacht, dass ich dachte, die Bäume im Wald müssten sich biegen.«

Lukas blickte auf seinen Vater, der das Bäumchen sanft anlächelte.

»Wir haben so wunderbar zusammen getanzt«, sein Vater sah ihn ernst an, »deine Mutter ist auch eine tolle Tänzerin, sie macht nichts falsch und sie hat Gefühl für den Takt. Aber mit Gisela konnte man richtig schweben. Da war ich plötzlich kein kleiner Bulle mehr. Da war ich Fred Astaire, wenn dir der noch was sagt.«

»Klar«, gab Lukas leise zurück.

»Aber ich habe nichts entschieden. Ich wäre weiter mit Gisela im Wald spazieren gegangen und hätte sie im Auto geküsst und so weiter«, immer noch blickte er starr auf den Baum.

»Deine Mutter hat gesagt, ich soll zu ihr gehen. Ich solle es ausprobieren, hat sie gesagt. Ich hätte auch nur ein Leben. Das hat sie alles gesagt, deine Mutter.« Er machte wieder eine Pause, als müsse er sich seine Kraft einteilen.

»Ich glaube, sie hat es gemerkt, die schöne Gisela. Dass ich nicht von allein gekommen bin, sondern dass mich jemand geschickt hat«, er blickte abwesend zu Boden.

»Ich würde dir sehr gerne helfen, Lukas. Aber ich weiß selber nicht, was dabei herauskommt, wenn irgendjemand unter mein Leben einen Strich zieht. Es waren viele schöne Momente und viele schreckliche Momente. Aber …« Sein Vater nickte wieder, als wolle er sich selber Mut machen, »aber das Beste was ich gemacht habe, bist du. Wenn ich mir wie ein alter Trottel vorkomme, weil ich nicht mehr weiß, ob ich schon umgegraben habe oder nicht, dann denke ich an dich und dann bin ich wieder stolz.« Sein Vater trat die Erde um Gisela herum fest.

»Aber der Apfel fällt nicht weit vom Stamm«, sagte Lukas.

»Ich hätte es nicht besser sagen können.« Sein Vater lächelte ihn direkt an.

Lukas erwiderte das Lächeln, zögerte für einen Moment und nahm seinen Vater in den Arm. Es war gar nicht so schwer, wie er gedacht hatte.

Flughafen Berlin-Tegel
Rollfeld
Austrian Airlines Flug 545 Berlin–Wien
Silvester
10.35 Uhr

»Und, wie geht's?«, fragte sie.

Er fasste sich an den Hosenbund: »Meine Hose kneift.«

»Aha.«

»Wir müssen das lassen, mit den Sahnesaucen am späten Abend.«

»Du sagst doch immer, du könntest nicht schlafen, wenn dein Magen vor Hunger knurrt. Meinetwegen müssen wir nicht essen.«

»Dafür langst du aber ordentlich hin, meine Liebe. Du hast übrigens auch zugelegt, jedenfalls im Gesicht«, er kniff ihr in die Wange.

»Ich frage mich, ob das Wort ›Verachtung‹ wirklich reicht, um zu beschreiben, was ich für dich empfinde«, ihr Gesicht war steinern. Nicht zu übertrieben, nicht zu lasch. Gelernt ist gelernt, konnte Lukas noch denken, dann ließ sie das übermütige, angriffslustige Lächeln wieder frei. Sie freute sich ganz offensichtlich auf Wien.

Ausnahmsweise wusste er nicht, was ihn dort erwartete. Er kannte beinahe jede europäische Hauptstadt, nur Wien durch Zufall nicht. Deswegen hatte er auch darauf bestanden, dass sie im Hotel ›Sacher‹ wohnen. Nach seinem Plan würden sie sich, bei den Wien-Klischees beginnend, langsam vorarbeiten. Selbstverständlich Prater-

Riesenrad, selbstverständlich Spanische Hofreitschule. Es würde ihr nicht langweilig sein, hatte sie versichert. Auch wenn sie die Stadt sehr gut kannte, fast zwei Jahre hatte sie dort gelebt. Allerdings war sie erbärmlich schlecht darin, die Vorzüge Wiens herauszustellen. »Wir müssen eine Eitrige essen«, klang ihm noch als Verheißung von ihr im Ohr. Anschließend erfuhr er, dass es sich bei einer Eitrigen um eine Art Brühwurst handelte, die mit Käse gefüllt war. Der floss gelblich aus, wenn die Wurst heiß serviert wurde. Es war die erste Spaßreise nach vielen Monaten. Würde es gut gehen? Würde nichts aufbrechen? Er hoffte es sehr. Er wünschte sich Sektlaune, er wollte am Stephansdom Walzer tanzen. Kotthaus hatte das selbstverständlich schon gemacht und ihm davon vorgeschwärmt: »Man möchte gar nicht mehr aufhören zu tanzen. Schön wuchtige Kreise drehen. Dazu bimmelt die Kirche, herrlich. Du wirst sehen, die Leute sind schon sehr südlich, auch wenn es natürlich schwanzkalt ist. Aber du kannst mich gerne in Rio anrufen, ich bringe dich dann auf warme Gedanken.« Es hatte Lukas beinahe mehr Überwindung gekostet, mit Michael zu reden, als mit seinem Vater. Aber ihm war völlig klar, dass er mit allem raus musste, damit Michael wirklich sein Freund blieb. Es war nicht leicht. Besonders als es um Katharina und das Kind ging, brach es aus Kotthaus heraus:

»Das hast du nicht gemacht, oder? Lässt dich über Jahre von dieser Else erpressen, warum denn?«, er war dem Schreien sehr nahe, »nur weil du diesen Nazi-Ritterlichkeits-Scheißdreck im Kopf hast, deswegen baust du solche Dinger, ich fasse es nicht.« Als es um Sarah und Eva ging, hörte er dann ruhig zu und ermunterte ihn nur mit einem verständigen Schmunzeln zum Weitererzählen, wenn Lukas ins Stocken geraten war.

Seine Analyse des Geschehens beschränkte sich auf ein »Puh« und ein ratloses Kratzen am Kopf. Zu Lukas' Überraschung war er nüchtern und pragmatisch, als Lukas mit dem größten Unverständnis gerechnet hatte.

»Ich kann nicht mehr fliegen, Michael.« Zu diesem Zeitpunkt war er sich schon vorgekommen, als würde er eigentlich als Patient auf eine Psycho-Station gehören. »Hast du Angst?«, hatte Michael sachlich gefragt.

Lukas nickte und wandte sofort den Blick auf Luigi, der hinter der Theke des »Nummer 16« einen neuen Dosierer auf eine Grappaflasche schraubte.

»Das kriegen wir in den Griff«, sagte Michael und Lukas sah ihn überrascht sofort wieder an.

»Wie bitte?«

»Nichts Besonderes. Du bist nicht der Einzige. Kann die unterschiedlichsten Gründe haben. Dem einen stirbt die geliebte Mutter weg und er funktioniert nicht mehr. Der andere erlebt seine erste Beinahe-Kollision und hat danach die Hosen voll. Mir geht es auch so ...« Er ließ den Satz unvollendet und blickte an Lukas vorbei glasig in den Raum.

»Du hast auch Angst?«

»O ja, mein Freund«, jetzt senkte er den Kopf und zog mit dem Zeigefinger die Karos auf der Tischdecke nach, »auch ich habe große Angst ... vor allem vor der Einsamkeit des Cockpits. Ich rufe dann immer die jüngste Flugbegleiterin herbei. Weil die ganz Jungen ihre Ausbildung gerade erst gemacht haben und dementprechend motivierter in der Betreuung sind, weißt du«, für einen Moment konnte er noch Innerlichkeit vorgaukeln, dann brach es regelrecht wiehernd aus ihm heraus. Er zeigte mit dem Finger auf Lukas und nahm sich ein wenig Zeit zum Lachen.

Danach hatten sie sich dreimal eine Cessna gemietet und waren geflogen. Wie damals, während der Ausbildung. Schon beim zweiten Mal freute sich Lukas, wie viel intensiver er das Fliegen in der Maschine spüren konnte. Und noch mehr darüber, wie sicher und souverän er die Cessna im Griff hatte. Selbst Michaels riskante Sturzflüge und Trudelvarianten verursachten nur ein gewisses Unbehagen, kein Vergleich zu den durchgeschwitzten Situationen der vergangenen Monate.

Ich bin wieder da, war Lukas' Gedanke, als er nach dem dritten Flug aus der Maschine stieg. Es war voreilig. Er konnte wieder problemlos arbeiten. Er las intensiver Zeitung, vor allem die Politik-Seiten. Aber er war nicht der Alte. Gewiss, es gab einen neuen Start und er hatte ihn absichtlich herbeigeführt. Nicht geschehen lassen, sondern selbst entschieden. Er hatte ›Ja‹ gesagt. Aber das ›Nein‹ wieder verschluckt, die Absage schweigend ausgesprochen. Warum? Weil ich keine Argumente hatte, dachte Lukas. Ich konnte es nicht begründen, ich kann es jetzt nicht, dachte er. Es brauchte eine Entscheidung und er hatte sie getroffen. Vielleicht aus Pflichtgefühl, vielleicht aus Scham. Aus Liebe, natürlich auch aus Liebe, aber was lässt sich nicht alles unter dieses großes Wort stellen? Aus einem momentanen Gefühl heraus, da war er sich ganz sicher. Es hatte sich richtig angefühlt und so war es geblieben. Jedenfalls meistens, in den vergangenen drei Monaten.

Diese speziellen Nächte waren auch neu. In denen er plötzlich aufwachte und das Gefühl hatte, er würde keine Luft bekommen. Dann musste er zum Fenster gehen, es aufreißen und den Zweifel rausatmen.

»Wie geht es dir?«, fragte sie wieder.

Er drehte sich zu ihr hin und versuchte ein Lächeln.

»Ist es wieder das Fliegen, mein Lieblingsschizo?«

»Nein, alles in Ordnung. Ich habe nur ein bisschen rumgeträumt«, sagte er.

»Hast du dir vorgestellt, deine Tochter würde uns begleiten?«

»Nein, beim besten Willen nicht. Ich kenne dieses Mädchen nicht, das weißt du doch. Ich glaube auch nicht, dass dieses Weihnachtsgeschenk eine gute Idee war.«

»Aber du hast sie aus der Nähe gesehen.«

»Ich habe ein Mädchen gesehen, das auf einem Parkplatz vor einem fremden Mann stand und die Situation behämmert fand. Das habe ich gesehen.«

»Hast du was von dir an ihr gesehen?«, sie fragte sehr vorsichtig. Bisher hatte sie sich mit dem begnügt, was er von dem entsetzlichen Treffen am Tag vor Heiligabend erzählt hatte. Keine Fragen gestellt.

Er überlegte einen Moment.

»Nein, habe ich nicht.« Die komplette Antwort wäre gewesen, dass ich an den Augen und der Gesichtsform des kleinen Mädchens ihre Mutter wiedererkannt habe. Die stand zwar direkt hinter ihrer Tochter, aber erst die Ähnlichkeiten an dem Mädchen, seiner Tochter, hatten Lukas wütend gemacht. Vor allem wütend auf sich selbst, weil er dieser Frau wie ein Dackel hinterhergelaufen war.

»Jetzt versinkst du schon wieder«, hauchte sie ihm ins Ohr.

»Ich kann nur noch an eine Zigarette denken.« Er sah sie herausfordernd an.

Sie zog die linke Augenbraue hoch und strich ihm über den Oberschenkel.

»Ich könnte auch eine rauchen«, sie blickte sich um, »aber es sieht hier sehr schlecht aus.«

»Ich freue mich auf Wien«, sagte er und meinte es.

»Wegen des Rauchens?«

»Auch«, er nahm ihre Hand, »aber vor allem, weil ich hoffe, dass du dich auch freust.«

Eva nickte und küsste ihn.

Sie schämte sich für ihre Wut, als sie gestern auf der Suche nach den Tickets den Zeitungsartikel auf seinem Schreibtisch gefunden hatte. Ein schon leicht vergilbter Ausriss aus der ›Bild‹-Zeitung, sie hatte die paar Zeilen bestimmt fünfmal gelesen, danach zerknüllt und in die Altpapiertonne geworfen.

Rambo-Abgeordnete:
Ab in den Busch!

Die Noch-Bundestagsabgeordnete Sarah Lohmann, 36 (SPD), geht in den Dschungel. Das Auswärtige Amt teilte gestern mit, dass Lohmann schon Anfang November Botschafterin in Kampala, der Hauptstadt Ugandas, wird.

Lohmann (Foto) hatte vor zehn Tagen einen Vertreter der Menschenrechtsorganisation »amnesty international« grundlos geschlagen und schwer verletzt (›Bild‹ berichtete). Ihr (bald) ehemaliger Chef, der SPD-Fraktionsvorsitzende im Bundestag: »Durchsetzungsvermögen wird sie in dieser Gegend der Welt brauchen.« Lohmann hatte sich schon vor zwei Jahren kräftig ins Fettnäpfchen gesetzt. Damals hatte sie von der Sonnenliege in der Provence weniger Geld für Ostdeutschland gefordert. Danach wurde sie von ihren Kollegen nur noch ›Lavendel-Luder‹ genannt.

»In dieser Region der Welt kennt sie sich wirklich gut aus«, sagte die Ministerin für wirtschaftliche Zusammenarbeit, nachdem sie von der Entsendung Lohmanns gehört hatte.

»Amnesty international« auf ›Bild‹-Anfrage: »Kein Kommentar!«

Kampala, Uganda
Nakasero Hills
Deutsche Botschaft
Silvester
13.42 Uhr Ortszeit
15.42 Uhr MEZ

Die Botschaftssekretärin Kerstin Dunz musste sich zwei Fragen beantworten. Erstens: Was würde sie heute Abend bei der Silvesterparty anziehen? Es war ihr erstes großes Fest unter diesen fremden Bedingungen und sie wollte nichts falsch machen. Zu Hause in Bergisch Gladbach wäre es kein Problem. Schließlich hatte sie dort die bisherigen 26 Silvesterfeste ihres 26-jährigen Lebens verbracht. Zu Hause würde sie sich sexy anziehen, weil Silvester eine gute Gelegenheit war, Typen abzugreifen. Fast noch besser als Karneval. Hier war sie sich nicht sicher. Im Vorbereitungskurs hatte sie sich immer wieder sagen lassen, dass hier alles viel strenger sei. So prüde wie im viktorianischen England, hieß es. Sie wollte unter keinen Umständen nuttig rüberkommen. Aber vielleicht galten die strengen Regeln nur für die Einheimischen und sie hatte als Ausländerin mehr Freiheiten. Beinahe hätte sie vorhin die Botschafterin gefragt. Frau Lohmann erschien ihr total locker. Auch wenn sie manchmal ein bisschen traurig guckte. Von prüde konnte bei ihren Outfits beim besten Willen keine Rede sein. Die kam fast immer ohne Strumpfhosen ins Büro, fast immer nackte Beine. Die Klamotten für den heutigen Abend waren aber auch deswegen wichtig, weil dieser Hugo bestimmt zur Botschaftsparty kommen würde. Zuerst fand sie ihn doof, vor allem seine Stimme. Aber dann hatte ihr gefallen, wie aufmerksam er immer war. Brachte Kuchen vorbei, letztens kam er mit einem ganzen Stapel DVDs und sagte, sie solle sich ein paar Filme aussuchen. Frau Lohmann schien ihn sehr zu mögen, dann konnte er so falsch nicht sein. Es war wirklich sehr schwierig zu entscheiden. Sie würde vor dem Kleiderschrank noch einmal in sich gehen und sich jetzt dem zweiten Problem zuwenden. Sollte sie den Brief herausholen, der in diesem schlecht verklebten Umschlag steckte, oder nicht? Sah ganz nach einem privaten Brief der Botschafterin aus. Alles handschriftlich, adressiert an einen Lukas Winninger in Berlin. War sogar eine Briefmarke drauf. Sie müsste den Brief also nicht in die Frankiermaschine einspannen. Wenn der Brief streng vertraulich wäre, hätte Frau Lohmann ihn doch selber eingesteckt. Sie holte die Blätter so vorsichtig aus dem Umschlag, wie sie konnte. Kerstin begann zu lesen.

Lieber Lukas,

vielleicht glaubst du mir nicht, aber ich habe wirklich überlegt, ob ich nicht ›Liebster Lukas‹ schreiben sollte. Musst du dir nichts drauf einbilden, denn ich kenne nur einen Lukas. Nur dich, also kannst du auch mein liebster Lukas sein, oder?
Über deine Weihnachtskarte habe ich mich sehr gefreut. Wenn ich davon absehe, dass sie ihr Lied nicht mehr konnte. Die Tonmembran hat entweder den Transport oder die hiesige Luftfeuchtigkeit nicht überstanden. Aber auf der Rückseite habe ich gelesen, dass die Karte ursprünglich ›Jingle Bells‹ spielen konnte, und das

Lied mag ich gern. Meinen krassen Weihnachtsfimmel musstest du zum Glück nicht mehr mitbekommen, der hat schon in den vergangenen Jahren meine komplette Umgebung überfordert. Die Vorweihnachtszeit bei 23 Grad und einer Sonne, die nicht im Geringsten winterfahl sein kann, ist eine merkwürdige Erfahrung.

Definitiv der erste Heiligabend, an dem ich mich morgens mit Sonnenschutzcreme eingerieben habe.

Dass ich jetzt hier bin, ist ein Glücksfall. Oder mindestens Glück im Unglück. Hoffentlich hast du kein Wort von dem Mist geglaubt, der in den Zeitungen stand. Auch wenn du in der Kürze der Zeit nicht alle meine charakterlichen Untiefen ausloten konntest: Du kannst dir bestimmt vorstellen, dass ich niemanden schlage, ohne einen triftigen Grund zu haben.

Die Ministerin hat mir jedenfalls geglaubt und zu meiner Verwunderung diesen Posten für mich rausgeholt. Ich dachte immer, sie könnte mich nicht leiden. Wahrscheinlich habe ich bei ihr Muttergefühle geweckt. Für Kinder hatte die neben ihrer Karriere schließlich auch keine Zeit.

Die anderen wollten mich selbstverständlich absägen und dann schnell vergessen. Vielleicht erinnerst du dich an die Sachen, die ich dir auf der Bank im Tiergarten erzählt habe. Denkst du manchmal an die Bank? An unsere Bank?

Oder an den Abend danach, den Morgen davor? Vielleicht habe ich mich auch getäuscht, aber wir waren doch gar nicht so schlecht zusammen, oder?

Ich habe dich schon häufiger gefragt, wie es denn wohl weitergegangen wäre, wenn wir weitergemacht hätten. Nicht dich persönlich, sondern eine Seifensteinfigur, die ich hier gekauft habe. Einheimisches Kunsthandwerk. Deswegen trägt die Figur auch eine Art Geweih und einen merkwürdigen Köcher auf dem Rücken. Die Nase ist auch viel elefantiger als deine, aber die Figur hat genau deinen Sorgenmund. Mit dem du so schön küssen kannst. Was das Küssen angeht, bist du meine persönliche Nummer zwei. Aber nur, weil ich dich auf dem Gymnasium noch nicht kannte, und der erste Kuss bleibt wohl immer etwas Besonderes.

Die Figur ist genauso stumm wie du nach dem Morgen, an dem wir uns verabschiedet haben.

Wenn du jetzt denkst, ich würde hier nur den ganzen Tag sitzen, mit einer Seifensteinfigur plaudern und ansonsten auf meinen ersten Sonnenstich warten, hast du dich getäuscht. Ich organisiere unter anderem deutsche Liederabende. Da kommen dann die reichen Leute Kampalas und hören sich Schumanns Letzte Lieder an. Gesungen von einer etwas schrillen deutschen Rentnerin, die ihrem englischen Gatten hierhin gefolgt ist. Er begleitet sie auf dem Klavier. Ich glaube, dass ich eine unausgesprochene Frage auf den Gesichtern der Ugander lesen kann: ›Die haben doch in Deutschland schon schlechtes Wetter genug, warum hören die sich dann auch noch Selbstmordmusik an?‹ Frage ich mich übrigens auch, aber diese Liederabende sind das Lieblingsprojekt meines Vorgängers. Ich kann die also nur langsam auslaufen lassen.

Ich kann hier aber auch sinnvolle Sachen machen. Wir hatten schon in Deutschland begonnen, uns um eine Art Jugenddorf für behinderte Kinder zu kümmern. Eine Freundin aus Frankfurt hat Geld bei der Deutschen Bank lockergemacht, das kann ich jetzt direkt weitergeben. Mit wir ist übrigens auch mein ehemaliger wissenschaftlicher Mitarbeiter Hugo Siepmann gemeint. Der hat es tatsächlich geschafft, sich für die Friedrich-Ebert-Stiftung nach Uganda schicken zu lassen. Auch dabei hat die Ministerin geholfen. Ich freue mich wahnsinnig, dass er hier ist. Auch wenn er die ganze Zeit entweder über die Hitze, die Afrikaner oder alle möglichen Todesgefahren meckert, denen er sich nur meinetwegen ausgesetzt hat. Momentan meckert er etwas weniger, weil er glaubt, sich unsterblich in meine Sekretärin verliebt zu haben. Ein sehr schönes Mädchen aus dem Rheinland, sehr wach, aber wahrscheinlich völlig uninteressiert an dem froschigen Hugo. Ich werde ihm zur Seite stehen, wenn er sich dann bald in schwerem Liebeskummer den Löwen zum Fraß vorwerfen will.

Ich habe übrigens noch keinen einzigen Löwen gesehen, aber mein Fahrer Wilberforce hat mir versichert, dass es in Uganda welche gibt.

Du siehst also, es gibt noch einiges zu entdecken.

Ich muss noch einmal auf den Anfang zurückkommen. Du wärst auch mein liebster Lukas, wenn ich noch einen anderen Mann mit deinem Vornamen kennen würde. Denn du bist meine liebste Erinnerung, wenn ich dieses vergehende Jahr Revue passieren lasse. Natürlich hätte ich mir ein angenehmeres Ende für uns beide gewünscht. Ehrlich gesagt war mir überhaupt nicht nach Ende zumute. Aber mittlerweile freue ich mich über die Zeit, die wir haben konnten. Es war schön und wird wahrscheinlich in meiner Erinnerung nur noch schöner.

Nach deiner Weihnachtskarte weiß ich, dass du auch hin und wieder an mich denkst. Das freut mich sehr.

Hier fliegen nur Flugzeuge hin und da setzt du dich in deiner Freizeit wohl kaum rein, wenn es im Dienst schon so schwierig ist. Aber spätestens, wenn es eine ICE-Verbindung nach Kampala gibt, rechne ich mit dir.

Der Brief ist etwas lang geworden, ich bin an Silvestertagen leider immer noch redseliger als sonst.

Ich wünsche dir und deiner Familie ein angenehmes und vor allem gesundes Neues Jahr. Und bitte verzeih einer pathetischen Fast-Vierzigjährigen mit verwirrend juckenden Mückenstichen an beiden Knöcheln, aber ich denke an dich in Liebe,

deine Sarah

Kerstin hielt die Blätter in den Händen und war sicher, dass sie den Brief nicht hätte lesen dürfen. Aber sie war dennoch sehr froh. Mehr als das. Von wegen ›froschig‹, von wegen ›uninteressiert‹. Sie würde einen tollen Abend mit Hugo haben. An den sie sich später genauso fröhlich erinnern wollte, wie ihre Chefin an diesen Lukas dachte.

Liebe Leserin, lieber Leser,

vielleicht haben Sie keine Flugangst. Sollten Sie aber haben, jedenfalls wenn so geflogen wird, wie in diesem Buch beschrieben. Der Autor kann keine Flugzeuge fliegen, ist sogar bei einem Versuchsflug mit einem PC-Simulator bereits kurz nach dem Start abgestürzt.

Allerdings haben mehrere Menschen, die beruflich Fluggäste sicher durch die Luft bringen, sehr viele Fragen beantwortet, ohne die Geduld zu verlieren.

Vielen Dank für die überaus angenehmen Gespräche an:

Kapitän Thomas Pagenstedt
Kapitän Jens Junghans
Kapitän Thomas Minninger

Anja Linde hat den Titel dieses Buches gestiftet und soll nicht nur dafür in ChocoCrossies baden.

Tausend Dank an die himmlische Christina Stehr. Unter anderem für verpackte Männer, Ramba-Zamba-Toilettenraucher und ansprechbare Hasen.

Die Lufthansa musste ungefragt ihren guten Namen hergeben. Die Geschichte ist frei erfunden, also auch die Beschreibung innerer Umstände der Fluggesellschaft. An deren Seriösität gibt es nach Meinung des Erfinders keinen Zweifel.

Mehr oder weniger unwissentlich sind mehrere Politike-
rinnen ausgehorcht worden. Den Dank an alle begleitet
eine Entschuldigung:

Silvana Koch-Mehrin (FDP), Andrea Fischer (Bünd-
nis90/Grüne), Sabine Leutheusser-Schnarrenberger (FDP),
Krista Sager (Bündnis90/Grüne).

Die beiden Bundestagsabgeordneten Dorothee Man-
tel (CSU) und Petra Ernstberger (SPD) haben sich Zeit
genommen. Der Autor hat von beiden viel über Umar-
mungen gelernt. Die ungewünschten, die mit viel Energie abgeschüttelt werden müssen. Und die schmerzlich
vermissten, die die Mattigkeit vertreiben könnten. Vielen
Dank!

Das Buch »Welchen Preis hat die Macht?« der ehemaligen CDU-Schatzmeisterin Brigitte Baumeister war sehr
hilfreich.

Eine Verneigung vor Julia Mittelstrass, die einer Laugen-
brezel Zauber verliehen hat, als sie Fragen in mundge-
rechte Happen zerrupfte.

Der Ignorant kennt jetzt Georgia O'Keeffe, die wichtigste
Glocke Berlins und den Reiz von Spaziergängen durch
Elendsviertel. Auch zur Bewegung bewegt von Anne
Nöll.

Ein prägnantes »Com'on« an Ulla Kock am Brink, die
Details zum Gerüstbau an der Frau preisgegeben hat.

Keiner fliegt den Alhambra of love besser als Kapitän
Christoph Tempomat von Sonnenburg. An seiner Seite

wären 3100 Kilometer zu Fuß wahrscheinlich genauso entspannend.

Anja Koenzen hat sich an Zeiten erinnert, in denen sie noch Wässerchen trübte. Danke für ein charaktervolles Adjektiv und vieles mehr.

Eine Umärmelung an den hitzebeständigen Westfalen aus Tropen-Soest, den Wäschereibesitzer Carsten van Ryssen.

Er wird dieses Buch kärchern wollen, sie wird es scharf verurteilen. Auch deswegen heißt mein Strand-Traumpaar Isabel Nieto und Roberto Cappelluti.

Martin Samba Kotthaus und Justus Hugo Kaufhold haben mehr inspiriert, als sie wahrscheinlich jemals wollten. Großer Dank, mit der Bitte um Nachsicht.

Helge Malchow hat einen Höhepunkt verhindert und das war sehr gut so.

Birgit Schmitz hat den Verzicht auf Olivenöl und alles Pochende sanft empfohlen. Ohne Birgit gäbe es kein Telefon, zu viel Unausgesprochenes und es wäre niemals 22.27 Uhr geworden. Deswegen soll es immer eine ICE-Verbindung geben, die den entzückenden Jubelperser schnell herbeibringt.

Am Anfang dieser Geschichte stand das Klingeln einer Telefonzelle auf Korsika. Dann kam eine steile Straße nach Sant Antonino, eine Zuckerbrotbucht, ein Garten in Pigna, die späte Sonne am Xaver-Brenner-Haus und

die frühe Sonne gegenüber vom Flugzeugträger Cle-
menceau. Da war auch noch das Wäldchen über Barcelona, Horden von Pharmasektierern und ganz oft »Besame
mucho«. Ohne dich gäbe es nur nichts. Danke Anna.

Werner Köhler
Cookys

Roman

KiWi 808
Originalausgabe

»Cookys« erzählt die Geschichte einer Leidenschaft –
Kochen. Seine Jugend in den 70er Jahren verbringt
der Ich-Erzähler Gerd Krüger, genannt »Cooky«, wie
viele junge Männer: schweigend und dauerverliebt.
Natürlich spricht er nicht mit den Mädchen, aber er
kocht für sie.
»Cookys« ist ein Roman über das Erwachsenwerden,
über Freundschaft, Verlust und die Verwirrung der
Gefühle. Vor allem aber ist es eine Liebeserklärung
an die alles vereinende Kraft des Kochens.

»Ein Buch, dessen Lektüre satt und glücklich macht.«
Elke Heidenreich

www.kiwi-koeln.de